霍桑探案 ————

程小青作品

霍桑探案

程小青　著

DETECTIVE
HUO SANG

魔窟　双花

2

海南出版社
·海口·

图书在版编目（CIP）数据

霍桑探案. 2，魔窟双花 / 程小青著. -- 海口：海
南出版社，2025. 1. -- ISBN 978-7-5730-2063-5

Ⅰ. I247.7

中国国家版本馆 CIP 数据核字第 2024FV6195 号

霍桑探案 2　魔窟双花

HUO SANG TAN' AN 2　MOKU SHUANGHUA

作　　者：程小青
策 划 人：彭明哲
责任编辑：高婷婷
插　　画：杨冬梅
封面设计：张　军
责任印制：郄亚喃
印刷装订：河北盛世彩捷印刷有限公司
读者服务：张西贝佳
出版发行：海南出版社
总社地址：海口市金盘开发区建设三横路 2 号
邮　　编：570216
北京地址：北京市朝阳区黄厂路 3 号院 7 号楼 101 室
电　　话：0898-66812392　010-87336670
电子邮箱：hnbook@263.net
经　　销：全国新华书店
版　　次：2025 年 1 月第 1 版
印　　次：2025 年 1 月第 1 次印刷
开　　本：880 mm×1 230 mm　1/32
印　　张：10.125
字　　数：228 千字
书　　号：ISBN 978-7-5730-2063-5
定　　价：46.00 元

·目录·

浪漫余韵

江 南 燕

珍 珠

　　霍桑是我的知己朋友，也可称之为"莫逆之交"，我们在大公中学与中华大学都是同学，前后有六年。我主修文学，霍桑主修理科。霍桑体格魁梧结实，身高五尺九寸，重一百五十多磅，面貌长方，鼻梁高，额宽阔，两眼深黑色，炯炯有光。性格顽强，智睿机警，记忆力特别强，推理力更是超人，而且最善解人意，揣度人情。朋友经常有意用不易解答的难题向霍桑询问，他总是不假思索，立刻解决，即使是极细小奥秘的诘问，他也有求必应，有问必答，有时不能十全十美作答，至少也解释到七八成。因此大家知道他具备精炼锐利而应付得当的不平凡的技能，于是都把他看作"大侦探"。

　　霍桑好学，新旧学识都广博贯通，然而也偏专于理科，对于现代学制注重各科必须平衡发展，并不同意，甚至感到非常不满。所以他攻读的科目，除数学、物理、生物、化学之外，还涉及哲学、法律、社会、经济等，对于实验心理、变态心理更有独到的见解。其他如美术、药物和我国固有的技击也下过功夫，或者可以说"兼收并蓄"，对于旧学，不分家派，比较重义理而轻训诂，凭他具有科学的头脑，往往取其精华，丢弃残滓。他始终觉得儒家思想的"格物致知"和近代的科学方法十分相近，心中最佩服，平时都能亲自加以实践。同时他又欣赏墨子的"兼爱主义",长时期受到墨子的那一种仗义行侠精神的熏陶,养成他痛恨罪恶,痛恨为非作歹,见义勇为,扶助贫困压制强权的品格。

当我们还是同学时,因为"柳医"事件,我蒙受嫌疑,幸亏霍桑仗义助我一臂之力,才能水落石出,还我清白。事后,我以"灯光人影"为题目,把事情的经过记叙出来,朋友们读后,全都佩服霍桑的机智卓越,从事情发生的起始,由猜想而抓住现实,竟然能解破疑团,而得到美满的解决。他精细灵敏的判断,使人从心底钦佩,可以说没有人能及得上!那年,我在东吴附中教书,霍桑因为严父霍有志及慈母先后逝世,剩下他孑然一人,于是把安徽故乡的一些产业出卖,搬迁到苏州,和我住在一个寓所。那时分我的母亲还健在,住在葑门葑桥,地处幽静,我们早晚相聚,很有乐趣。每天晚饭后,我们各人纸烟一根,彼此促膝谈心,滔滔不绝。所谈的题目没有限制,随时随地有感触就发表议论,从天南到地北,从乡里旧闻到国家政治,有时甚至空中楼阁以至于渺茫的幻想,无所不谈,没有尽止。间或还谈到侦探的一般技术,在这一方面我不否认,有时霍桑的论调和我并不一致,甚至会发生争辩。当时对于侦探的学识我本来是门外汉,一窍不通,只凭眼见所及,即算是侦探,或者用八个字"聆音察理,鉴貌辨色"作为侦探的释意,其他就是注意手印、足迹作为唯一的证据。我的朋友认为我过分拘束,他说要因势制宜,绝对不可一概而论。

霍桑曾对我笑着说:"老兄,我看你是中了欧美小说的毒,东西方文化不同,学术制度也不同,各有长短,现在我们探索西方学术时,应该取其长处而丢弃它的短处,为我所用,绝对不能缘木求鱼,刻舟求剑,盲目地跟随。譬如说侦察时,脚印十分重要，洋人的住所，地板上都加油漆，或者打蜡，脚印很容易看到，但是我们中国人家不同。何况我们穿的鞋子，鞋底柔软，也不像洋人的鞋子大小尺寸有规定，因此就难作凭证，只能作为辅助的证据，怎能作为唯一的凭证呢？再说手印，欧美国家的警察局几乎都有手指印的存本。假定有人犯过罪，就留下指印，指印越积越多，以后一有指印，就可能检索而查到。然而这仅限于那些惯窃积盗而已。如果是外来的罪徒，或第一次犯罪的人，警察局尚未有记录，于是指印就失去效用。尽管案件破获以后，也可以用作证据加以定罪，然而狡猾的罪徒可以戴手套，伪造手印使侦探扑朔迷离，无法查找。所以我说手印已经不够可靠。欧美侦探已遇到种种困难，更何况我们中国人？再说，我并不是公家的侦探，并没有指印存本，对于偷鸡摸狗之类的蒜皮小事我也不屑一顾，对于指印的看法怎么能拘泥不变？"

我说道："那就难了，如果老兄从事探案的话，你该从何着手？"

霍桑说道："我一定不像你那样拘泥在手印脚迹这两方面，我要临机应变，寻找各种途径去解决。"

我再问他是什么样的途径，他的答复是要根据事实，随机应付，而没有固定的标准。我不肯罢休，进一步探问，他仅笑而不答，转移题目谈旁的事情。每次听他的辩论，我总觉得有点牵强，但是我不敢跟他对抗。说实话，他的观察十分敏锐，远胜于我。也有时我心中不服帖，故作狡猾要试探他的技能。

一天，有位朋友相约我一起去划船游戏，玩两小时才尽兴回家，那时衣服鞋子全都湿透。原因是我初次尝试，不知道如何划桨，用力过猛，于是水溅湿了小艇，然而玩得极有乐趣。

回到家立刻换掉湿透的衣鞋，整理凌乱的头发。正当这时霍桑自外归来，我忽然有个意念想试探他一下。因为我出外游玩没有一个人事先知道。

我笑脸对他，说道："霍桑，猜猜看，我今天做什么去了？"

霍桑停止脚步，用手抚着下巴，目灼灼地对我周身注视，并不立刻答复。

我斜视微笑，心想这一次他一定失败。驾船出游是我第一次尝试，况且我已经换上干净的衣鞋，没有痕迹可以做凭据，他一定猜不出。

我的朋友忽然说道："你是不是去划船刚回家？"

我大为惊奇，不知道他是怎么猜中的。

我说："算你侥幸猜中，那么我到哪儿去划的船？"

他立刻说说是"黄天荡"。

我更加诧异，问道："奇怪，难道你见到我了？"

霍桑缓慢地走近椅子，说道："我何曾见到你，不过是揣测观察而猜中。"

我问道："果真如此？那么你用什么技术测度到的？能否告诉我一点头绪？"

霍桑微笑点头，在椅子上坐挺，说道："这很容易。我听到你的问句，有点意外，事后对你观察，你虽然衣服整洁，但神容十分疲乏，领口汗痕潮湿，这一目了然，看样子你一定有过激烈运动，比赛跑步？踢球游戏？还是跳跃游戏？这一切都不是你擅长的运动。我知道你欢喜柔术，曾练习拳击，如果你要练拳一定宽衣解带，但是看你领口上的汗迹，并不像是练拳，再看你脚上的袜子都是斑斑水渍。于是我忽然记起来，两星期前，许君约你一起去划船，你有事没去，心中不乐，我想今天你一定实践前约，一起去划船了。"

我大声叫道："老兄你真聪明，你分析推理井井有条，不能不令人佩服，你虽然知道我去划船，怎么知道是去黄天荡？有什么根据？"

霍桑说："这完全是观察你的头发而猜到的。你的头发新加上发油，看得出你划船时被风吹乱，回来重新梳理，你涂过发油后照理不容易被风吹乱，可见风力猛烈。但今天的气候若是在城里小河划船，不会把头发吹得散乱，于是测度你一定到辽阔的大河去划船，除黄天荡外，没有第二处地方了。"

我听完他的话，不禁点头，于是笑道："老朋友，你如此机敏，不愧是大侦探呀！假定我方才换衣鞋时，把领带袜子一起更换，你就无所凭借，也许猜不中了。"

霍桑微笑道："对呀！你为什么不防备这一点？"

"偶然失策！"

"是呀！就是因为偶然失策，便成为探索的导线，不然，我并没有神奇的通天眼，怎能窥探到你的秘密？"

"假使我准备得十分周密，你就完了？"

"不见得，你应该知道，无论你如何狡猾机诈，充其量只能遮掩面目，却不能遮掩心灵。一切伪装，做不到天衣无缝，缜密到一点漏洞也没有。无论如何老奸巨猾，千方百计地安排，仍会顾此失彼，难免有懈可击。有时漏洞太小，智力不够的人往往不觉察。做一个侦探必须对极细小的漏洞加以注意，不让它逃过眼帘。"

我听他的解释后，简直无话可以辩驳，心中完全对他折服，何况霍桑所说的话都有根有底，强辩是无用的，我不再刁难他。

有一天傍晚，霍桑约我一起到城墙散步，葑门到城墙很近，他常到此处登高远眺，借此舒畅一下胸怀，心旷神怡，也是一件乐事。现在刚好初春，我教课后空暇无事，往往随他一起散步。登上城垣，迎面就是东风，深呼吸之后，感到舒适之极。本来墙脚边都是枯黄的野草，此刻在杂草之间可以找到嫩绿的新草，大有苏醒复生的意味。俯视城墙下面的麦田秧苗，差不多有一两寸高，中间隔着豌豆苗，也露出嫩绿的颜色。沿着河流高高低低长满了莼菜。老农放下了犁头在屋檐下倦卧，一天辛劳地工作，此刻舒展筋骨小作休息。城墙外面全是农民的住屋，有些屋子面对着溪流而筑造。小河岸上是高大的杨柳，下垂的一丝丝的柳条轻拂着水面，流水无情，似乎要拉住柳条流向远方，水面上反映着袅娜的柳条影子，仿佛羞涩的美女，半推半就。风景美丽，令人陶醉。葑门地区幽雅而静僻，景色迷人，充满了江村的景色，一半乡村，一半城墙，十分可爱，若是和阊门的喧闹嘈杂比较，这里简直像是世外桃源、绿野仙踪的好地方。

我的朋友手指着大自然笑道："好几天没有登上城墙，春色已经是如此浓重了！"

我说道："可不是吗？春光在诱招游人，我们不应该辜负呀！"

我们从城墙再登高到顶端，居高临下，俯视下面，葑溪绕环在城脚下面，湖面上帆影点点，隐约可见。向西远眺可以看到灵岩天平的许多山峰，山峰在夕阳的晚霞笼罩下，忽隐忽现，仿佛晚妆的美人，隔着薄纱在窥视，有时见到颜面，有时却又忽然消失。我们仰望云霞，远瞻山光，乐趣无穷。凝视半晌，我们再沿着城墙缓缓散步，城墙的一半都已颓废倾倒，小径也被砖石阻塞。我们还见到一两座旧废的火炮，深卧在野草丛林之中，历经多少的灾劫，如今还是酣睡未醒。

一会儿，我们走到一处缺陷的地方，于是止步注视。原来是城墙外倾大约有三丈宽，砖石堆积形成斜坡。有几个顽皮的孩童在缺陷的地方，跑上跑下地嬉戏。目睹这些，心中不禁产生一种思想。默想当年专制时代闭关自守，城墙十分重要，有人专职管理，每年加以维修，没有人敢忽视。而今帝制告终，凡是陈旧封建的遗物，就逐渐消灭、淹没，这座城墙也像是倦怠想睡于是就失去了支撑的力量而日见倾颓。

突然，我听见霍桑惊奇的呼声："喂，包朗，你看这是什么东西？"

我听见叫声，回头一看，只见霍桑手指砖石之间，目光灼灼地注视着，神情十分惊异。我走近，看见砖石之间有一件东西在夕照之下反射出光辉。我的朋友俯身捡起来，向我显示，原来是一颗珍珠。

盗 案

我初见到这颗珍珠，还以为是孩童们的玩物，偶然遗落在这里。

我问道："这珍珠是真货？还是——"

霍桑立刻回答我："自然是真的珍珠，你不会辨别？"

霍桑把珍珠交给我，要我仔细观察。我一看确是真品，圆润而光灿，像梧桐的籽粒大小一般。

我因此问道："奇怪，照市价看，这粒珍珠至少要一百块钱，怎会落在此地？"

霍桑从容地说："这就是侦探的资料呀！"

我把珍珠还给他，问道："你指什么？"

霍桑说道："我是指这颗珍珠的来源。珍珠的中央有个细孔，一定是闺秀们的装饰品。然而你想这是什么所在，怎会有女子佩戴的珍珠首饰失落？珍珠不是它的主人遗落在此是可想而知的了。然而珍珠怎么来的呢？是不是贼偷了珍珠后，路过这里，遗落下来的？你看珍珠刚好遗落在缺口处，其他就可想而知了。"

我恍然明白，说道："一点儿不错，你说可能是贼偷盗珍珠，是不是指月初姓方姓严的两家发生的盗劫案？"

"对呀！我听说两家的盗窃案是发生在同一天晚上，而且同时在半夜两点钟左右，那时各处城门都已关闭，盗贼没有办法逃走，可能就从这缺口逃掉的，你认为对不对？"

"照理是不错，但是这人是谁？一夜可以兼偷两户人家，这是一桩大的盗劫案呀！当时报纸上还大大宣传，轰动一时，你还记得吗？"

"怎么会忘记呢？我听说这个盗窃东西的人叫江南燕！"

霍桑提起"江南燕"的名字，我想不得不追述一些往事，让读者们有个眉目。

三星期之前有两户人家发生过盗窃案，一家姓方一家姓严。姓方的住在侍骑巷，听说清朝末期有人曾经在某省当守府，所以财富很多。严姓人家住在书院场，从做生意经商起家，资财积存极为丰富。据说那次盗窃损失不小，至少在万金左右，全是珍珠钻石宝物。盗案先发生在方家，接续发生在严家，两案相隔只有一小时，墙壁上都留下"江南燕"三个字，猜想是强盗自己的名字。考虑到时间及名字，两案显然是出自一个人。这强盗擅长特殊的技能，据严家的仆人报告，强盗是越墙进去的，当他破内室的门时，仆人听到微微有些声响，就有怀疑，立刻披衣起床查察，黑暗中依稀看到一个黑影，从内室冲出来，跳跃如飞，看样子似乎已经饱掠而想逃遁。仆人见到这种情形，惊骇地呼叫起来，声音刚出口，忽然觉得有一样东西撞击他的嘴唇。他痛极不支倒地。等到家人听到呼声，全都起来，强盗已经渺无影踪了。回来见仆人还倒卧在血泊中，不声不响没有动作，形状十分可怕。等到把他扶起来看，只见牙床里鲜血直流，这仆人已经丧失了两只牙齿，他一时痛得昏厥过去。再查究伤害的缘由，找到一块碎砖，被丢落在地上，猜想可能是强盗用砖飞击，造成牙齿脱落流血。

那时分屋内漆黑，伸手不见五指，他竟能击中门牙，若不是怀有绝技的人无论如何做不到，换句话说，这个强盗不是平凡普通的人物。案件发生后，失主虽然竭力追查，一心想要把赃物追还，可是官警差役，敷衍了事，并没有尽力侦查，结果根本找不到破案的线索和头绪。测度情势，这些警察一半是胆怯畏惧，自己知道不是对手，敌不过对方，因此知难而退，另一半原因是强盗动作敏捷，一点儿迹象也不留，缉捕的人根本无从下手。侦缉这件窃案达一星期之久，一无所获。官场中人知道办不到，事情就这样淡漠含糊过去。初起是社会上轰动一时的大新闻，日子一久就逐渐淡忘，也不再有人谈论。此刻要不是霍桑提醒，恐怕我也一样把这件事忘记得一干二净。

我说道："我听说江南燕并非寻常掘壁洞的小偷可比。他在上海已经犯过许多窃案，官场中四处侦查缉拿，始终抓捕不到，这个人实在不是轻易可以对付的。"

霍桑的目光还在碎砖泥土里探索，希望能寻到第二颗珍珠，一边应声说道："对，这样的大强盗，若不是精悍的警探，恐怕不容易对付。官厅中的警探，虽然有些是能干机警，但大半是无用的饭桶。他们对付偷鸡盗牛的小偷们最有本领，对方还没有机会为自己辩白，他们早已巴掌打过去，或者有意威胁恐吓，甚至用私刑，即使不是小偷也被冤枉送进牢狱，百姓受到冤枉，没有办法申冤诉苦，那辈警探居然算是尽职建了奇功。"霍桑略做停顿，叹了口气，有不胜愤懑的感慨，于是继续说下去："就因为这样，人民自由受到蹂躏，连性命也失去了保障。在上面的人渎职不负责任，熟视无睹，在下面的人就凭借自己的地位作福作威，胡行妄为。一向号称以民为主的民国而有这种封建时代的虐待人民的遗毒，主政的人们将如何解释？"

我觉得他十分愤怒，有点肝火上升，就赶紧用别的话题扯开来。

我说道："话一点儿不错，现在暂时不谈这些，你看对方不小心丢落珍珠，是否有什么征兆？"

霍桑神色比刚才平静一点儿，摇头说道："一时也没有征兆。这里砖石零乱，再说孩童们在上头嬉戏，最近天气干燥，不容易观察，依情理推测，强盗偷窃后在黑夜仓皇逃遁，偶然失脚跌倒，珍珠受到颠簸跌出来，这是有可能的。记得月初下过雨，砖石上的苔藓湿滑，步行不容易，若是不跌倒，走路时也因泞滑而使身体偏侧，珍珠跌落就很有可能。"

我听他滔滔不绝，用大侦探的口吻发表议论，笑问："你老兄善口才，但对破案一无帮助，请问你果真能缉拿到江南燕吗？"

霍桑抬头注视着我，微笑说道："依情势来看，我没有办法，不过碰到奇异的事，我的性格就欢喜研究调查。今天意外地获得珍珠而引起我的一番议论，我觉得十分痛快。"

"现在，应该略做休息。我意思今后我们应计划解决如何处理这颗珍珠。"

"你说得对，在法律上讲，这颗珍珠要交给警察局，告诉他们是在何处找到的，提供他们一些线索。不过这件案子是好久以前的事，延迟到现在去报告，强盗早就远走高飞，也无济于事了。我的意思应该想一个更妥善的办法。"

"有什么办法？难道说把珍珠还给失主？"

"这不太妥当，因为有两家都被盗窃，大家都有珠宝被盗走。珍珠无法识辨，又无记号。我看还是把它出卖，把钱捐给慈善机关。"霍桑说到这些，忽然抬头高声叫道，"包朗，你看阿兰来了！"

我回头，果然看见女用人阿兰踉跄地走上城墙。我有点诧异，不知是什么事。因为要是一个人离开屋子，忽然看见家里人神色这样匆促地赶来，难免会产生一些疑惧。

我等她走近，问道："阿兰，你来干吗？"

阿兰透了口气说道："我特地来找主人。"

"找我有什么事？"

"有客人！"

我的疑虑立时放下，说道："有客人？这是家常事，何必如此心神不定？"

阿兰受到我责备，伊自己也觉得过分慌张，一时瞠目沉默。

我问道："客人是谁？"

阿兰答道："客人自称姓孙，住在十梓街，是你学校中的学生。"

我说道："可能是孙格恩，他来干吗？"

"他说有重要的事找你，所以老太太请他等候，他有点不耐烦，一定要立刻见你，因此老太太差遣我赶来寻找主人回家。"

我十分诧异，如果客人真是孙格恩，倒是有点意外，可能不平常。孙格恩和我仅是师生关系，平素也不来往，都是在教室中见面，不然偶尔在学校草坪中散步谈话，之外，他从未到过我家。今日特意来看我，究竟有什么事？我沉思犹豫，狐疑不决，霍桑已经看出我的隐忧。

霍桑突然说道："回家去，有什么事，见了面自然明白，何必如此犹豫不决呢？"

我没有说什么，跟着阿兰一起走下城墙，这时远空已经笼罩着晚霞，夕阳消失在地平线之下，大地显得暗淡无光。

我们到达家门，看见来客正站在门前张望，确是孙格恩，观察他的神气，仿佛果真有重要的事情。

我问道："格恩，你为什么到这里来，今天你没有上学？"

格恩惊慌而有点发抖，说道："先生，我们家出了大事，我无法上学。这位是不是先生常常提起的霍桑先生？"说时目光注视着霍桑，弯腰行礼。

我回答道："是的，他是我的朋友。你家发生了什么大事？"

格恩说："我特地来要请求你和霍先生帮忙，昨天晚上我家被偷窃，损失六七千元。窃贼还在墙壁上留下姓名，他就是前些日子哄传一时的江南燕。"

勘　查

我们听到这里，禁不住相视惊愕。霍桑向我投了一眼，意思是站在门外谈话不太相宜，示意要我们进屋再谈。

我明白，立刻说道："格恩，此地不宜谈话，请到屋里小坐。"

屋内已经开了灯火，我借着灯光注视格恩的面孔，他皱紧了眉，嘴巴微开发抖，脸色灰白。坐下后，他直接对霍桑说道："先生，自这件事发生后全家都慌张不安，尤其是我的姨妈受不住，现在正病卧在床，请求先生为我们侦查。"

霍桑问道："你刚才不是说过强盗就是江南燕吗？照理，你们应该立刻报告警察局，追踪盗贼的行迹。现在你来这里请求我们帮忙，这有什么用呢？"

格恩说道："老实告诉先生，案子发生后当夜就向警察局报案，不过家父的意思是，这件案子不寻常，警察未必有办法。试看过去方严两件盗案，直到现在未曾破案，也无头绪，由此可见一斑。比较有些本领的，只有洪福一个人。但如此大盗江南燕，恐怕洪福也会一筹莫展。家父思考了好久，想不出办法，心中万分忧惧。我因为经常听到包先生称扬先生智机超人，有'大侦探'之称，所以向家父提出，家父高兴极了，但愿先生能帮助我们！"

霍桑笑道："孙君，你说错了。朋友们开玩笑给了我一个绰号，事实并非如此。承蒙你谬赞推举，自己知道才疏学浅，怎能担负起如此重大的责任？"

霍桑说完，斜视看我。我瞧他的神气，嘴巴虽然拒绝，但心里却是跃跃欲试。我倒有点主意不定。如果霍桑真的接受此案，形势艰险，即使他足智多谋，富有灵感，还是缺少经验，要对付这个机灵绝顶的大强盗，不是轻而易举的事。

格恩诚恳地请求道："先生请不要如此谦虚，如果将来成功，一定不会忘记你的大恩大德。"

霍桑摇头道："孙君，请你原谅，我并不是谦虚，实在对这方面缺少经验，怕不能胜任。"

格恩于是对着我看，说道："先生，请你一定帮我忙，无论如何，请贵友走一趟。"

我听他的话十分诚恳而且也十分惊惶，声音有点哽咽，坚决拒绝似乎有点不忍。

我抬头看看霍桑，说道："我们不妨去走一趟，你看如何？"

霍桑说："仅是走一趟去观察一下我也不便拒绝，我早已说过，我可不能负责。"

格恩快乐地说道："先生果然肯驱驾到舍间观察一下，即使得到先生的片言指示，也应该拜谢，怎敢勉强先生负责？"

于是霍桑点头，我也赞成这样的提法。

霍桑说道："在我动身出发之前，请你把发生案子的大概情形讲一下，如此到了那里才不会茫无头绪。"

格恩说道："究竟什么时间发生盗案，一时不能确定，大约是晚上十时到半夜一点钟之间。昨天晚上我父亲到阊门去看戏，回到家里大概半夜一点钟。十点钟时用人徐妈到卧室铺床，看见姨妈还坐着看书，一点儿没有异样。之后仆役都去睡觉，我也进卧室休息，剩下一个老用人看门。等到家父看完戏回来，踏进卧室，只见姨妈身体伏在书桌上熟睡，呼叫也不回答，等他回头一瞧，房里所有的箱子都已被打开，衣服全部丢在地上，箱子里的珍珠翡翠首饰早已不翼而飞。其中有一只钻石戒指价值要四千，也一起被盗，总计损失在七千多元。家父用力把姨妈叫醒，查问详情，她说一点儿都不知道，只说看书有点疲倦，于是伏在书桌上小睡，其他的事完全糊涂不清。叫醒仆役查问，一听全惊呆了，没有一个人发觉和听到声音，只瞧见墙壁有'江南燕'三个字。查看屋子，发现后门被挖破，所有留下的痕迹可以查考的仅此而已。"

霍桑全神贯注地静听，等格恩报告完毕，他说道："这件案子大体来说，果然是十分奇异，那么警署中的人有什么见解？"

"他们都说是江南燕干的，不过很可能屋里有人内线串通，因此看门的老荣已经被警察抓去了。"

"是吗？你刚才所提到的洪福是什么人？"

"家父在河北省做官时，他就来我家，跟随家父已有多年。此人干练而有胆量，人也忠厚诚实，昨天晚上跟家父一起去看戏，不然像他那样的精机，一定不会像其他的仆役那样愚蠢得全无觉察。"

"现在他从事侦探工作吗？"

"对，从前我们家里发生过两次被偷案件，都被他破获。有一次家父失去一只金表，被上门化缘的游方和尚偷去，也是被洪福侦查抓到的。所以我父亲十分器重他。昨夜发生的盗案，也请他侦查。"

霍桑点头道："那么他对这件案子有什么表示？"

格恩道："没有，不过他对警察拘捕老荣的事，心中十分不满意，但也没有另外的具体见解。"

霍桑站起身来说道："够了，听你叙述的一切，我已大致有个概念，等一会儿见到令尊时可以免除啰唆查问。"转脸对我说："何不现在就去，等一会儿还来得及归家用晚餐。"

我同意，格恩十分高兴在前面领路。

我乘霍桑已经出发还没到达这段空暇，向读者介绍一下关于格恩的家庭情况。格恩的父亲名叫守根，官曾做到道尹，后来因自己家产富有，看淡名利，不想做官，于是弃官闲居。守根祖籍是安徽，原配即格恩的亲生母亲依旧留在安徽。守根本性安静，欣赏苏州的山明水秀，于是带着姨太侨居苏州。姨太并没有子女，格恩与姨太住在一起，相处和睦，和姨太的感情也不差。我们走了不久，进了十梓街，没走几步路就到了孙家住所。住屋式样古老，墙门漆黑色，并不十分讲究，但很严森，共有三进，入大门就是看门人住的房间。格恩告诉我们，老荣就住在里面。目前老荣被抓捕去了，另外有个小男童在看守。男童看见我们，立刻到里面去通报，格恩依旧引我们进去，才走到大厅，就见格恩的父亲守根已经出来迎接。

守根看上去年在四十左右，面目清瘦，身材颀长，身上穿着蓝色团花绸缎皮袍，翩翩风度，大有隐逸的神态。不过现在他脸色枯黝，双目深陷，虽然皮袍在身，仍显得有点抖缩，猜想昨夜失眠加上忧急，精神不支。我曾经见过他一面，霍桑还是第一次见面，我先招呼。守根素来十分谦虚礼让，今天格外殷勤，特别走前一步向霍桑招呼，还大大地称赞一番，霍桑谦逊地回礼。我们被引进一间书房，坐定以后，守根把经过情形述说了一遍：

"这次盗案损失太大，内人受惊忧急出了病。早晨警察来过，说偷窃的人是有名的罪大恶极的强盗，一时不容易下手。如果先生有什么指教，能够把他抓获归案，或者把珠宝追回，弟当叩拜鸣谢！"

霍桑说道："本人才疏学浅，承蒙谬赞，把重任委托，怎能不竭诚效劳？关于一般情节，令郎已经向我谈过，多少有点头绪，不过还有几点，敬请赐教？"

守根喜悦地说："不敢。请先生讲。"

"昨天先生出外看戏，记得是什么时间离家？"

"出门时大约九点半，到达剧场民新社时，刚好十点钟。"

"什么时候回家？"

"戏十二点结束，洪福点灯招呼，我们一起步行回家。回到门口，老荣还坐守着大门，初起看不出有什么异态。之后我进入卧室，看见箱子已被打开，衣服零乱，知道已经被人偷盗过了。"

霍桑点头说道："以后的事我已经知道，现在不妨先去观察一下。"

守根领我们到里面的客厅。客厅在第三进，靠右面一间就是守根夫妇的卧室，也就是被偷盗的一间。

足 印

我们走进里面的客厅后，大家就坐下。守根吩咐用人徐妈点灯，以便于检查，同时指向右边灯光明亮的一间：

"这是我的睡房，后面还有一间是女用人徐妈的卧室。"他的手又指向卧室的另一边："弯曲的走廊的末端，有一门可通到小花园，贼可能是从这门进来的。"

霍桑还未答话，看见女佣燃亮一盏很大的玻璃灯走过来，也没说什么就站起来递给守根，守根提着灯前面引导大家一同走向卧室门口，守根说道："这是正门，平时都从这里出入，不过昨夜发生窃案后，踪迹很清楚，看得出他是从正门进去，我怕痕迹弄糊涂影响检查，所以把正门关了，从西边侧门出入。"

霍桑点头，于是绕过甬道缓步走进去。一进卧室，只见里面灯光耀目，满室通明，然而门窗却关得很紧。我们刚从外面的空旷处走进，立刻感觉到呼吸有点不顺，霍桑最突出，发出重重的鼻息声。

霍桑说道："为什么门窗关得如此紧？里面空气混浊极了，使人感到眩晕。"

守根说道："因为内人病体不适，怕风。"

霍桑说道："身体不适，室内应该流通新鲜空气，关紧反而不好，尊夫人是因为惊吓引起不适，如果有新鲜空气，神经苏爽，病或许痊愈。"

守根听霍桑所说的一切，似乎并不完全同意，不过勉强打开一扇窗。的确，我们中国人生病，往往有避风的习惯。其实这样有时反有害处。

我四处注意，卧室是长方形，布置精致而雅洁。睡床完全是红木质料，靠近墙壁，方向朝南，床周围挂着罗帐，一时看不见有人，但是微微听到里面有缕缕的呼吸声。床的右边都是堆放着箱柜，一共两幢，箱子上的锁都已经破裂。其中有三只箱子平放在地上，全都被撬开，衣服等被丢弃在旁边。

守根说："这是强盗偷过以后的状态，我未曾碰过，也没有移动。"他的手指着地上的一只箱子："这是收藏珍宝的箱子。箱子本来摆在近床边的柜子上，排东第二，现在里面的珍珠钻石等已被洗劫一空。"

霍桑问道："收藏珍珠首饰就是这只箱子，其他还有别的箱子放首饰吗？"

"就这一只箱子，其他藏的都是衣服。"

"那么衣服被偷掉多少？"

"衣服没有被偷，只偷去首饰珍珠。"

"观察这许多箱子都被撬过，这是为什么？"霍桑检查箱子上的锁，再用力开最下面的一只箱子，细细地观察着。

我乘机答道："强盗获得珠宝后，贪得无厌，所以每一只箱子都撬破，希望多些金银首饰，而衣服皮货他毫不在乎。"

守根附和道："我也是如此推想，衣服太累赘，拿起来不方便，所以放弃衣服就拿首饰。"守根再领我们到床后面，移动灯火把它照在墙上："先生请看，这是强盗留下的名字！"

我抬头，果然看见粉刷的墙壁上有"江南燕"三个字，字是正方形，长阔各约三寸，潦草得很。

霍桑从衣袋中拿出电筒使光照在墙上，一会儿说道："这是用焦木炭写的，看来腕力很弱。"

守根说："字体很怪，不常见到，因为匆忙留下，当然讲不到功夫了。"

霍桑没有说什么，从后面床边走出来，对守根说道："好了，现在让我验一验他的脚印。"

守根拿灯照着地面，脚印不太多，从靠近床的箱柜起，可以清楚看到出入的脚印，脚印前掌宽阔，十分鲜明，后跟见得狭窄一点，比较模糊。霍桑拿出纸笔，照样子描绘下来，同时用手测度两脚印间的距离。

霍桑慢慢地说道："脚印长六寸，像是新式皮底缎面鞋子印出来的，而且看得出已经磨损。从脚印上测度，这个人矮小。最近久旱不雨，但是脚印却像刚下雨后留下的，奇怪！"

我完全同意他的说法，地面干燥而能留下如此的脚印，叫人有点丈二和尚摸不着头脑。守根提着灯在前面走，霍桑弯腰屈背跟在后面循着脚印走到门边，距离正门约二丈，方向朝东。如果从正门进来，一抬头就看见箱子，右面是床，左边有玻璃窗。墙上悬挂着两张相片，一张是孙守根，另一张是一位少妇，衣服美丽，相貌端正姣好，年纪大约二十六七岁，窗前有一只桌子，上面堆满了纸墨书籍。霍桑大约看了一眼，就拔掉门闩把门打开。

霍桑问道："这扇门昨夜上闩吗？"

守根说："没有上闩，因为内人等我夜归。"

霍桑没有接话，跟着足印走出去。脚印经过庭院直到走廊下面的门边。

霍桑再检查这扇门，说道："门上有挖撬的痕迹，但门闩并不坚牢，很容易被撬开。"

穿过门，就是后花园，门外还有一间小屋子。

霍桑立定问道："这小屋子有人住吗？"

守根说："本来是花匠冯二住，最近空着。"

"园丁住到别的地方去了吗？"

"不是，因为冯二爱赌，我屡次劝诫，他不肯改过，所以我辞歇了他。这是两星期前的事。"

霍桑扬扬眉毛问："这个冯二识字吗？"

守根说："识字的。住宅里所有的仆役，除徐妈，大家多少都认识一些字。"

霍桑再往前走，一边用电筒照地，跟着脚印直到后门。现在脚印一深一浅间隔着，看得十分清楚。进去的脚印深，出来的脚印浅，弯弯曲曲直到后面。后面的大门好像是重新翻建的，不是旧式门，所以上面装了西式的门锁。门很厚重结实，深红色，门后有一块大石头，估计重约一百斤，知道是用来堵住大门的。

霍桑诧异地说："我看这扇门的锁十分牢固，一定是被尖锥子撬坏。门后的大石头已被移动了六七寸。看形状是强盗打

坏了门锁，再用力推门，门后的石块才能移动，这可不太容易，只有大力士才能做得到。门上的钥匙一共有几把？"

守根答道："只有一把，我独自管理。"

守根说完，把钥匙拿出来，霍桑点头，伸手开门。由于石头压住门，只能拉开六七寸，仅容一个人侧身走出去。我们挤身出去，外面野草丛生，脚印也十分紊乱。对门有一座旧庙，看匾额，是座蛇神庙。前面对立着两根大旗杆，上面的雕镂木斗还完整，还有一对石狮子蹲踞左右，为庙里泥塑的偶像守夜。除此以外，没有别的痕迹。

守根指着庙，对霍桑说道："本来庙里有一个人看守，他的名字叫胡大，年事已高，弯腰曲背。昨夜我家发生盗案后，他也一起被警察抓到局里去，说是要向他问话找线索。现在庙里黑暗无灯，恐怕人还没有被放出来。"说完叹了口气，有点叹息警察愚笨，连累了无辜的人的样子。

我趁守根跟霍桑在说话，借着灯光，四面观看。门边长满了杂草，看不出什么痕迹。不过在三十码之外我看见沿着墙壁有一个低陷的水潭。我走近细看，那里十分潮湿，沿墙污水汇集，成了低洼的泥沼地。

我大为惊喜，叫道："霍桑，看这里，岂不是又有脚印了吗？"

霍桑用灯照着说道："是呀！脚印是从这低陷的水潭里出来，经过杂草地，再从后门进去。但是找不到离开的痕迹，是什么道理？"

我说道："我认为强盗来时，黑夜看不见，不小心脚踏进这个水洼，所以留了许多印子，后来鞋子已干，从野草地上逃掉的。"

霍桑疑惑地思索，说道："包朗你重视脚印，当然很对，但要寻出真相不能单单注意脚印呀！"霍桑看了看守根："先生住宅里还有其他便门可以出入吗？"

守根说道："没有，除前后两门外，并没有别的通道。"

霍桑点头。此时忽然看见一个人有些跛脚，一拐一拐地向庙里走去。

守根问道："来人是不是胡大？"

那人听到声音立刻止步，答道："先生，是我。"

守根问道："你被释放自由了吗？"

那人说道："对，方才警察们曾查问我昨夜有没有听到声响，我回答说不曾听见，他们不相信，甚至还恐吓我。后来洪福去，先生吩咐他忠告警察不可连累无罪的人，总算我和老荣释放出来，现在我要谢谢先生呢！"

这人走近，我瞧他面貌，两鬓已白，面颊深陷，背驼像弓，形状既老又丑。

霍桑安慰道："你是被委屈的。告诉我，昨夜什么时间上床睡觉？你果真一点不曾听到声音？"

胡大说道："没有，我因为夜里没有事，七八点钟上床睡觉了。昨天晚上睡得真好，所以什么声音都不曾听见。"

"最近几天，你有没有发觉有可疑人在这里东张西望？"

胡大用手抚摸下巴，沉思了一下说道："有，前天下午，我看见有一个人在小巷口徘徊。"

"当真？你可能告诉我他的形状面貌？"

"我眼见这个人，只觉得他身材矮小，可惜没有看清他的相貌。"

霍桑本来想再问，忽然一个小男童从后门奔出来，报告洪福已经把老荣带回家，同时还有警察局的侦探一起来。于是守根向我们招手一起回到屋里去。

侦探的设想

洪福年龄在三四十岁，躯干高大雄伟，两只手臂粗壮有力，步伐沉重，一眼看去就知道他曾经练过拳术。目光炯炯而敏锐，看神色是个多计谋的人。他穿一件咖啡色半旧的羊皮袍，右手戴一枚金戒指。与普通的仆役不同，不用说，他是主人的亲信。我默默地观察他的形状，承认格恩的话没有错，他具有做侦探的机警和智慧。洪福方在内厅等候，我们走进内厅时，他注视着霍桑和我点头招呼。看样子，似乎早已知道我们两人是谁。他先走到主人面前，用纯粹的北平话报告："老荣已经回家。当初警察坚持认为老荣一定听到声响，强迫要他说实话。老荣看守的是前门，贼是从后门进来，即使有声响，他未必听得到。若是说他受贿而与盗贼串通，更不合理。老荣在这里服务已近二十年，从未有过不规矩的行为。怎会有这种事呢？"

霍桑听洪福说话，不断点头，说道："事情成这样，原来是警察不调查，而且办事鲁莽。"

洪福微笑，瞧着我的朋友说道："这班家伙的行为，即使一般人，就能看出他们的错误。况且先生具有大侦探的眼光，不值得你理会的！"

霍桑脸色有点泛红，似乎不愿意接受这样的嘉奖，但没有说出来。

洪福接着说道："主人，警察局侦探现正在外厢等候，是否要出去见见？"

我们大家走出大厅，到厢房，就看见一位神态岸然的侦探在室中徘徊。侦探名钟德，年在三十左右，穿黑颜色的长袍，五大三粗，挺胸昂首。手指间夹着一支雪茄，模样很不平凡。侦探看到我和霍桑穿着西装，瞥了一眼，也不打招呼，就走过去和守根谈话：

"先生，我们看这案子的迹状，是否无隙，一定是有经验的老手干的。毫无疑问，所以断定强盗一定是江南燕，不过根据情形推测，一定有人做内应，才可以没有阻挡地出入。刚才查问老荣，他说从你们外出后，一直坐着守门未睡，前门没有人出入过，也不曾听到声音，事情有点诧异。其他的用人还需要查问，先生能许可吗？"

守根皱皱眉头有点不高兴，但情势上也不好拒绝，于是说道："如果对此案有益，请便。"

守根立刻吩咐召唤所有的仆役。一会儿都到齐。仆役一共四个人，一是看门的老荣，六十左右年纪，头发灰白，听他声音是安徽人。再男厨师王霖、徐妈和散做小童生葆，这三个用人都讲苏州话，本地人。他们看见侦探，都吓得发抖，个个恐惧失色。我不明白，他们是有罪怕？还是看到侦探那种气焰而担心被诬告，竟吓得如此不能自制？其中差别不大，因我才疏学浅，也不敢妄加判别。一会儿，每一个仆人都被查问过，众口一词回答不知道，除老荣睡在大门进口处，生葆与王霖住在第二进，和格恩的外室相连，与案子发生的房间距离远一点，大家齐口都说十点钟已经上床睡觉。只有徐妈的卧室最近。徐妈三十多岁，五官长得端正，衣服朴素。她说十点钟到女主人房间铺床时，女主人在书桌前看书，吩咐徐妈先睡。铺床完毕就回到自己的卧室，上床不一会儿便睡熟了。直到守根叫她，才从床上惊跳起来。

钟侦探查问徐妈道："你睡后，有没有偶然醒过？"

徐妈说："没有，昨夜我睡得很熟。"

"平时你睡觉容易惊醒吗？还是一贯贪睡？"

"自己知道我不是贪睡的人。"

"那么昨夜睡梦中，曾听见女主人的呼叫吗？"

"我不曾听到什么！"

"是吗？如果有呼叫声，你会醒过来吗？"

"我和主人的睡房只隔一层板壁，照理应该听得到的。"

守根有点不耐烦，插口道："今天早晨你们已经详细查问过，而且各房间也普遍搜过，找不出嫌疑，现在又何必絮絮不休，对案子全无补益呀！"

钟侦探回头看了一眼，说道："请先生原谅。我们不怕麻烦，絮絮不休地查问，是想知道盗案的真相。请想一想，如果强盗进来时，夫人在看书并未上床入睡，论情势应该感觉得到。即使是伏在桌子上小睡，盗贼翻箱倒柜，一定有声音，夫人怎会一点儿未觉察？如果发觉，一定高声惊呼有贼。现在我问徐妈，她说没有听见，这中间的关节，实在解释不通。"

守根低头看地，脸色立刻改变，然后冷冷地问道："照你意思，该怎么办？"

"没有别的，我想向夫人询问几句，或者可以有点线索。先生能允许我见见夫人吗？"

守根顿时愤怒地说："我不允许你如此做，内人卧病在床，这是使不得的。"

侦探看见守根一脸怒气，立刻收敛起他的那一套辞色，请罪说："望恕冒昧之罪，请原谅，请原谅，我的目的也不过是搜集线索，对破案提供些帮助而已。"

守根责备道："你真要破案吗？告诉你此刻强盗早已逃之夭夭，影踪全无，你们何以不去追捕，偏在这里啰唆不休？舍本求末，真是莫名其妙，算了！"

钟侦探被训斥了一顿，口呆目瞪，想争辩，但看看守根脸色严肃而又不可侵犯。

守根对霍桑说道："谢谢先生劳驾，想查验的事已经完毕，如果有什么高见，请随时随地赐教。暂且分别，他日再见。"说完便返身想走到内室去。

我知道守根这些话是有意说给侦探听的，他厌倦对方话太啰唆，于是出此逐客令。而我们到此也不便久留。霍桑走过去，和守根咬耳朵说了几句话，便告辞出来。钟侦探若有所失，默默地有点微怒，跟随我们一起离开孙宅。

案情揣测

回到家，用人已经烧好晚饭，我们就坐下来吃饭。进餐时，霍桑没有说过一句话，态度异常，饭后我跟霍桑进入书房，霍桑把门关上，低头静坐。我拿出烟丝做了两根纸烟，一支交给霍桑。霍桑在学校里时本来不抽烟，只是每逢无聊或者深思时，才吸几支烟。我把纸烟给他，他燃点之后，用力抽吸，似乎根本不知道纸烟的浓淡滋味。等了好久霍桑突然站起来在室内徘徊，低头下看，仿佛在数算自己的步伐，并加以测量，一会儿又喃喃自语：

"奇怪……奇怪……一尺六寸……是否真的是这样？"

我再也不能忍耐，问道："有什么奇怪的事？你是指这件盗窃案吗？"

霍桑停住脚步，重新坐下："你说得不错。这件案子很棘手，而且扑朔迷离。"

我说道："这强盗行踪缥缈，当然不容易着手。不过我们在城里拾到的那一粒珍珠，是否也可以作为线索起端？"

霍桑忽然说道："珍珠与这件盗案没有关系。你以为这件案子是江南燕干的？"

我奇怪地问："可不是？你怎么认为不是江南燕？"

霍桑把烟尾丢掉，摇头说道："不是，不是，如果真是江南燕，根据痕迹还容易缉捕，可能没有困难，甚至很有把握。可惜不是，所以一时有些难以下手了。"

"当真？你有什么根据？"

"你怎么没有观察清楚？有两点可以证明不是江南燕干的。首先，你看见墙壁上的字迹，不是十分潦草而且写得极低劣难看吗？我听说过去方严两家的窃案，墙上留的名字，笔力强劲而有气派，仿佛是书法家的笔迹。报上报道时都如此形容，你翻阅一下旧报还能找得到。

"其次，这个强盗挖撬门锁都用尖锐的锥子，可知不是偷窃老手干的。如果这是江南燕的作为，他不但要叫冤枉，还觉得十分羞愧。日前严家被盗时，强盗破门进入卧室，警探不知道盗贼用什么作案工具，照我猜测要不就是一种万能钥匙，可以开任何门锁。"

我恍然大悟，道："你讲得有理，那么究竟谁是窃贼，你已经胸有成竹？"

霍桑沉思一下说道："我大略有点头绪，但还不能确定，所以心中踌躇，犹豫不决。"一会儿，自言自语："我想这个窃贼一定是个狡猾的人，冒名偷窃，作弄警探，自己可以卸脱罪责，真是不容易对付。"

"贼是从什么地方来的？是外盗还是内盗？"

"从迹象看，好像是外面进去。看庙的胡大不是说过前天下午，有一个人在后门的巷口徘徊？这当然可疑。不过方才钟侦探说一定有内应，这话我完全同意，否则外面来的盗贼肯定不清楚屋子里的详细情形。说是巧合，何以不先不后，刚好在守根和洪福出外看戏的三个半小时中间发生盗窃？我秘密问过守根，昨天晚上看戏是否预先买好戏票，他说看戏是他的所好，但是昨天到晚饭时分才心血来潮想去看戏的。那么在几小时中，消息不会传得那么快，窃贼一定是近在左右，不然不会乘虚而入。讲到这一点，若要假定是外贼，似乎有点矛盾。"

"照你老兄的看法，究竟怎样？"

"我拿脚印来推测，做进一步的研究，现在我着眼住宅中这许多用人，认为其中有一个人，等主人出去，就绕道到后门，拿锐利的钻孔工具撬门进来，才留下了痕迹。他偷得珠宝后，就出去藏好，再回进住宅。然而，这所住屋只有前后两扇门，窃贼出进，看门人老荣必定知道。可是他说自从主人和洪福出去以后没有别的人出入，这和我的推想格格不入。"

我沉思了一下说道："照你所说，盗贼岂不能从后门出入？那么老荣就不会发觉了。"

霍桑说道："你想盗贼是从里面打破后门出去的？但观察门锁，显然是从外面进来的。"

"会不会用假钥匙先把门打开，再从外面进来？"

"不可能，这种锁钥是德国制造，不容易仿制，我敢说绝对不是像你所说的那样。"

"那么老荣一定知道，可能他说谎。"

"看情形是这样，但是我还不敢完全肯定。"

"虽然如此，你怀疑是屋子内部的人，那么是谁呢？你怀疑什么人？"

"对这一点，情形很复杂，至今我还没有定论。住宅里这许多仆人，洪福跟随主人一起外出不算，还有四个人。像厨师王霖，小童生葆，徐妈还有老荣，大家都在被怀疑之中，尤其是厨师王霖，体形高大，引起我的注意。其次是老荣，从地位讲，关系重大。不过观察他的举止状态，这老人似乎是忠心耿耿，不像一个虚伪诡诈的人，但是从情势判断，他不应该不知道，可是现在却是相反。因着这一点我心中非常纳闷。至于其他两人，串通的嫌疑很有可能，若说是他们亲自去偷盗，就不是事实了。"

我忽然有些想法，说道："守根辞掉的园丁冯二，似乎也应该加以注意呀！"

霍桑说道："不错，我已经对他发生怀疑。如果是他，那也必须有人同他串谋，才能乘虚而入，那么老荣又是首先被怀疑的！"

我问道："你果然认为老荣是个绝对诚实的人？"

霍桑忽然皱起双眉说道："这就难说了。我观察他的面貌没有奸相，也不狡猾，然而只看外表，而无真凭实据，往往会失策。你听没听过这个比喻，想抵御外来的盗寇，却想不到邻居的儿子竟来偷铁，这是个不可忽略的教训。从根本上讲我今后要搜集一切证据才对，而不能用想象来代替事实。"

"这就困难了。你将如何着手收集证据把问题查清楚？"

"在法理上，应该对住宅中所有的仆役细细盘问，如此才能有头绪或获得实据。但是你注意到主人守根并不高兴对他的仆役有所怀疑。我又不便独断独行，这是个困难的问题。"

我因此想起，刚才警察局的侦探来查问时，也曾对守根的姨太有些怀疑。守根存心袒护他的小妾，以致发怒下逐客令。

我说道："你说得完全正确，不过刚才钟侦探的见解也很合理，你觉得如何？"

霍桑眼睛看着我说道："这是一个侦探应提的问题，不值得注意。而守根袒护小妾，不让查问，就显得他心胸褊狭。我对这一点并不认为是个问题，而洪福却是我的阻碍。"

"为什么？"

"你方才不是听见他称我为大侦探吗？这明明是对我的讥讽。我在想他本来想凭他的智慧，插手其间，独自解决这件盗劫案。没有想到他看见我们也去侦查，就不期然生出妒忌心。凡是同行而有妒忌，将来一定会互相倾轧，到头来一无所成，两败俱伤。这岂不是值得我顾虑的吗？"

我鼓励他说："虽然困难阻力很多，你可不能因此而气馁胆怯。你不是听见过西方福尔摩斯当初在侦破案件时，也有莱斯特雷德之辈跟他作对吗？"

我的朋友微笑道："老朋友，你也不必担忧，我不过说说而已。我绝不是那种见难而退、临阵胆怯的人，自信还不至于如此！"他站起来在室内走来走去，两只手放在背后，目光看着地板，喃喃自语，仿佛自己在问自己，但是听不出究竟在说些什么。

我于是说道："霍桑，看你自言自语，是不是你心中蕴藏着尚未宣布的东西？"

霍桑依旧在房间里踱步着，回答我道："没有什么，我在研究那些脚印！"

我说道："脚印？我本来就认为各种探案之中，脚印是十分重要，不可忽视，现在你——"

霍桑忽然停止踱方步，抬头说道："你听，敲门进来的是什么人，是不是孙格恩？"

我有点奇怪，抬头倾听，果真有人谈话，拉开门，只见孙格恩手中拿着一封信，神色慌张，正伸手要敲我们书房的门。

恫吓信

我瞧着格恩，不明白他的来意，就立刻请他到书房里来。格恩走进门，就直走到霍桑面前，双手握住带来的信，气急地说："霍先生，这封信家父吩咐我转交给你。我们收到这封信后，全家都恐慌不安，现在已经请警察看守前后门，以防不测。"

霍桑立刻把信接过来，惊奇地说："是谁写来的信，干吗？"

格恩回答道："江南燕写来的，你读了信中的内容可以明白，要警察看守实出无奈。"

我听到这里，真是觉得太意外。记得我们两人还测度过，这件案子不是真的江南燕所干，现在又有变化，那么刚才的推理岂不都是徒然，都是错误的了？

霍桑对信看了一眼，说道："太出人意料！这封信是谁先拆读的？是警察局里的人？"

格恩说："不是，信是家父拆开的。先生们离开才五分钟，邮差就送了这封信来。"

霍桑问："警探还没有见到这信？"

格恩说："见过。因为家父读了信后，惊慌失色，立刻把信送到警察局，并且要他们派人看守住宅。警察局本想把信保留作为证据。家父拒绝，认为必定要让先生知道，以便当作线索来侦查，因此命我晚上就送过来，希望你研究一下。"

霍桑点头，刚把信纸抽出来，格恩鞠了一躬就要告辞。

他说道："请先生原谅，家父在等候，我必须立刻回家。不过有一件事，并不是太重要，但应该让先生知道。刚才据老荣报告，昨天晚上轿夫董三曾经到我家来过，方才警探查问时，一时忘记，未曾说明。"

霍桑忽然扬起眉毛，似有所获地问："当真？轿夫为什么到府上去？什么时间？你知道详细的情形吗？"

"老荣报告，在吃晚饭时，听说家父想出外看戏，因此告诉轿夫董三把轿子预备好。董三到我家，父亲改变主意要跟洪福一起步行到剧场。董三也就走了，在八九点钟。"

"董三常在你家出入吗？"

"对，我父亲或姨妈出门，总是雇用他的轿子，因此彼此十分熟悉。"

"他家在什么地方？"

"十梓街七十三号，我家是六十五号，相隔很近。"

"抬轿子一定要两个人，还有一个同伴是谁？"

"他弟弟董四，他们兄弟二人有自备轿子，一向是被人雇用，以维持生活。"

"这两个人的外表形态怎样？能大略形容一点给我听？"

"董三身材很高，弟弟跟他差不多，但是不及哥哥胖，先生这样查问，是否另有见解？"

霍桑拿出笔记本，一边写一边说："不是，侦探应该注意任何小节，细心调查有时能收触类旁通之益，要不怕麻烦才是。你能否耽搁一会儿，让我看这封信。"

格恩说道："实在不能再留在这里，先生有什么高见，麻烦你再来舍间。家父要我特别向先生道歉，方才由于警探说话唐突欠礼，一时有点气恼，不曾向先生请教，明天请千万惠临！"

霍桑点头道："可以，请转告令尊，不要过分担忧，明天早晨我一定再去问候！"

格恩愉快地应诺，鞠躬告退。我送他到门外，格恩就迅速走了。

这时候我头脑里的思想像万马飞奔，千头万绪。本来我私自想想霍桑的一切推理都合情合理，初以为守根看戏是临时决定，外贼未必知道，于是怀疑是屋内的人所干。现在忽然有个轿夫出场，董三知道守根出外看戏，消息外传并不奇怪。那么这件案子也应该注意到外贼，而不能完全注意住宅中的人了。看到霍桑听见格恩的报告，喜形于色，还小心记录在笔记本上，这一定和他的想法相符合。不过现在还有江南燕的来信，信中说些什么，虽还不知道，但当然与这件盗窃案有关系。究竟是什么样的关系？是不是互相符合？还是和我们以前所推测相矛盾？我一边思索，一边回进书房，看见霍桑正聚精会神地看信，仿佛有透视到信纸后面去的神气。

我问道："霍桑，信上说些什么？你已获得什么破绽没有？"

霍桑抬起眼睛，说道："没有。我想这家伙可能熟读《水浒传》！"

我不懂他说些什么，睁目对他看。霍桑把信笺交给我。我看信上字迹粗大而古怪，只有寥寥三四句话，写的是白话文：

"珠宝暂借一用，你若追究，俺宝刀雪亮，决不饶你狗命！江南燕。"

霍桑笑道："这种语气，很像《水浒传》中一类人物的口气，我所说熟读《水浒传》，没有错吧！"

虽然霍桑在幽默地取笑，但我却严肃地说道："不管怎样，你应该彻底研究其中有什么含义。"

霍桑说："别急，我当然会小心加以察验！"

"这封信是真是假？和你以前所说的是否符合？"

"现在不谈是否符合，看来字迹与墙上写的相同。"

"当真是出于一个人的手笔？"

"一点儿没有错，有两点证明：一是焦木炭，信纸上所用同墙壁上写的相同；二是字迹，壁上字迹很古怪，现在信纸上的字一样古怪，虽然字体小一点，而且涂改过，这是预防被人侦查研究。我断定这是出于一个人的手笔。"

"照你所说，这封信也是假冒者所写而不是真的江南燕本人。"

"完全正确！"

"那么你能不能用这封信作为线索？"

霍桑沉思了一下说道："对，我希望它能做我的线索。"

我问："你能辨别笔迹？"

霍桑反问我："你的意思是要我凭此笔迹作为线索？不是的，这可太困难。信中的字迹是有意写得怪样，可以借来掩饰，不容易对照。如果我对所有嫌疑的人物，都要他们写一张笔据，事实上也不可能办到。"

"那么你依靠什么呢？"

"现在很难说，请你原谅。"一会儿，他又说道，"假定我所料不错，这信笺或者是全件盗案的关键。不过现在我自己还不敢确信，不能告诉你。"

"能不能简略地讲一讲？"

霍桑并没有回答，翻来覆去把信封小心地加以研究，不停地点头。

"可以，我不妨将这信封分析解释一下。此信已经迟到。信封上一共有十一个字。右面地址'十梓街六十五号'，中间是收信人名'孙守根启'，左边不留寄信人的名字。邮票一分，可知道是本地发出，而信封上有三个邮局的邮戳，甲乙丙三邮局，各不相同，这可以看得出信被耽搁迟寄的原因。一分邮票上面的是甲邮局，时间是八年三月二十五日七时，这信是今天早晨从甲邮局发出，本来最迟今天中午可以送到，照格恩报告，信是我们离开后送到，那么已在七点之后。推考它迟误的原因，先应该知道苏州城里邮局的区域，十梓街属于乙丙两邮局的共同区域，平桥为中界，西面属乙邮局，东面属丙邮局，孙家本来属于丙区，但是当甲邮局分发信件时，搞错发到乙区邮局，乙区邮局没有办法投递，退回到甲区邮局，再从甲区改送到丙区，一来一往，耽误了时间，乙区邮局的邮戳是十一时，丙区邮局印章是十七时（就是下午五时，邮局时刻是照昼夜二十四小时计算，时刻在邮戳中间一格的左边），这是很明显的证据。"

我有点不耐烦问道："你老兄对这信封研究得如此精细，对案件有什么补益？"

霍桑说道："怎么没有补益？就从这样的分析已经知道这封信投寄的时间与地点。"

我问："还有其他的线索没有？"

霍桑忽然站起来说道："够了。到这里为止，我不想多说。"他一边说一边把信笺折起，放入信封，再夹在日记簿中，回头对我说："包朗，今天我想早点睡，明天为这件事势必要辛苦一点儿，希望你也早点上床睡觉。"

霍桑说完，向我点点头离开书房。才几分钟，我听见他熟睡的鼾声已经从卧室里面传到外面来了。

浴室中

我记录叙述到这里，盗案的一般情形已算全备，现在应该接近结束阶段了。但是里面情节太复杂，仿佛乱丝难理，读者也许嫌太琐碎，其中有几点原因，必须向读者表达清楚。我们中国人对于侦探学可以说还处在幼稚时期，还没有得到社会上的信任。我的朋友搞侦探事务还是初次尝试，想要探查隐私和挑剔细微的事，不免有很多顾忌，有时不能不转弯抹角，绕道周折，到后来就难免失之琐屑零乱。其次社会上阶级不整齐，查究根底，便产生许多纠纷。不怪读者觉得厌烦，我本人身处其中，也感觉到还不及西方侦探的直截了当，侦查起来何等痛快！

在我们探查盗案的第二天，我醒得略迟一些，这是由于我昨晚想得太多，不能成眠，等到入梦，已经很迟。起身后，家里人告诉我霍桑已经出外，没有说出到什么地方去。就猜他一定已寻到线索，现在是跟着痕迹去追查探索。吃过早饭，我独自坐在书房里吸烟消遣，心中盼望霍桑回来报告好消息。可是等了好久，仍不见他归来，心中不觉有些焦急。我顺手拿起吴乡市报阅读。孙家的盗案，报上已有记载，不过还是深信是江南燕的作为，因此故意讲得十分危险。报载并没有特殊的见解，看过，我就把报纸放下。

我独自一个人感到静极，有点无聊，于是思维又活动起来。

我在想，根据霍桑的猜想，这次偷盗的主犯是个冒牌的"江南燕"，但是还没有完全得到结果，真假当然不知道。假定果真是冒充的，那么有嫌疑的人不止一个。说是内贼，住宅里有四个仆役，都要注意，外贼是园丁、轿夫，还有看庙人胡大所指的矮小男子，这些人全都在嫌疑的范围之内。依我个人看法，可能强盗从外面进来，不过有屋里的人作为引线，这样解释比较合乎情理。钟德侦探说过一句话，我完全同意。他说，当盗贼翻箱倒柜时，房间里怎没有人发觉？守根的小妾，为什么躲在帐子里，不让别人见到一面？这一个关节值得深加研究，不可以轻易放过去。霍桑初起没有注意到这方面，当然最大的原因是怕主人守根生气，在顾忌的情况下，无形中限制了侦查的范围。凭这个理由，霍桑行动的艰难情形可想而知，要取得成功，自然并不容易。

中午过后，霍桑才踉踉跄跄忙忙地赶回家来，将帽子拿在手中，气喘流汗，神色十分疲劳。

我立刻站起来迎接，说道："老兄，观察你的疲劳的神色，可知你一定是好一阵奔走。"

我边说话，边注意他的颜面，想预卜究竟这件事是否已经成功。我看他神气有点呆滞，紧闭着嘴，眼帘下垂，不像有好的预兆。霍桑脱下外衣，拉着椅子靠近窗口，整个身体就蜷曲在椅子里。

一会儿，他才开始说道："奔波了半天，走了十里多路！"

我问道："何以要走得那么远？有所收获吗？"

霍桑说道："我还不知道究竟获得什么，不过我可饥饿得很。大概你已吃过了吧？"

我听到这里，自己觉得有点不好意思，没有等他，我说道："抱歉我先吃了。你何不先去洗个澡，回头再来吃饭。"

霍桑说道："可以，实际上我浑身都是汗，很不舒服，吃过午饭后我也一定要洗澡的。"

霍桑吩咐女用人先预备洗脸水，洗过脸就进午餐。看他胃口很好，一定是十分饥饿了。一会儿霍桑吃完饭，我本想问话，而霍桑早就看出我的神气，知道我的意图。

他先开口道："你想知道今天早晨我做些什么，那么你跟我一起到'玉润园'浴室去洗澡。一路上我再告诉你。你知道现在我流汗太多，衣衫都粘在皮肤上，实在受不了！"

每次我们去洗澡，都要更换衣着，现在不方便更换，所以我不想跟他一起去。

我说："今天下午我还要到学校去。"

霍桑说道："我知道，你三点钟要上课，现在才一点十分，不会误时的。"

我并不想去洗澡，但却急不可待地想知道他有什么获得。没有办法，只能答应一起去，于是改换衣着一起出去。霍桑方始把经过情况告诉我：

"今天大清早我就出去，先到孙家附近前后，详细检查了一会儿，一无所得。只瞧见前后门都有警察看守，仿佛真的在防备大强盗，看着觉得十分可笑。"

"他们仍以为是江南燕？你有没有向他们说明呢？"

"没有，我还没有抓到真的强盗，又无证据，怎能急急乎随便说话呢？若是贸贸然随便讲，将来证明是错误的，岂不是自讨没趣，自取羞辱？我们干什么都要三思而后行，非审慎不可。"

"你的话有道理，后来呢？"

"我因找不到痕迹，便走到七十三号找董三这个人，但没有见到。"

"董三这个人的确应该注意，难道他一清早已经出去？"

"不是，我碰到他弟弟董四，他说他哥哥昨天没有回家，再查问，说到阊门去了，但不知道详细地址。我再到阊门，在回来的时候才到孙家去，这是昨天我答应他们的。"

"你去看守根，有什么报告没有？"

"没有，我去只是问一句话。"

"你去问什么话？"

霍桑目光注视地上，说话支吾像是不肯把事情都说出来，一会儿才说道："没有重要的事，我只是问守根前夜看戏时，有没有吃些糖果零食。他回答我说没有。"

我被弄得有点莫名其妙，问道："你这样的问句岂不显得突兀？你也有什么解释？"

霍桑有点不高兴，说道："你为什么欢喜打破砂锅问到底，问得这么多？今天我所做的事就是这些，请你不要多问，'玉润园'是不是就在前面啊？"

我保持沉默不再多问，但心中充满了狐疑，实在感到不愉快。到了浴室，直接走进官房。这时候苏州的盆汤浴室，还是老规矩，分官房、暖房、客房三种等级。因为时间还早，所以洗澡的客人不多。霍桑立刻脱衣去洗，我也跟在他后面。约十分钟，浴罢走出浴室，霍桑神采焕发，精神也比刚才振作，他跟侍候的浴室服务人员絮絮谈话，谈锋很健。看他的神气，这次来洗浴目的是在探听什么，因为我听见他在盘问侍者。

这时候，忽然另有一个浴客走近我们，出声招呼。我回头，原来是孙家的跟班洪福。霍桑看见，脸面有点泛红，似乎完全出乎意料，谈锋立刻改变。我知道霍桑对他，隐隐看作是他的对手。他正好今天在这里采访一些消息，忽然受到阻碍，心中当然不乐意。他的脸容立刻改变，含笑请洪福坐在他身旁。洪福答应，就解开棕色的皮袍，坐在霍桑的下一个座位上。

洪福问我朋友道："先生侦探这件案子，想来已经胸有成竹，可以知道一些大略的情况吗？"

霍桑脸色微红，期期艾艾地说："我本来不知道，昨天被朋友拉去，所以观察了一下，开始并不想担任侦缉的任务。不过我听说你一向是机警异常，现在受到主人委托，必定有独到的见解，我十分愿意向你请教，以补愚见。"

霍桑说出了这些恭维的话后，洪福面露笑容，脸上原有的骄傲的神气就收敛起来。

洪福说道："先生，你太谦虚，如果不弃，我们各抒所见互相切磋，你看怎样？"

我大为高兴。洪福有侦探头脑，本来早有所闻，现在听他的谈话，不知道跟霍桑的见解有没有相符合的地方？

霍桑答应道："这样也好，照我看来，这件案子相当棘手。"

洪福赶快问道："的确是很棘手，就是不知道先生所指的是哪一方面？"

霍桑慢慢地说："这样有名的大强盗，岂容易缉捕？"

洪福忽然冷淡地说："先生也认为这件案子的主盗是江南燕？"

我大为惊奇，霍桑也脸色改变，目不转睛地看住洪福不动。

霍桑低声答道："警察局里的人不都是这样说吗？"

洪福微笑说道:"这辈警察局里的人我们也不必再去责怪他们了。然而我们要获得真相,岂能盲从?我倒认为这个强盗不是江南燕。"

霍桑惊骇地问:"当真?喔喔,不错,这固然可疑,然而你根据哪一点相信他不是江南燕?"

洪福说道:"最初我看到脚印,即起疑惑。脚印是从后门进来,直到卧室,看不出有停顿或者踌躇的迹象,似乎是熟门熟路的人。若是外面来的盗贼,就做不到这样,因此难保没有人假冒,这是第一点。至于第二点,观察那一封恐吓信,更加可以证明了。我知道江南燕是个不平凡的大强盗,犯案之后有意留下名字,表示他的勇敢,不怕被人逮捕。现在信中的意思,又像怕主人追究,故意加以威吓,既然怕被缉捕,又何必留名?留下名字却又怕人追踪,这岂不是自相矛盾?只要注意这两点,我断定强盗不是江南燕。"

一缕黑丝

洪福的话,句句有理中听,尤其能说出霍桑未曾说出的话,使我钦佩不已。心中想霍桑为什么这样不幸,初次对付这件盗案,就碰到这样强劲的对手!难怪他心中有顾虑,怕受到牵制。现在仿佛是两雄在一起鞭马骋驰,谁都想争先,纵然霍桑占了优势,但是要想独占鳌头,恐怕做不到,是不可期望的了。这对霍桑来说岂不是大大的不幸吗?

我边思索,边用目光斜视他们两人。霍桑的脸色大变,目光凝视在地上,搓着双手,还听见指节的弯曲声,一会儿又用手抚摸着下颏沉思,那沮丧失望的脸色,一望而知。洪福却是满脸得意，一胜一负，似乎早已定局。我看在眼里，实在觉得不安。

隔了一会儿，霍桑缓缓地说道："你的高见确是符合情理，我十分佩服你的才艺。我羡慕你的机警，确实名不虚传。"

洪福露出得意的表情，说道："这不过是我的推想而已，先生不要过奖。那么先生你有何高见？"

"我的意见与你相同，偷盗不是外贼。"

"那么，有什么证据没有？"

"我曾搜寻了一下，暂时还没有获得。"

洪福笑道："可是我已获得一些证据了。"

霍桑正色道："当真？你获得什么证物？"

"我得到一双破旧缎面皮底鞋，鞋子长六寸，跟地上的脚印比较，完全吻合，鞋子似乎是属于偷盗的人。"

"呀！获得这件东西，就可以追踪缉捕盗贼了，你在哪里得到的？"

"我在杂草堆里找到的。"

"乱草中？是不是后门出去的乱草？"

"不是，庙堂后面也是野草满地。"

"那么你在什么时候发现的？"

"今天吃过午饭以后。看来强盗带了赃物逃逸，却丢掉这双鞋子免得被查出来。"

霍桑沉思了一下，说道："我有点糊涂了，因为没有看见。你也能识辨那双鞋子？"

"我知道，因为这是我主人的东西！"

霍桑大惊，转动着灼灼的目光，闭口不说话。我当然也是非常诧异。

洪福又说道："先生是在奇怪我这样的说法吗？这双鞋子当初是我主人穿的，但等到破旧，就换了个鞋主，一切就当别论了。"

霍桑说道："你主人把旧鞋送给了什么人？"

"送给了冯二，就是最近被辞歇的园丁冯二。冯二身材矮小，主人的鞋子他正可以穿。每逢主人有旧鞋，总是送给冯二的。"

"这样说来冯二是盗案的主犯？"

"很难说，但是看情势，可能像先生所说，他是主犯。这个人平时行为恶劣，嗜赌如命，债负很多，债主经常催逼上门，为了这个缘故，主人生气，就把他辞退赶出了家门。"

"这一点很可疑。你对冯二还找到其他的证据吗？"

"我曾听说，主人把他驱逐之后，他暂时住到轿夫董三兄弟的家中。案子发生前一日，看庙人胡大看见一个形迹可疑的人在巷口徘徊，虽然没有看见他的相貌，不过从外表看去，很像冯二。"

霍桑想了一下问道："我想冯二与董三相识，这中间大有关系，你以为怎样？"说完话，霍桑的目光注视着洪福，神气像等对方给予嘉奖。

洪福点头说道："一点儿不错，前天晚上我伴主人出去看戏的事，董三当然知道。谁知道那时候冯二正预伏在他的家里，偶然得到主人出外的消息，就乘机潜来盗窃。所以我很怀疑！"

霍桑点点头，忽然问道："冯二识字吗？"

洪福说："不但识字，而且还会书写算账。"

霍桑说道："这就对了，这人在什么地方，你知道吗？"

洪福听到这里，忽然微笑不答，之后又说道："我不知道。"

霍桑立刻说道："难道你怕我抢夺你的功劳？错了。我不是职业性的侦探，而且也不会如此卑鄙，做此丑行。你说出来，绝对没有妨害。"

洪福立刻说道："我不是疑心先生要夺功，实在不知道他在什么地方。因此，该如何进行，还未曾有打算。不过有一件事要忠告先生。先生既然知道强盗不是江南燕，应该明确告诉警察局，撤去防守的警察，不要徒劳无益，这样反而使盗贼在后面窃笑。这也可以使这批警探们增加些经验。"

霍桑道："这件事你尽可以办到，根本不需要我。"

洪福说道："我区区小人，哪能及得上先生，我去讲反被他们驳斥。昨天警探还向我主人查询两位是什么人。主人说先生有东方福尔摩斯的声誉，他们听到后十分仰慕。如果先生现在指出他们的错误，我相信钟警探一定从命。"

霍桑有点羞涩地说道："我生性迟钝，却负有这样的虚名，真是惭愧之至。"

霍桑说完，斜视洪福，洪福低头，脸上还留着一丝笑痕，一边解开黑绸的棉袄长裤，准备去洗澡。于是出现片刻沉默，我看到这样的场面，实在觉得难堪，但是也无法可施。

一会儿我对霍桑说道："已是两点三刻了，我要到学校去，你回家吗？"

霍桑本来有点进退两难，听见我的话，仿佛获得皇帝的谕旨一般，立刻起立整衣，向洪福道别。离开浴室，我直接去学校上课，霍桑说要再去孙家走一次，还不想回家。因此我们分道各走各的路。

一小时后，我教完课回到家，看见霍桑已先回来，一个人斜坐在椅子里，两只手扶着头，好像在打瞌睡。我进去时，霍桑依旧不声不动，似乎没有觉察。

我呼叫道："霍桑，你因疲倦在小憩？"

霍桑听见我的叫声才抬起头来。我对他一瞧，不禁吓了一跳，他的脸色深沉而带呆滞，目光现出十分懊丧，和平日的状态完全不同。

霍桑说道："我不是疲倦小睡，我在深思。"

我说道："我看你的神色，知道你在深思。刚才你看到守根没有？"

"没有。"

"为什么？难道他出去了？"

"不是，我没有进去看他。"

"那么你再去干吗？为什么这样忧闷？"

"我去观察孙家的后面，想证明一件事，但完全超出我的推测，所以有点忧闷。"

"你想证明什么事？"

"请你现在不要查问，今日我被搞得有点糊涂。现在我被困在疑阵中呀。"

霍桑说完，又把头低下去，似乎不喜欢我进一步地查问。我的朋友有一种特别的性格，做一件事，如果还未成功，他往往保守秘密，不肯宣布，多问反惹他不高兴。我试过几次，完全了解他，因此不敢多问以免影响他的思路。

于是我转移话题，问道："你觉得洪福怎样，有什么评价？"

霍桑说道："这个人很聪明，非庸碌之辈。"

"他述说的一切是不是合乎情理？"

"我对他还佩服。"

"照你的测度，跟他一起处理这件盗案，你能胜过他吗？"

霍桑突然张大了眼睛对我看，声色俱厉地说："我正在苦思冥想，我如何说得胜过他的策略？不然，无论是否我名誉扫地，你也一样为我而蒙受着惭。难道你忍心见我狼狈失败吗？"

我说道："当然我不愿意你失败，所以我的意思要先下手为强，不可失掉时机。我有什么地方可以效力？"

霍桑微微有点生气，说道："多谢！只要你不多说话，保持静默，不多啰唆，让我安宁片刻，就谢谢你了。"

我听到这里，立刻离开书房，不敢再发问，自讨没趣。虽然如此，心下仍是惴惴不安，为我的朋友侦查这件盗案的成败而担心。想到洪福所讲的，似乎他很有把握，不难抓到真的强盗。而霍桑至今还在苦苦思索，还没有得到线索，相互比较差得太远。假使不幸洪福抢先，霍桑失败，这岂止是白白辛苦！白花心思，还要蒙受着惭，真是不堪设想。我的朋友一向好胜，他做事，总是争先而不甘落后。要是洪福获胜，第一次尝试就告失败，他既羞又怒的心情可想而知。我实在不忍再想象下去。

这天傍晚时分，霍桑独自留在书房中，不许人进去。我听见他在里面有时高声唱歌，歌声粗糙很不和谐，看来借此发泄心中的郁悒，有时又在拉小提琴，可是琴声却抑扬顿挫十分悦耳。霍桑喜爱音乐，不论中西乐器，像钢琴、黑管，甚至中国的洞箫都欢喜学一点，但并不是他的专长。他最擅长就是拉提琴，认为声音幽雅，别有一番韵致，不像其他的乐器喧闹刺耳，所以他提琴奏得最好。但并非经常拉奏，当他觉得郁悒无聊时，就拿出来自我消遣一番。今天又在奏琴可以知道他心情不佳，思虑之深，必须用提琴来自慰。良久，霍桑停止歌唱，独自从书房里出来，不告而别。我私自测度，一定是他心中有郁结，此刻可能到城墙上去散散心。

差不多到晚饭时分，霍桑才回家，我观察他的脸面，似乎还没有好消息，我心中极不安，又不敢开口询问。大家就座吃晚饭，他的食量锐减，吃不多就停止。吃完后，我们面面相觑地坐着，大家抽着烟保持沉默。我看着他凄凄然的表情，正想找个适当的字句安慰他。霍桑忽然从椅子上跳起来，若有所悟。一会儿他戴帽披上衣服，并从怀中取出电筒放在包囊中，又对我说道："包朗，我突然有个想法，一定要出去验证一下，成败在此一行，请稍候。"说完就匆匆大踏步出去。我听他这么说大为高兴，看情形他有了转机，可能成功。成败关键就在此一举。但愿他这一次去有所收获，能够成功。实在讲，我脑海中不敢存有"失败"这个念头。大约一小时后，霍桑才回家。我赶忙迎上前去，急不可待地问他："事情如何？可以成功吗？"

"大致差不多，不过还有一点，须要研究一番。请你暂时忍耐，明天早晨我一定告诉你。"

"能不能告诉我，你刚才到什么地方去，获得些什么东西？"

初起他有些为难，之后允许我的请求，才从内衣的口袋里拿出两个小纸包，先慢慢拆来其中的一个，动作十分郑重。

他说道："包朗，你来看，我今夜所获得的关键证据，就是这件东西。"

我偷偷地看这张纸，空无所有，还以为他有意跟我开玩笑，但再注意审察，方始发现纸中好像有一条黑线。噢，原来是一根黑色的细丝！

揭 发

我初看到这一根黑丝，深觉诧异。这样一根黑丝，究竟有什么玄妙，而霍桑要把它看作稀世珍宝一般，且指为关键？因为他让我看过之后，立刻包好，小心翼翼地藏在小册子里，怕被别人偷去。霍桑对我点点头，不等我询问，就走进卧室去了。我心中虽然有怀疑，形势又不容我查问，只能忍耐一夜，等明天早晨再问个究竟。

次日早晨，我刚洗脸，忽然听到霍桑在隔壁一间大声叫我。

"包朗，赶快来看，我捉到了盗贼！"

我听到他大呼，大为惊骇，还以为自己听错了，等我走进去一看，只见霍桑立在书桌前，手里拿着两个小白纸包，用放大镜在查看着。霍桑看见我进去，把纸包放在书桌上，神气十分快乐。

"包朗，我找到盗贼了，总算幸运之至！"

我半信半疑地问道："你确实找到了？"

霍桑说道："一点儿没有错，我为什么要欺骗你！"又指着书桌上的白纸说道："这就是我找到的贼证。你细细看一下。"

我看桌上有两张纸，一张纸上就是昨夜我看见的黑丝，另一张纸中间有一些粉末，是深褐色的，还夹杂一些红紫的颜色，但说不出这是什么东西。

我问道："你今天天亮时出去过？"

霍桑说道："没有，我起身不久，还没有出过大门，这两样东西都是昨天晚上获得的。"

"那么昨天晚上你为什么不肯告诉我？"

"那时分我还不能确实相信，直到今天早晨，才证明没有错误。"

"果真没有错误吗？只有这两样小东西，能足够作为捉贼的证据？我可不敢相信。"

"其中大有奥妙，你因为不明白情形，当然不会知道。其实，我不仅知道盗贼，就是他所偷的首饰珠宝，我也已经找到，而且是全部，不少一件。你听到这里，不会诧异我这样的说法吗？"

我当然瞠目不知所以，十分惊讶，一时无话可答，还以为他在开玩笑，可是他的神气十分严肃，语气中藏不住喜悦的声调。况且局势发展到这个地步，开玩笑没有什么好处。如果说是有意拿人取笑嘲弄，这充分显得他愚蠢无能。如果一切都是真情，那么睡一夜的工夫，竟能把强盗珠宝一起查获，他有什么神通能做到这一点？这很难使人信服。

霍桑看我脸色，已了解到我的想法。他说道："老兄，你还在怀疑我的话吗？其实这件事的成功失败，对我的名誉太重要了。如果我跟你说谎，又有什么好处？请你不必疑惑，等一会儿贼赃俱获，你也有一份光荣呀！"

我方始真的觉得愉快，说道："你的话果然可信，我应该恭贺你。你怎能抓到贼盗？首饰赃物在什么地方？至今我还是莫名其妙。你既然已获得它的踪迹，何不立刻去取来，免得节外生枝。"

霍桑点道："我要得到的贼赃已经有警察在看守着，十分安全妥当。"

我听后更加诧异，极不明白其中的奥妙，正想查问，忽然女仆走进客室报告有客人来。我正走出去，瞧见两个客人已走进客室，一人就是昨天在孙家见面的钟德探长，另外一个不相识，从外表看可能也是警察局中的人员。我大为奇怪，起初不明白他们的来意。霍桑这时也从书室中走出来，问清客人的姓名，方知另一人是警区的区长，名叫顾辅臣。两人之所以来我家，是因为得到洪福的报告，声称窃贼并非江南燕本人，已经探得另外的主犯人物，他吩咐，撤去看守的警察。区长不相信，所以来请教霍桑，要证实此话当真否。

顾区长对我的朋友说道："洪福所说的话，似乎有根有据，但我还不敢相信，他又推举先生为证明，说先生赞成，因此冒昧拜访，请指示该怎样办。洪福的话果然可信，靠得住吗？"

霍桑微笑说道："洪福的话没有错，这件盗案不是江南燕干的，如今他既然要求撤去看守的警士，照办就是了。"

钟侦探插口道："然而他还说已经找到另外一个主犯，这一点可以相信吗？"

霍桑突然说道："他告诉先生已经获得主犯吗？"

钟德说道："虽然没有说已经抓到，但是他自己认为确有把握。"

霍桑忽然对我笑道："你可以放心，我先已下手，大致不会被别人占先，你可不必再担忧危惧！"回头对两位客人说道："实在告诉你，这件案子虽然十分神秘，但是快要得到解决。你们不妨先撤销看守的警士，等一会儿案情大白后，你们可以安然报功了！"说完就起身送客。

两位客人听完霍桑的话，半信半疑，又不便赖着不走，因此只能勉强离去。

霍桑推推我的肩头，说道："包朗，我们先吃早饭，饭后你可以帮助我破案，猜想你一定高兴去吧！"

我十分快乐，满口答应帮他去破案，于是立刻吃早饭。将要吃完，格恩忽然进来，说他父亲约霍桑去商量一件事。

霍桑立刻中止早餐，说道："可以，可以，包朗，你吃饱了没有？我们立刻动身。"

我答应，整一整衣服随着出去。快到孙家，霍桑忽然闪到后巷，再折回来。霍桑附着我的耳朵说道："后门的警察果然被撤走了！"

我们一起走进孙家，守根在客厅迎接。霍桑上前与守根敷衍了几句，含笑问道："如夫人病好一点儿吗？已恢复健康没有？"

守根看着霍桑的脸面，说道："谢谢先生，她已好多了。我请先生来是想请问一件事。据洪福讲，经调查偷盗人并非真的江南燕，因此已经撤散了守警，先生你觉得这样处理妥当吗？"

霍桑立刻说道："妥当，我已经另外获得一个盗贼，的确不是江南燕。"

守根惊呼道："当真？先生果然已经抓得那盗贼了吗？"

霍桑点点头："没有错，不过现在还不能宣布谁是盗贼。洪福在吗？"

守根说道："他侦查了两天，报告说已经有线索，现在警察既然已经撤去，他又出去秘密查访，我正在等他的回音。"孙守根说完，抬头向外看："呀，洪福来了，是否已经获得消息？"

我们回头一看，果真洪福跟跄地从外边进来。霍桑迅速走出去，跟一小童低声地说话，然后再回来。洪福走近后，立刻报告：

"恰如主人所说，我碰到一位朋友，刚从上海回来。他说前天十点半，在火车站遇到冯二，下车时手臂里夹了一个小包裹，行色十分匆促，这情形和我所说的，证明完全吻合。"

守根急急问："那么你果真怀疑冯二是主犯？"

洪福心高气傲地说道："一点儿也没有错，想一想案子发生前一天，胡大见他鬼鬼祟祟地在巷口徘徊，现在又有人在上海火车站碰到他，以时间推测，他偷窃后，躲藏了一夜，次日早晨乘第二班早车去上海，从时间判断，相当合拍。他乘虚偷偷进来一定是董三告诉他的。现在董三否认抵赖，如果把冯二抓回来，一定当面可以对质。因此我的意思是立刻派人到上海去抓捕，乘他不备，一定可以把首饰珠宝完全找回来。否则让他逃遁太远，就措手不及了。"

守根不停地点头，缓缓地说："你说，谁能赶到上海去抓捕？"

洪福立刻说道："如果主人相信我，我愿意走一趟，因为冯二在上海的朋友们我都认识，侦查他的行踪可能比别人容易得多。"

守根听到这里，没有立刻回答，他看着霍桑，说道："虽然如此，记得先生刚才说过，也已获得主犯了。"

霍桑振作一下，响亮地说道："没有错，我不但找到主犯而且连赃物也一起有了。"

守根更加惊愕地问："先生不是开玩笑吧！"

"这是什么事件？我能开玩笑？"

"那么先生所指的贼，跟洪福所说是同一个人吗？还是别的人？"

霍桑说道："不是，不是，完全不是。我所指的贼，从犯案到现在一直留在苏州，没有到上海去过。"

"人在哪里？"

"就在这屋子里！"

守根立刻变了脸色，咬着嘴唇，洪福也一样神情惊愕，目光灼灼地射向我的朋友。

守根发抖地问："奇怪，这件案子难道真是屋子里的人干的？"

霍桑说道："对，一点儿不错。"

"唉，他究竟是谁？"

"先生真的要我宣布姓名？那么请原谅我的唐突！"

守根脸色灰白，双腿发抖，用手把持着大椅子以支持身体。我此时也有些惴惴不安。谁是窃贼？我曾经疑惑是守根的姨太自己偷的，会不会真的被我猜中？

守根忽然鼓足了勇气，挺直了身体，说道："霍先生，如果事情确实，请你宣布出来！"

霍桑对我看了一眼，拉起嗓音，说道："好，我现在宣布此人的姓名。偷盗你的珍珠首饰的人就是你的亲信洪福！"

擒　贼

霍桑的话刚说完，洪福凶猛地跳起来，伸出拳头向霍桑击来。霍桑手疾眼快，且有防备，立刻跳起来躲避。等到他第二拳伸出来时，我立刻上前相助。我过去学过拳击，两只手臂强壮有力。我一个箭步上去，捉住洪福的手臂，觉得他力气悍猛，可是他一下子变得镇静，不再想斗争下去。

洪福怒目盯住着霍桑，说道："我与你有什么怨仇，要信口诬陷好人？"

守根在旁观看，神色逐渐安宁下来，似乎不相信霍桑说的话，口气严厉地对我的朋友说道："先生说话负责。洪福跟随我已经七年，未曾有过错事。今天先生独断指控他是贼，至少也应该拿出证据。否则，他虽是用人，我可不许人无缘无故地侮辱他。"

霍桑十分镇静，微笑答道："对，话不错，先生要证据，容易得很。"说完放眼门外，点头高声呼叫："巧得很，钟君，你来得好，你可以来捉贼了。"

这时警探钟德带着两个警察，跟着小童走进来，听到霍桑的话，半信半疑，有点犹豫。

钟德期期艾艾地说："先生叫我们捉贼，有证据没有？"

守根也大声说道："没有证据，怎么可以逮捕他？希望你不要鲁莽。"

霍桑愤怒地说："钟德先生，请你把这盗贼缚绑起来，如有错失，我以名誉担保。"

洪福再想挥拳用武，钟德才上前把他抓住。洪福不能动弹，但嘴里却在臭骂不休。

"胡作乱为的人，你诬告我为贼，我一定要拔掉你的舌头。"

霍桑也气愤地责骂道："贼人，闭口！你认为我没有看透你的秘密，还想狡猾地掩遮过去？你听住！我要当众揭穿你的罪恶勾当，你蓄意偷窃你主人的财物已经很久，现在乘江南燕窃案发生，想加以利用。那天晚上你陪伴主人去看戏，到达剧场，你就偷偷回家，用尖锐的利锥把门撬破，偷得珠宝之后，有意在墙上留名，然后把珠宝首饰藏在一个地方，又回到剧场，同时把预先写好的冒名恫吓信投在邮箱里，这一举动想欺骗愚蠢的人，叫人相信这是江南燕干的。这样就可以逃避罪责。没有想到，你在设计时，没有考虑周到，所谓'百密一疏'，结果反而弄巧成拙。江南燕这个人机警灵敏，动作迅速，不是一般的强盗所能比拟，作案后再留下名字，就是效仿旧小说中的大侠盗，表示他无所惧怕。至于寄信阻止别人捕缉，举动决然不同，路径恰好相反，跟真的江南燕的行径完全相矛盾。事后，你发觉计划不够周密，懊悔失策，然而恫吓信已经寄出，驰马难追，挽回乏术，于是实行第二步计划，把罪名归到园丁冯二身上。

"你在偷窃之前，早就设计好两种策略，目的是为自己卸罪，一箭双雕，用心的狡猾恶毒，无人可及。当你去戏院之前，就已经把一双旧鞋留在后门的泥潭中，以备临时应用，等到你破后门进去时，就拖着这双旧鞋，掩遮你自己的脚印。这双鞋是冯二的东西，不过他也早已丢弃不用，被你偷出来借用，可以将罪名移到别人身上。等到你的阴谋得逞，就再把鞋子藏匿起来。可是没有想到你的第一个计划失着，自己又怕坏事露出马脚，于是就用鞋子作证据，移罪在冯二身上。移花接木，我不能不佩服你的诡诈欺骗的本领，谁知道一切都是白费心机，最终被我完全揭穿你的奸诈！"

洪福面色像死灰，两只眼珠几乎要夺眶而出。因为他被钟德用力扭住，不能有什么举动，只是嘴里恶毒地在咒诅。

孙守根的神气十分懊丧，低声说道："唉，这件事真是我做梦也没有想到，先生数算他的罪恶，仿佛亲眼看到，谅必一定有确实证据吧！"

霍桑看住对方的脸，冷冷地说道："奇怪，事情到了这个地步，你仍不相信我的话句句真实？你过分溺爱他了。不过我立刻可以把证据拿出来，因为最使人信服的证据，应该是全部赃物。让我先把先生的珍珠首饰完璧归赵如何？"因此招呼站在身旁的警察："你有猱升攀高的本领吗？"

那警察点点头。

霍桑说道："很好，孙先生，请你跟这位警士一起去拿赃物，地点就在后门对面蛇神庙前靠左旁那根旗杆的木斗里面。照我测度，这个盗贼把赃物放在斗里，至今还未移动过，我保证全部赃物都在里面一件也没有缺少。"

霍桑说完，立刻吩咐守根带领警察出去，再向洪福看了一眼。洪福低下头不说一句话，自知失败，因为霍桑每一句话都说在他的心坎上，他身体被抓住，没有办法反抗，只得低头认罪。

一会儿，警士回来，守根挟着一个黑色小包跟随他的后面进来，步伐不稳，脸色灰白，心中十分惊慌。

守根战栗地说道："先生实在是神机妙算，能为我破案，所有失掉的珠宝首饰都在这里，真叫人疑惑自己还在梦里一般呀！"

孙守根一边说一边把黑包解开，珍珠翡翠钻戒等都在里面，闪烁耀眼，完好无损。另外还有一把尖利的改锥，一大卷纸加上一小瓶药末。

霍桑把包裹的黑布反复观察，说道："这是盗贼的东西，虽没有标记，用人们一定可以辨认。现在还有两件证据，可以当众公布。"他看着钟德说："暂时请你脱下他的皮袍。"

钟德照吩咐在另一个警士的协助下把洪福身上的皮袍脱下来。

霍桑指示守根说道："请你看他的黑色绸袄，前襟还有灰迹！这灰迹就是庙前旗杆上的灰。他去藏匿赃物时，把外面皮袍脱掉，在木头上爬上爬下，以致衣襟上染了许多灰迹，虽然揩擦，但灰尘进入绸袄前襟的纹路里面，不易全都拍掉，他当初并不介意，现在请看这些灰尘，这是昨天我在

木头上特地刮下来的，两者比较，完全一样。同时我在木头
上获得一条黑丝，是从他的短袄上被钩下来的。请看这两件
证据，应该相信我不是空口说白话，空中楼阁而已。"说完，
他从里面口袋拿出两个白色纸包，展示灰尘和黑丝。守根和
钟德看过，不禁暗暗惊叹，连连称赞。

霍桑接着说："窃贼初认为，把赃物留在木斗中，让别人
怀疑是江南燕玩的把戏，自以为是万全之计，后来孙先生收到
恐吓信，要警察看守前后门，木斗在望而他无法下手只能望洋
兴叹。于是变更计谋，诬告园丁。现在撤去看守的警察，他又
自告愿意到上海去缉贼，正可以借机脱身，并准备在今天晚上
去把赃物取出来。三四天后他就可以安然回家，虚作报告，推
说抓不到贼，先生当然不会疑惑，他也绝对没有责任，设计谋
算得如此详细周密，可说没有第二个人了。"

守根伤心地叹气："唉，人心难测到这种地步，这人来家
多年，没有过错，我对待他也不薄，想不到今日有此结局，今
后我不敢再信任什么人了。"

霍桑说："我想先生做官多年，见识广博，何以看得如此
狭小？我听说古时燕赵民风一向敦厚，现在却完全相反。一般
京都的风气，礼多而多半虚伪，大家趋向浮夸，民众也习惯于
诡诈狡猾。我曾听朋友说，大凡京都天津一带的仆役很难使唤
差遣，这些人表面驯良而心地险恶，往往故意施展狡狯，先骗
取主人的欢心，一旦得到主人的信任，就胡作非为。现在观察
洪福的处心积虑，当然有他的企图，假定这一次他幸运得逞，
你当然仍会把他看作心腹知己。只要看你刚才袒护他的神情，
就可见一斑了。你说，他是不是把你玩了？"

霍桑说得起劲，钟德听得出神，他手虽抓住囚犯，但是未

给他上手铐。正在此时，洪福突然挣脱钟德的手，从腰间拔出一把短匕首迅速地向霍桑扑过去，像一头发疯的狮子。他的动作敏捷，当时形势实在险恶，如果这时分霍桑没有防备，一定会遭受伤害。幸亏霍桑矫捷，腾身闪避，同时挥拳猛击匕首，匕首没有刺中身体，可是手腕受到了伤害，霍桑怒极，用脚狠狠踢去，正中洪福的臀部，他差一点儿跌倒，洪福还想举起手臂回击，钟德和守根同时呼叫起来。我从后面猛击洪福的头颅。洪福受击，略做停顿，霍桑乘机夺走洪福手中的匕首，将它丢在客厅的角落里，用力击打他的胸部，我也一拳打过去，最后洪福就扑倒在地。这时分，旁观的两个警士看见窃贼倒地，匕首丢掉，已无危险，便争相上前擒捕洪福。

钟德抖缩地走到前面，说道："先生伤得厉害吗？这都是我的罪过！"

霍桑手腕上的鲜血直流不止，立刻自己拿出手巾包扎起来。

霍桑松一口气，说道："伤得不厉害，你把他加上手铐送到警察局里去，现在证据齐全，盗窃之罪，可以定案了。"

意外之间

霍桑捕贼受伤，实际上手腕伤得很厉害，于是到医院诊治。医生认为流血太多，必须住院静养两天，因此就留在医院里面。他住院第一天便发高热，我十分焦急。第二天热度退一些，但是神智还不清楚。当我和孙守根还有钟德一起到医院去探望他时，医生只准许一个人进去，并且禁止谈话。第三天我去探望，他的热度已退尽，精神比前两天好得多，不过身体还是软弱无力，他依旧留在医院休养。那天钟德又去探望，还带了报纸去。

钟德对霍桑说道："破获这件案子，我侥幸受到上司的奖赏，这实在是先生所赐的。我不敢功劳自居，已经把实情报告长官，长官深深敬佩先生的神技谋略，嘱我千万要转达他的敬意。将来有什么事，还要请教借重。今天各报章也都称赞先生，认为是奇迹。先生读后，也可以一笑了！"

我翻开报纸阅读。报上用特大号铅字为标题，大加赞赏，对我的朋友霍桑极尽褒奖之能事。他读完报纸，禁不住微笑起来。

钟德说道："观察案子的全部过程，可算得变幻复杂。主犯作案布置得很周密，令人难以推测，先生着眼在哪一点上面，才找出主犯？其中详情，一定十分动听。如能不吝指教，增广我们的见识，我一定感激万分！"

霍桑允许等他的伤口痊愈，回家之后，再把案情解释分析给他听。我当然也十分高兴，希望他早日痊愈，可以知道全部案件的详情。其实我本人比钟德还要心急，若不是因为霍桑受伤，早就开口要求了。

第五天早晨，霍桑伤口痊愈，健康恢复，于是出院，回到家后，我当然不能再忍耐下去，不等钟德来家，先怂恿我的朋友，把全部案情讲出来。霍桑答应，于是有条理地把案情讲出来。

他说道："过去我常常对你讲，我们对付一件案子，最重要的是随机应变，不可拘束。说到脚印，如果可作为凭据最好，不能就改变方法，另外找线索，绝对不可墨守成法。这次案件的关键是后门外的脚印，我不敢忽略，脚印是从后门进来，直到卧室，丝毫没有失误走错的样子，料想窃贼完全熟悉屋子里的各房间的位置，而不是外面来的陌生人。后来洪福改

江 南 燕 ∣ 061

变计划用它来证实，实际上他自己也知道失策了。

"我再观察他进来后，直接走向第二幢近床边的箱柜，这柜上的一只箱子就藏着珍珠首饰。照情理看，贼人进来，必定先翻动靠近门道的第一幢箱柜，而现在不然，他明明知道第二幢箱子里藏有珍宝。可见这贼不但知道屋内情形，还知道珍宝藏在哪一幢箱子里。没有疑问，贼是住宅中和主人比较亲近的人，绝不是外来的陌生人。即使窃贼碰巧得到珍宝，理应立刻逃遁，为什么他也翻动其他的箱子，弄得衣服狼藉满地，连最下面的一只箱子都翻动过，却没有偷去任何东西，这是他故意布置疑阵，使人相信，窃贼为找珍宝，才搞得这样乱七八糟。

"当时我获得脚印后，知道它有关系，因此细加观察。脚印不超过六寸长，穿鞋人一定矮小，但是脚印前半段极清楚，后半段就模糊，几乎看不出来，这人行路时一定是踮起脚尖，脚跟没有着地，再测度两脚之间的距离，大约是一尺六七寸，起初我不明白，后来把其他的痕迹对照起来，才开始清楚。知道窃贼一定是躯干魁梧高大，他要移罪到别人，故意穿小尺寸的鞋子，而自己脚大穿不进去，又怕声音，于是用脚尖套进鞋子，虽然是抬着脚后跟走，因为个子高大，每步的距离竟在一尺六七寸。矮小的人，平常每走一步距离最多是一尺六七寸，如果用脚尖走，距离一定还要缩短。依此推测，窃贼显然不是江南燕，而是有人冒名顶替。"

我说道："这样看来，脚印有时也足以作为破案的依据。假定他审慎行事，更进一步，什么痕迹也不留，那么侦探对此就感到棘手了，我不知道何以他会这样愚蠢。"

霍桑用讥讽的口吻笑道："你也太老实！还没有明白我的意思啊？要知道他这个人十分狡猾，他所以如此行动，是想一箭双雕。开始他本想用江南燕的名字来掩饰自己，但后来想想还不够妥善，因此再制造假迹象，把冯二的鞋子找出来，故意留下脚印，作为第二步的卸罪方法。不然，你以为黑夜走到后门小巷，失误踏入泥水潭，而留下脚印，洪福是蠢如猪驴，你也未免观察欠周。你应该看到泥沟是沿墙脚，不是到小巷所必经之路，绝对没有误入的可能，即使不小心踏进泥潭，鞋子稍微受湿，走进屋子，一会儿就干，不可能还看得出离开屋子的脚印。我察看这种情形，进和出十分明显，仿佛鞋子曾经在泥潭里浸湿很久。于是我推测他是预先把鞋子藏在泥水中的，这不是无稽之谈啊！"

霍桑休息一下，凝神静听，接着拿出纸烟吸着，神色很得意。

之后，他继续说道："从上面几点可见，我已经有了线索，知道盗贼一定是屋子里的人，或者是熟悉屋子内情的人，此人一定身材魁梧高大，机智诡诈。屋里仆役中，洪福最符合。他说话带讥讽，虽然像在妒忌我，但不无可疑。可是一想到洪福跟着主人一起去看戏，人不在，我是一时有点犹豫。再想到厨师王霖，他身体肥胖高大，力气很大，看他面相笨头笨脑，如果他是主犯，必须串通看门人老荣。我瞧老荣倒是像个忠厚的人，因此我一度踌躇不决。

"这时格恩告诉我关于董三的事，我的视线差一点儿转移到别人身上。后来幸亏收到恐吓信，于是我的思路才得到了统一。窃贼寄出恐吓信的原意，想掩遮自己，可惜他没有深思，反而有了漏洞。这一方面，我过去已经对你谈过。我看信封是三月二十五日七时在甲区的邮局发出，甲局属于阊门的范围，七时是清早第一班，这封信寄出的时间必定是二十五日七点钟以前，或者在二十四日的晚上。现在春寒料峭，七点以前出去寄信似乎太早，因此我料想他是在二十四日夜里投寄，是投在阊门甲区邮局的信箱中。案子发生在这天晚上，戏院就在阊门。因此我格外疑心窃贼是洪福。洪福虽然陪主人一起去，戏院里主人与仆人的座位等级不同。洪福到了戏院，佯作就座，之后就偷偷离开，独自回去进行他的盗窃勾当是可以的。因为测度地点与时间，自孙家到剧场大约三刻钟可以到达，走快一点，半小时即行。洪福十点一刻离剧场回家，十点四十五分就能到孙家，再用四十分钟时间动手偷盗，然后迅速赶回阊门，顺便把信投入信箱，又重新进剧场，准备灯具陪伴守根回家，时间绰绰有余。

"我既然有这样的推理，但也清醒地看到，在法律上，我应该当面查问洪福，一旦抓住他的漏洞和疑窦，就不难根据证据而制服他，可是守根把洪福看作亲信，如果得不到确凿的证据，万难得到他的同意，若是草率地查问，非但无济于事，反而会打草惊蛇，把事情搞坏。所谓'投鼠忌器'，我不能不寻求别的途径。

"次日，我到阊门剧场中去探查，听说守根素来欢喜看戏，每一次他去洪福总是跟随着。因此剧场中的招待员中也有认识他们两人的。果然我找到有位姓吕的人，他说那天晚上两人到达剧场不久，洪福就出去了，什么时候回场，因为人多，未加留意。我再问守根，他们到剧场后有没有吩咐他出去买糖果，守根回答说没有差遣他出去买东西。于是我确信自己所料的没有错。"

我听到这里，恍如从梦中觉醒说道："那你第二步探索，应该是找寻赃物。难道你是在浴室里找到踪迹的吗？"

霍桑说道："的确不错。我们去浴室时，我心中是另有打算，后来意外碰到洪福也在那里。我先猜测洪福有串谋的人，偷到首饰可能先藏在他的家中，因此想探问他平素来往有些什么人。后来知道洪福常常到'玉润园'去洗澡，因此我有意约你一起去，探求消息。不想去了不久，洪福随后就到。起初听到他所说的，使我不无有些惊愕。我故意假装跟他敷衍，借此探出他的口气，后来他说在庙后找到鞋子，咬定冯二是贼，我才明白他已改变策略，想移花接木，把罪名放在冯二身上。

"这天清晨，我先到蛇神庙后面去查勘，结果一无所获，他告诉我鞋子是中午时分找到，由此可知鞋子被预先藏匿在别的地方，并非在乱草堆里，实际上是在他藏匿的地方拿出来的。后来，我在无意中忽然看见他黑色的棉袄上染有赭褐色的灰迹，像是油漆的灰。我就想到后门被撬开只有六七寸，他把身体挤进去时，门上的油漆灰尘可能染到衣襟上去。往后门一瞧，只见门虽漆成赭色，但不像他身上染着的灰尘这么陈旧，因此大失所望，怅惘地回家。我当时的神态你一定还记得。"

我说道："可不是吗？我本想出力相助，可是你含着怒气把我训斥一顿，你现在想起来，岂不失笑？"

霍桑说道："老兄，请原谅，实在事情变化多端，不是你能力可及，这并非我不讲情理。"

我问道："后来你是怎样找出来的？"

霍桑笑道："说到这儿，倒是你老兄的功劳。你欢喜抽烟，常常劝我尝试，这一次的灵感倒是得力于烟。我深思了半天，想得昏昏沉沉，还是一无所得。等到晚饭后我抽烟静思，忽然想到蛇神庙前面的一对旗杆，上面都是陈旧的赭色油漆。赶去察验，用电筒照着细细观察，果然在木杆上得到一根黑丝，抬起颈看那只木斗，在镂花的小孔中露出黑色的包裹，知道必定是赃物。孙宅后门有警察守门，我骗他们说要去寻找别的东西，他们也不怀疑。我相信守警不走开，洪福不敢冒险去拿赃物，于是我就坦然回家。

"等到下一日，这些事情你都是亲眼看到，不必要我再重复述说了。"

我听到这里，觉得他循序而进有条不紊，足可当"精密"二字而无愧，深为佩服。霍桑抽完一支烟，继续再烧一支，吸个不停。

霍桑再问我道："包朗，我办理这件案子，到此已告结束，你还有什么疑问没有？"

我沉思了一下，问道："有一点我还是迷惑，当窃贼翻箱倒柜时，为什么守根的姨太一点儿都不知道？难道说其中还有别的缘故？"

霍桑说道："若只看表面，的确令人怀疑，不过我不是如此想法，因为第一次我们走进卧室，一目了然，可以确信她不会串通共谋。"

我说："进入卧室时，我不是与你一起去的吗？那妇人在帐子里面睡觉，你究竟看见些什么？"

霍桑说道："我初次看见墙上挂的女子的肖像，猜到她一定是守根的姨太，相貌很娴静，穿衣很讲究，但绝对没有妖艳状态。后来看见书桌上有一卷书，书名是《达生要旨》，因此肯定她是位贞洁的女子，不是寻常一般淫荡的女子可比。这两点你没有注意，难怪你要疑心。还有一点，你要注意，当我们走入卧室时，觉得里面空气混浊，令人窒息，我吩咐他们立刻开窗。你知道这是什么缘故？原来窃贼进去时曾用蒙药，卧室门窗都关紧，等到我们进去时，蒙药还未消散。"

我恍然大悟，再想到黑包赃物中有纸一卷和药末一瓶，大概就是用来迷昏妇人的。

因此我说道："那么妇人受惊生病，并不完全是受惊吓，还中了蒙药的毒素啊。"

霍桑点头说："对了，他们开窗通新鲜空气后，第二天那妇人就好了一大半，这就是证明。现在我话已说完，你一定完全了解明白了吧！"

我乘机问道："还有一件事，要获得你的同意。"

霍桑诧异地问："什么事？"

我说："没有别的，请求你授权给我把这件案子写述出来，将来发表刊印，公诸于世。"

霍桑笑道："你真想做东方的华生？无奈这件案子平淡无奇，也不动听，就不怕将来被人指摘？"

我严肃地说道："案情虽不像西洋探案那样惊异，但中外风俗习惯不同，大可不必一模一样。况且我们中国人的探案记载，能着重理智分析，深思推测，不牵涉到神怪迷信的，可以说是凤毛麟角。这件案子是你初次出马的成绩，来日方长，谁能知道将来没有更神奇的案子——"

霍桑立刻挥手阻止，他说道："够了，你一定要记录，就这样做吧。谁受得了你的大篇宏论？不过这件案子还没有适当的标题，这一点不能不令人踌躇！"

我说道："的确如此，我也在思忖，不容易找到合适的标题。"

这时忽然门外有声音传来，接着有说话声："先生不必担忧，我代你们起个题目好吗？"

我诧异地站起来，一看原来进来的是警探钟德。

霍桑说道："你已到此有一刻多钟，是吗？我们的谈话想已全部听到。"

钟德大惊，问："大部分已经明白，但是你怎么知道我进来？"

霍桑说道："怎么会不知道呢？猜你的来意是想知道案情的，所以没有叫你，让你留在室外聆听。"

钟德有些恐惧，说道："偷听是有罪的，我也不能辩护，先生能原谅我吗？"

霍桑说道："没有关系，然而我现在来看，你来是还有另外消息要告诉我，对不对？"

钟德呆了一下，然后在怀里拿出一张纸，交给霍桑，说道："的确有消息。先生读后知道。至于孙家这件案子前段既然牵涉到江南燕的名字，事后如此结束，我的意思是题目直接就叫'江南燕'。"

我和霍桑，注意力都被那封信吸引去了。霍桑拿信展开，我走近一起看，纸上写的是草体，笔迹劲健有力，一望而知是对书法有造诣的人写的。

上面写着：

霍桑先生左右：

报上记载苏州城孙家窃案一事，竟然有不肖之徒盗用我名。虽然我名不足惜，但我性格光明磊落，做事直爽，绝无畏首畏尾之丑态。幸亏先生侦查大白，为我洗涤污秽，云山在望，瞻望钦仰，敬修短简，先表谢忱，相见有日，前途珍重。

江南燕

我读完信，惊奇地看着霍桑，说道："老兄，这是真正的江南燕，他写这封信给你，有什么用意？"

钟德说："这封信他直接送到警察局，要他们转交，可以见到他的胆识，然而他过去犯的两件案子，至今还未解决。今天先生收到这封信也可用作线索吗？"说完投目注意霍桑，似乎在等待答复。

霍桑没有回答，把信放在脚膝上，目光灼灼，对着信纸望，咬着嘴唇，低着头，很久没有说一句话。而我写到这里也要告一段落了。

魔窟双花

　　某年的初冬，我曾去北平旅行。这一次旅行，使我留下了一种印象，和感受了一种遗憾——这两点都是我不易忘怀的。第一，我见了故宫的富丽巍峨，使我深深留下一个富有回味的印象。第二，在我旅行的当儿，霍桑竟破获了一件空前的奇案。这案子进行的时间，前后不足一个星期，但案情的曲折惊险，却可说是"前所未有"。这样的案子，我竟没有躬自参与，又怎能不兴抱憾的感想？现在我凭着霍桑自己的记录，把这案子叙述出来，还觉心头怦怦，遗憾无穷呢！包朗附识。

可怖的发现

　　那一阵碎石般粗细的大雨，在黄昏时就开始了，足足下了两个钟头。到了十点钟时，大雨虽歇住了，那蒙蒙的细雨还断断续续地在空中飘着。天空中黑沉沉的如同泼墨，加着十一月寒冷的尖风，一阵阵似利刀般砭入肌骨。上海西区的一带马路上，行人稀少，车辆也几乎绝迹，因此越见得凄凉萧条。

　　在这冷静的境界之中，有一个男子独行踽踽地从格致路的西面走来。这人走到了一盏因雨气笼罩而变得光力暗淡的电灯旁时，灯光照见他瘦小的身上，穿着一件深灰色的雨衣，头上戴一顶同色的鸭舌式的雨帽，盖覆得很低，在四五尺外，便瞧不清他的面貌。其实他的五官是很端正的，不过皮色黑些。他的雨衣的领子也竖了起来，但不知道他是怕人瞧见，还是阻挡那细微的雨点落进他的头颈里去。那雨衣的纽子既都密密地扣着，瞧不见他里面穿的什么衣服；但瞧那下面的裤脚和皮鞋，似乎这人是穿西装的。

他在电灯底下站住了，旋转身去，向他的背后瞧了一瞧。他只见路的那端，有一个站岗的警士，另有一辆空黄包车，慢吞吞地在马路旁边走着。他看见没有人注意他的行动，似乎放心了些。于是他解开了胸前的一粒纽子，从里衣袋中摸出一只表来，凑到电灯光下去瞧瞧，嘴里还咕了一句。接着他放好了表，把雨衣裹一裹紧，继续进行。走到了那条南北向的洛阳路的转角，他重新回头去瞧了一瞧，才转折向洛阳路来。

他刚转过弯来，又突地停住了脚步。因为他瞧见有一个黑色的人影，迅速而北而去。那黑影仿佛是从转弯过去第三宅屋子出来的，但他不敢断定。因为从转角上过去，一长排都是两上两下的西式屋子，一共有二三十宅，黑夜中委实不容易分辨清楚。

这些屋子的结构完全相同。前面是一扇铁条的门，门里面有一小方空地，种着些棕树之类；门旁连接一垛短墙，墙上装着半截铁栅。那穿雨衣的瘦人要进去的一家，也就是那转弯后的第三宅屋。

他走到了这屋子的门前，向里面望了一望。他仰面看见楼窗上面的灯光亮着，但窗帘下垂，瞧不见什么，也不见有什么人影映在窗上。他又第二次回头向背后窥察，仍旧阒无一人，他才轻轻地推那铁门。那门是虚掩的，竟应手而开。他进得门后，反手把门关上。在这一开一关之间，不无有些声响。他料想屋中人也许要闻声而出，但他的眼光向楼上的窗口瞧时，那白纱的窗帘仍旧沉沉地垂着，并无动静。

一进门后，他的态度忽然改变了。他把雨帽推上了些，身体似也挺直了许多，他本是常在这里出进的，故而他通过了那条满积雨水的水泥的通路，踏上了阳台，便很惯熟似的推门进去。这里面的门也一样没有下锁。进门有一盏电灯，迎面就是一部楼梯，右手里有一扇室门，直通客室，但这时客室中并无灯光。他也就准备直接上楼，因为他每次约会到这里来，总是到楼上书室中去的。

他把雨衣雨帽都脱下了，挂在门背后的衣钩上。他看见衣钩下面的地板上留着好几滴水点，但那一排钩子上，除了这屋主人的一件外衣以外，别的钩上都是空的。这瘦人似乎并不在意。他挂好了雨衣，先咳嗽了一声，仿佛通知屋中人有客来的样子。可是这屋中始终是静悄悄地寂无声响。

他不禁自言自语："炳福哪里去了？还伏在后面厨房里喝高粱？"

他一边嘀咕着，一边走上楼梯。他上楼梯时的脚步故意放重些；到了楼梯头上，又咳嗽了一声，却仍没有人答应。楼梯头上也有一盏光力不很充足的电灯，右侧一扇室门，就通书室，门虽关着，门上端的气窗中却是灯光灿亮。

这瘦人在门上轻轻叩了两下，仍不见有答应声音。他才不禁有些惊奇。他又凑近室门，轻声叫道："何先生。"

室中仍旧静悄悄的。

他越发疑讶，略一踌躇，便握着门钮用力一推。那门也没有上锁。推开了门，他在室门口站住了。他的眼光向里面四瞧。灯光虽很明亮，室中却空虚无人。在那靠窗的书桌周围，排着四把椅子，似准备等待来客的样子。此外竟瞧不出什么异状。他退了出来，又推动楼梯后面的一扇卧室的门。卧室中灯光也照样亮着，但也不见一个人。

他暗自忖度道："主人难道在楼下？但客室中怎么又不见灯光？"

于是他重新退出，照样把门关好。到了楼梯头上，他又站住喊了一声"何先生"，但照样没有答应。

他作诧异声道："这屋子可是完全空的？"

他急急奔到楼下，又喊了一声"炳福"。结果还是和前一次相同。

他有些慌乱了。他奔到客室门口，推开了门，里面果然黑漆无光。他知道电灯的机钮就在近门的壁上，便伸手摸索。叭的一声，室中完全通明了。他回过头来，眼光一瞧到地板上时，竟不由失声骇号。

"哎哟！"

地板上的那条白地儿青花的厚地毯上，有一个人侧身躺着。头颈的右面有一个血口，血液正沁沁地流出，已在地毯上渗透了一大摊。这人就是他要会见的何世杰，却不知已被什么人杀死！他瞧见了何世杰的这种伤势，明知已没有挽救的希望，于是倒退一步，急忙从客室门口里回身出来。

他这种动作可是因怕嫌疑而逃避？或是他准备去报告凶案？但揣度他的情状，似乎逃避的成分居多。

他走出了客室，向衣钩上取了雨衣雨帽，随手穿上。他既不再发声叫喊，又故意放轻了脚步，悄悄地开门出去。他踏上了阳台，又止住了脚步，俯着身子向靠街的铁条门望一望，似在估量门外有没有人阻住他的去路。不意因这一瞧，忽又使他不期然而然地发出一种惊呼。

他不是瞧见了门外有什么人，而是看见门里面的一棵棕树下面，仿佛有一个人蹲伏着！

他的神经很紧张，心急眼花，实在也瞧不清楚。他定一定神，觉得他既要从门里出去，势不能不硬着头皮向前进行。他走下了阶石，再进两步，才见树下面果真有一个人。不过那人并非蹲伏，却是背心靠着短墙，箕形似的坐在地上。他瞧那人坐的姿势，两足僵直，头却垂在胸口，似乎也已没有生气。

这瘦人心头突突地乱跳，两足也战栗不止。他勉强走近那棵棕树，才见那坐在树下的人，身穿一件黑色的棉袄，下面黑布的裤子，已被湿泥浸透，足上毛布底的鞋子，白竹布的袜，袜背上却染了一大块泥迹。

那瘦人佝着身子，低低地呼道："炳福！炳福！"

那树下的人在这种状态之下，当然不会答应。瘦人又不敢走近去抚摸。正在这时，他忽听得门外的水泥人行道上，有皮鞋的脚步声音缓缓地走近。

可是外面有什么人进来吗？瘦人的地位实在危险了。万一被别的人撞见，他的嫌疑的成分一定不容易辩白。他在惶惑间，觉得这时候只有冒一冒险，不等外面的人进来，先行夺门而出。这个意念，在他脑中原只一刹那工夫，接着他便鼓足勇气，拉开铁门，纵身而出。不料他刚到门外，但觉眼睛前一亮，有一个人直扑他的胸怀。他的两足站立不住，身子向后一仰，晃了几晃，便即倒在门里的水泥径上。

一副手套

那瘦人倒地以后，一时不能起立，却慌了那外面进来的

人。那人穿一件灰色的厚呢单袍，一手中夹着一件雨衣，一手
中却执一个电筒。这人的年龄在二十五六，脸形长方，面目很
清秀，身材比瘦人高些，头上戴一顶灰色的铜盆呢帽，帽上细
雨凝集，仿佛缀着许多细珠。

这位戴铜盆帽的来客，急忙走进了铁门，把雨衣电筒放在
水泥径上。随即偻着身子，将瘦人扶起，嘴里又连声喊着：

"志雄！志雄！"

那瘦人的上身既已给扶坐起来，张着两目向那扶他的人呆
瞧。他的眼睛眨了几眨，忽现出一种醒悟的神气。

"你是镇华？唉！几乎吓死我哩！"

王镇华一边扶着瘦人立直身子，一边答道："志雄，你为
什么如此？吓什么？"

那叫作闻志雄的瘦人，忽伸着他颤动的手指，向他对面的
一棵棕树底下指着。

"你瞧哪！"

王镇华依着他所指的方向回头一瞧，也不禁震了一震：

"这是谁……不是炳福吗……为什么如此？莫非……"

"我不知道。里面的何先生已被人杀死了！"

"喔？死在哪里？我们快进去瞧瞧。"

他忙俯身从水泥径上取起了雨衣电筒，要拉闻志雄一同进
去。闻志雄却立定了不动，连连摇着头。

他说："不，我不去。我不进去！"

王镇华问道："为什么？"

闻志雄道："可怕得很！我不愿意再瞧。他就在下面会客
室里。"

王镇华向那瘦人上下望了望，便放了手，回身单独走进屋

子里去。闻志雄独自站着，眼光又瞧到僵坐的仆人身上，心中更惴惴不安。他很想一个人乘间溜出去，但他的两只脚似乎又没有勇气走动。

一会儿，王镇华已大踏步从屋中出来，说："何先生果真死得很惨，呼吸已绝，大概已没有救了。但炳福又怎么样呀？"他且说且扳亮了手中的电筒，向着那一棵棕树走去。他走到树下，弯着身子，把电筒的光照在仆人的身上。"没有血迹啊！"他更踏前一步，又把雨衣丢下，伸手摸那仆人的额角。他忽惊喜道："还有气息哩！"他顺手把仆人的头推动了一下，却仍不醒。他从树荫中退了出来，向闻志雄说："现在我们不能耽搁，快去报告警察。"

闻志雄疑迟道："我要回去哩！你一个人去报告吧。"

王镇华有些怀疑："你为什么不去？"他的眼睛盯在这同伴的脸上。

闻志雄期期然道："我……我……"

王镇华见他如此，好像越发动了疑心："志雄，怎么？你可知道这凶案怎样发生的？"

"我完全不知道。"

"那么你又怎样发现的？"

"我走进来时，凶案已经发作，屋中毫无动静，也不见一个活人。故而这件事怎样发生，我全不知道。"

"我刚才进门的时候，你匆匆出外，打算往哪里去？"

闻志雄顿了一顿，才吞吐着答道："我……我想去报告的。"

王镇华冷笑道："奇了！你起先既准备报告，现在我请你一块儿去，你又说不去，你的话不是自相矛盾吗？"王镇华一边答辩，一边用怀疑的眼光盯住闻志雄的脸。

闻志雄忙道："你别疑心。这件事我是完全没有份的。我只是胆小怕事，实在没有别的意思。"

王镇华听了他恳切的语声，又见了他脸上的表示，点了点头，心中的疑团似乎减少了几分。

他说："既然如此，你应该振作些才好。这件事你既是第一个发现，不能不负报告的责任。但你这种怕事的状态，于你实在无益。你但把经过的事实告诉了警察，你的责任便完。你不可这样子心虚胆小，那反而要坏事的。现在我陪你一块儿去。这个仆人还有挽救的希望。我们不能再耽搁了。"

半小时后，那西区警署的倪金寿，带着一个助手和两个警士，跟着那两个报告的人，一同到洛阳路三号屋中来勘验。倪金寿是一个比较瘦长的中年人，他在警务上服务了十多年，经验非常丰富，不过思想方面，因着教育程度的关系，不免还欠缺些。所以他每逢棘手的案子，还不能单独处理。那晚上——十一月十六日——十一点三刻光景，他接得了报告，觉得案情既很突兀，死的人又是有名的大学教授，便觉得担当不起，不能不借重私家侦探霍桑。因此他在离署以前，就先打了一个电话到爱文路霍桑的寓里去。

倪金寿比霍桑先到现场。他走进了铁门，眼睛先在水泥径上瞧察足印，但因着天雨的缘故，径上都是积水，瞧不出什么。他一进门后，因着王镇华的指点，先把炳福抬了出来。倪金寿在他身上抚摸了一会儿，觉得额角和手心，都还温暖，但鼻息短促而细弱，似乎中了什么麻醉药的样子。他一时没法弄醒他，便吩咐一个跟来的警士，把这仆人赶紧送往医院里去。接着，他便走上阳台，在门口站住，又向背后的几个人吩咐：

"你们且站在这里。里面有许多足印，不可踏乱。等霍桑先生来瞧了再说——唉，这门口有一团泥迹。这是什么呀？"倪金寿早已用他怀中的电筒照上门外的阳台。那里有一摊泥迹，杂乱不整，不容易辨别。

王镇华忽从旁插口道："这很像有人穿了橡皮套鞋，在进门的当儿，把套鞋脱在这里，故而留下这个痕迹。"

汽车声响忽而在门口外停住。转瞬间霍桑就从水泥径上小心地走进来。

倪金寿忙走下阶石，作欢迎声道："霍先生，你接着电话就动身的？我们也才到。"

霍桑说："你的电话来时，我幸而还在化验室里，没有睡，否则也不能这样迅速。你们可曾发现什么？"

倪金寿便把报告的经过和将仆人送往仁济医院里去的事说了一遍。

他又说："我们还没有进里面去。刚才正在研究这门口的泥迹。这位王先生说，也许是放过橡皮套鞋的。你瞧瞧怎么样？"倪金寿重新用电筒照那一团泥痕。霍桑低头瞧了一瞧，答道："这假定很不错。"他回头向王镇华点了点头。

倪金寿介绍说："这位王镇华先生是一个小说家。这一位是闻志雄先生，是私立上海中学的训育主任。他们发现了这案，一同到署里去报告的。首先发现的，还是这位闻先生。"

霍桑向二人低低地鞠了一个躬："现在请你们暂时留一留。我和金寿兄先进去瞧瞧。"

他俯着身子，第一个缓缓地走进门去。倪金寿在后面跟着。

霍桑瞧着地上，说："唉，门口的足印很乱，已瞧不清楚了。那往后面去的布底鞋印，不是那仆人的吗？上楼去的有两个男子的足印，在这客室门里进去的却有三个人。"

倪金寿应道："不错，不错。这些足印都很新鲜，分明都是雨后印的。"

王镇华在门外接嘴道："我刚才和志雄兄都到过客室里去的。"

闻志雄也说："我还到楼上去过。"

霍桑点头道："这样便更明白。除了你们二位以外，还有一个男子，进屋后先上楼去，回下来后，又走到客室里去。这个人的脚很大，那皮鞋似乎是圆头面装圆形的橡皮跟的。现在让我绘一个下来。"

他住了脚步，从衣袋中摸出纸笔，在地板上选取最清晰的足印，屈着身子，跽下来临摹。一会儿他绘好了，便把纸折拢了藏好。他又看见地板上有许多水迹。

他指着说："这个水滴还没有干呢。"

倪金寿说："这大概是从雨衣上流下来的。壁上不是有衣钩吗？"

霍桑摇摇头："不，这不是雨衣上流下来的。假使是的，那水迹应成散漫的点滴。这里却是注成一个不规则的圆形，分明是从伞上流下来的水。"他回过头去："现在不妨事了。你们两位进来吧。"

王镇华和闻志雄果然应声进来。倪金寿也就推开了客室的门，首先跨进去。

他失声呼道："唉，这个死状果真很可怖！"

霍桑并不光瞧死人，还在地毯边缘的地板上寻觅足印。

他说："这地毯的旁边也有三个男子的足印。一个人较深，两个人较淡。那深的必是从外面直接进来，淡的却是从楼上兜下来的。"

王镇华正站在客室的门口，一听霍桑的话，便瞧着他自己足上的皮鞋，自动地答话。

他说："这深的足印是我的。我原是从外面直接进来的。"

霍桑点点头，应道："这较淡的两种足印之一，谅必就是闻先生的。"

闻志雄低声道："是的。我先到楼上，然后下来寻到这里。"

霍桑道："这样可知只有那圆头装橡皮跟的印，还没有着落。"

闻志雄忽似想起了什么，他的唇吻张动了一下，好像要说什么，却终于没有说出。

他这种状态，霍桑和倪金寿都没有瞧见。他们俩都已屈膝跪在地毯上的尸体旁边，细瞧那头颈上的伤口。

倪金寿说："这是被尖刀所伤的，刀尖陷入头颈，刺伤约莫有两寸深。故而他一中刀后，一定是立即致命的。"

霍桑微微点点头，似乎赞许他的意见。他一边屈伸死者的肘节一边说："死的时间还不久，手臂还没有硬。"他接着说："那凶手下刀很疾，竟使这被杀的人来不及抵抗。"霍桑说时，用手在死者的大襟上摸了一摸："唉，他原也是准备凶器的，不过来不及取出来抵抗罢了。"他且说且解开了那灰色哔叽骆驼绒袍的纽扣，伸手进去："唔，胸口还温暖。"他又从死者里面的衣袋中摸出一支玲珑黑钢小手枪。

倪金寿说："奇怪了！他是民福大学的教授啊！文绉绉的学者，怎么袋里带着凶器？莫非他预知有什么危险要临着他吗？"

霍桑不答，但在地毯的一角立直了身子，察看那死人的全身。倪金寿接过手枪察看了一下，顺手揣在袋里。

死者年纪在四十以外，下颔很阔大，额角也前突出，显得他的脑力很丰富，又有强固的毅力；鼻尖有些弯钩，上唇上有一撮短须，修剪很齐；深陷的眼眶开而不合，两颗没光的眼珠似还在向窗口下的墙壁上凝视。他的灰色哔叽的骆驼绒袍，本是崭新的，除了领口上满染血迹以外，前襟的下部也有几点墨迹，显示他是一个和笔墨有缘的学者。下面穿着一条不扎脚管的淡蓝色毛质花呢裤。足上拖一双毡制的舶来品拖鞋，仍都套在足上，没有落下。他倒卧的所在，离门口约有两步光景，似乎一进门来，便即遇害。

那客室中的陈设都是柚木的西式家具。地板上一条厚厚的地毯，青白色的图案十分精致。中央有一只精工雕镂的圆桌，桌上供一只雕刻玻璃而镶金子边的很精致的花插，内中却并没有花。四围有四五只椅子，都有温暖的锦垫。靠壁另有两只紫色丝绒的沙发和长椅，都铺着狐皮。长椅背后，有一架维克脱洛拉牌子的话匣，漆光可以照人。死人横躺的所在，和椅桌等物还隔离数尺，故而都没有倾翻的迹象。壁炉中余火还没有熄尽。炉沿上放着一个石刻的裸体女像，约有一尺半高，两旁边另有两只银制的花瓶。上面挂着三幅配阔金框的图画，也都是西洋的油画。这室中全部的装饰，可称是完全欧化，不但精美，而且已进入了奢侈的界线。

倪金寿指着壁炉沿上的石像，说："这东西似乎很值钱。此刻既没有失去，可见不是什么盗案。"

霍桑微微皱着眉头，似嫌金寿的断语还说得太早。

他缓缓地说："现在到楼上去瞧瞧再说。"

他执着电筒走出客室，先在梯级上瞧了一眼，才缓缓上楼。他到了楼上，先推开书室的门，第一步又瞧那地板上的足印，接着又退出来，开到卧室里去。

卧室中的电灯照见整套最新式西式家具都漆着淡绿色。一张大床搁在中央，两条折叠齐整的鸭绒被也是淡绿缎子的。梳洗桌上陈列着高价的化妆品，墙壁上挂了好几张裸体画，而且一踏进门，就有一股香馥馥的气味。

倪金寿在门口叽咕："这不像是一个单身学者的卧室，倒像是时髦女人的闺房。"

霍桑不接口，目光流转到卧室的每一个角落。

他旋转身来，向后面的闻志雄问道："你上楼以后，可是还进过卧室里来吗？"

闻志雄应道："正是。"

霍桑又说道："但那个穿圆头橡皮跟鞋的人，却不曾进过卧室。"他退出卧室，重新走进书室里去。

书室中的布置虽同样显着过度的华丽，可是远不及楼下客室的整洁。靠窗有一张乌木镂花的书桌，窗上挂着白色花纱的窗帘。书桌上面堆满了许多书籍、稿件，有几支银金的笔杆也都纵横不整。桌子的一角还有一支罩绿色丝罩的电灯。书桌正面有一支红木的螺旋椅子，椅子背后有一个西式厚玻璃的书橱。橱顶上供着一个半身的女像，也是意大利的名贵的雕琢。就在这书橱的一边，安放着一座无线电话筒。书橱中放满了中西的书籍——虽是中文书籍，也都是西式装订的；旧式线订的古本书籍完全没有。

霍桑细瞧室中，绝没有凌乱或争斗的形状。那书桌周围的四把圆手的柚木椅子，依旧排列得整整齐齐。他的眼光瞧到了一把最里面和螺旋椅接近的椅子上，忽而惊异起来。

他自问自答地说："这椅子上的是什么东西呀？"

他忙奔过去把椅子上的东西拿起来。倪金寿和王镇华、闻志雄三人的眼光，也都不期然而然地跟着瞧到那把椅上。霍桑的右手中拿着一种雪白的东西，他的眼珠在转动。

倪金寿忙问："可是手帕？"

霍桑答道："不是，是一副手套。"他放了电筒，把两支指形尖细的而边口上有些花纹的麂皮手套，分提在左右手中："唉，这副手套是女子的。也许是一种重要的线索呢！"

第一步设想

"重要的线索"的话儿，显然含着重大的刺激力量，立刻使倪金寿高兴起来。他把头凑近了些，灼灼地注视那两只手套。背后的两个少年也张大了眼。

霍桑又说："我起先已假定有一个穿橡皮跟皮鞋的男子进过这屋子。现在有了这副手套，便知道除了这不知是谁的男子以外，还有一个女子到过这里。这岂不是一种明显的线索？"

倪金寿似觉得这发现关系太大，一时不敢轻信，因而故意辩难一句，以便得到一种更确实的答语，证明这线索的重要性。

他说道："霍先生，这手套不会是昨天或今天日间留在这里的吗？如果这样，那就和这案子不见得有直接关系。试瞧地板上并没有女子的足印啊。"

霍桑点头道："金寿兄，你这话很有意思。但你忘掉了下面门外的橡皮套鞋的印子哩。那女子如果脱了套鞋进来，鞋底既干，当然不会存留这样清晰的泥印。据我瞧来，这手套既放这把椅上，一定不是日间所遗。你瞧这四把椅子的排列，岂不是临时预备的吗？似乎死者今晚特地约四个人，有什么谈判或讨论；否则绝不会排列得这样团团围绕的样子。试想这椅子既是临时排列，椅子上假使先有手套留存，岂有不收拾好的？"

倪金寿果已满足了期望，作赞同声道："这样说，有一个女子和一个男子，都没有着落哩。据这两位的报告，屋中并无女子。死者也还没有娶妻。虽有一个年老的女仆，却是朝来夜回，不住在这里，当然不会有这样的东西的。"

霍桑说道："这是一种白麂皮手套，价值至少在十元以上。可知道这女子定是一个摩登人物。现在这手套暂时由我保存。你总可以允许吧？"

倪金寿点头道："好。但你瞧这女子和这件凶案可有没有直接关系？"

霍桑一边将手套放入外衣袋中，一边微笑着答道："金寿兄，你也未免太性急些哩！这话我还不能回答。不过瞧那死者的死状既如此惨怪，料想凶人下手时必很敏疾而猛厉。因此我们可以推知直接行凶的必是一个男子，女子却没有这种能耐。这一点是可以断定的——"霍桑说到这句，突地旋转头来。他的敏锐的眼光，忽向他背后的二人瞟了一瞟。他厉声问道："闻先生，你要说什么呀？"

原来闻志雄这时，又有先前那种唇吻牵动的神态。这神态映在书橱的玻璃上面，忽被霍桑瞥见，故而他突然地发问。

闻志雄呆了一呆，才期期然答道："你们不是说行凶的是一个男子吗？这个男子我却有些意见。"

倪金寿忙接嘴道："你知道的起先为什么不说？"

闻志雄道："我起先没有想到。刚才听你们说有一个不知是谁的男子没有着落，我方才记起来。"

霍桑插口道："金寿兄，我们不必说什么空话。闻先生，你既然知道，就请你说明这个人是谁。这里有四把椅子，不如大家坐下来谈谈。"

这四个人便坐下来举行一种临时会议，大家就在那早经安排好的椅子上坐下，仿佛补行那屋主人已约而未会的会议。

闻志雄反问道："霍先生，你要叫我说出姓名来吗？这却办不到。我但记得当我到这里来时，刚到洛阳路的转角，忽然看见有一个黑影向北奔去。在一瞥之间，我虽瞧不清楚，但好像就是从这屋子里出去的。"

倪金寿现着失望的神情，冷然道："你这话真说得恍惚之至。但据你想来，这黑影假使果真是从这屋子里出去的，这个人应是谁呢？"

闻志雄道："这个我不能乱说。我只看见那人的背影，觉得他的身材很长，穿的是一件黑色外衣。"

倪金寿道："你想这个人，可是何世杰相识的人？"

闻志雄摇头道："我既没有瞧见那人的面貌，当然不是能凭空想得出的。"

霍桑默默地坐在旁边，似在用冷眼默察闻志雄说话时的状态。这时他又加入问话。

他问道："闻先生，现在我要问几句。你到这里来时，大约在什么时候？"

闻志雄道："十一点十分。"

"唔，时间这样准确？"

"嗯，嗯，因为我在进门前看过表。"

"你到这里来有什么目的？"

"我……我要看何先生——何世杰先生。"

"你可是自动来走访的？还是他约你的？"

"他打电话约我来的。"

"约在什么时候？"

"十一点钟——我来得迟了一些。"

"那么他约你来有什么事？"

闻志雄见霍桑这样子步步逼紧，又不禁恐惧起来。他的脸色泛白，他的两只手从雨衣袋中摸出摸进了一会儿，才勉强答话。

他道："我们常有学术上的讨论。今天也是如此。"

霍桑道："你是常到这里来的？"

闻志雄似自觉失言，忽改口道："不，我不是常来的，一个月只有一两次罢了。"

"这种学术的讨论，是不是有规定日期的？"

"不，每逢何先生有了空闲，便通知我们。"

"'我们'吗？这样，可知除了你以外，还有别的人哩。"

闻志雄忽回头瞧瞧他旁边的王镇华，答道："正是。这位王镇华兄也常到这里来讨教的。我已见过他两三次了。"

霍桑的眼光便移渡到王镇华的脸上："王先生，你今天也是应约而来的吗？"

王镇华不答，但点了点头。

"他约你什么时候？"

"也是十一点钟。但我误了时刻，到这里时十一点已过十五分钟。"

"你也是来讨论学术的吗？"

"是。"

"那么你们讨论的学术是什么性质的呢？"

"这也是不限定的。何先生精于英德俄各国文字；此外他经济学和政治学等学科的学问也很高深。我们来讨教的，也因各人的嗜好不同。"

"唔，你们倒都是好学不倦的青年！"

王镇华和闻志雄的头都垂落了，不知是感觉到霍桑赞语中的尖刺，还是要避去他的锐利的目光。倪金寿也一眼不眨地注视着二人。

霍桑又说："既然如此，到这里来讨教的人，大概总是彼此相识的。譬如除了你们二位以外，还有些什么人？"

王镇华向闻志雄瞧瞧，这瘦人好像没有看见，因为他的头实在垂得太低了。王镇华只能义不容辞地答复：

"人数很多，我们有些认识，有些也举不出姓名。"

"你们时常来聚会的，大约有几个人？"

"不一定的。有时三五个人，有时七八个人。"

"那么今夜约会的有几个人，你们总知道吧？"

话题滑到了中心，室中的空气更紧张了，霍桑把他的肘骨搁在椅子圈上，十个指尖互相抵触着。他的眼光仍在王镇华和闻志雄的脸上溜来溜去。倪金寿也坐得笔挺，在注视闻志雄低沉的脸。王镇华又在瞧闻志雄。但这瘦子把舌尖舐着自己的嘴唇，仍默默地坐着，似乎回答不出。

一会儿，王镇华答道："不知道。因为何先生约什么人，是他随意定的，并没有规定的人数。"

倪金寿忽松了一口气，身子向后靠着，用双手抱住他的右足的膝盖，好像得到了某种把握。

他冷冷地说："若要知道今夜约会的人数，那很容易啊。这里不是排列着四把椅子吗？那就可知死者今夜要接见的有四个人。"

霍桑点头道："这一点我们已知道了。但要知道这四个人中，其余的二人是谁，就不容易。"他低沉着目光思索一下，忽又突然向王镇华道："你们这里来讨教的，可也有女子在内？"

王镇华还没有回答，闻志雄忽而抬起头来，抢先说：

"有的，我曾看见过的。有好几个女子。"

倪金寿虽暂不开口，但他的斜视的冷眼却始终凝注在闻志雄脸上。他暗忖他是第一个发现凶案的人，事实上不能不带些嫌疑，他对于足以迁移凶罪的疑迹，又往往自告奋勇地证实。起先假定有一个不知是谁的男子，他便说出瞧见过一个黑影的话；现在又说当真有好几个女子，那分明又是迎合霍桑所说的手套的猜想。因此在倪金寿眼中，这闻志雄越发觉得可疑。

忽有一种突如其来的举动，竟出霍桑的意料。倪金寿放松了他的右膝，突地离了椅子，走前一步，把闻志雄的双手捉住。闻志雄忽而大声骇叫，用力挣扎，像要立起来奔逃的样子，却又不能如愿。因为倪金寿的两手很有些劲，抓住了闻志雄的手腕，闻志雄竟不能起立，更休想能够摆脱。

倪金寿厉声道："你别乱动！我要瞧瞧你的手指。"他忽而两眼大张，作惊喜声道："哈！你手的食指和中指上的红色是什么呀？"

闻志雄已面无人色，身体也颤动不止，仿佛霎时间浑身中了电气一般。王镇华也在暗暗地替他的同伴着急。

瘦人嘶声地呼道："别冤枉我！别冤枉我！这指上的红色是我点名时染上的。"

霍桑也立起来，仰过头来瞧闻志雄的手指。

他向倪金寿道："金寿兄，放手，这是红墨水的痕迹。"

倪金寿虽勉强放了手，眼中仍满含疑焰，恶狠狠地向那脸色灰白的闻志雄瞧着。

霍桑又说："我们这里的勘验，大体已经完毕，现在你且在这里搜索一下，可有什么有关系的文件，再派人把这屋子守着。这两位不妨回去。我到仁济医院里去瞧瞧那个炳福，是否已恢复神志。我看这件案子的重心，完全在这个仆人身上。只要他的神志有恢复的希望，这案子终不难水落石出。但万一他也跟着主人回了老家去，我们在暗中摸索，那就比较难办了。"

霍桑说完了便首先退出书室，向着楼梯走去。王闻二人也都舒了舒呼吸立起来，跟在后面。倪金寿送到梯头，又站住了问话。

他道："霍先生，你以为这案子的真相，那仆人是知情的吗？"

霍桑也站住了，答道："知情的话我虽还不敢断定，但他至少总可以供给些重要的线索。试想何世杰虽已被杀，他只一时蒙倒。关于他主人的死，他理应知情。据情势推测，似乎那凶手进门的时候，炳福出去开门，凶手先用蒙药将他迷倒，然后再进来行凶。这样，那凶手的面貌，或者曾被炳福瞧见，也未可知。除此以外。我还有一种推想，也须叫他证实。"

"还有什么推想？"

"据我观察，今晚一定有一个女子来过，并且那女子来的时候，一定在何世杰被害以前。否则伊一个人绝不会在空室中坐下，而临行时又会遗留手套。因此，我料想这个女子的真相，炳福说不定也知道。"

"这一点当然还没有第一点重要。因为实际行凶的既是男子，我们但须查明这个人便行了。那女子原是无关紧要的。"他的眼光忽又斜过去向站在后面的闻志雄王镇华二人瞥了一瞥。

霍桑忽庄容道："金寿兄，你的话果然不错。我们若能立即查出这个凶手，那自然不必多费曲折。但万一不能，那就不能不在各方面搜集线索。就眼前的形势来看，这女子却是一个唯一重要的线索！”

倪金寿仍似信非信地答道：“何以见得？”

霍桑道：“我瞧这女子不但是在凶案发作以前来的，当凶案进行的时候，伊也许在场眼见。假使伊是通同行凶，我们当然应从伊身上钩索这事的真相。即使伊偶然眼见，论势伊也可以供给些重要的实证。这样看来，这女子在本案中的地位，怎能不算是特别重要？”

倪金寿反问道：“你怎样知道当凶案进行的时候这女子也在场？”

霍桑道：“这也不难推想而知。倘使伊在凶案未发时离去，伊又何必这样子匆促？”

倪金寿的眼光又转过来向王闻二人瞧了一瞧，才道：“这样说，我们现在进行的步骤，需先从炳福嘴里探明这个女子，再从这女子身上查明这案子的真凶。是不是？”

正在这时，忽见那个负责送仆人住仁济医院的警士已回来销差。他奔上楼梯来报告：

“据医院中的医生说，炳福所受的哥罗仿麻醉药①，并不厉害。在一两个钟头以内，他也许就可以醒转来。”

炳福的谈话

霍桑到达仁济医院看见炳福的时候，炳福果然已经苏醒

---

① 哥罗仿：“chloroform”音译，即氯仿，三氯甲烷。

了。但他的神志还不怎样健全，好似因着受惊过度，有些错乱。他见人和他谈话，第一句总是那句"哎哟！强盗！强盗！"的话。霍桑知道这个人的神经还很脆弱，此刻若再受恐惧，难免不发生痫疾。他和医院中人商量，他若是不知道何世杰被害的事实，应把这消息暂时守密，不使他的神经再受震惊；并且应设法使他安眠，等他的神经安宁以后再向他究问。

霍桑从医院里退出来以后，找到了倪金寿，就把这情形告诉了他，倪金寿也说他在回警署以前，曾在何世杰寓中搜查过一回，并没有什么可疑的证物。有许多信件，都是和人家讨论学术的。那些通信的人不限本埠，各处都有。又有许多用外文写的论文，他却读不明白。此外在死者的书桌抽屉里查得一本日记，但日记上的文字，中英俄德文字都有，非常别致。霍桑虽精通英文，俄德文却并不了解。

从那英文和中文的记载上瞧来，死者时常有著作寄往各埠的报纸杂志上发表，另外又记着和人家约会的事情。但约会人的姓名都用缩写的英文字母，一时也无从查考。不过有一个"Lura"的名字，在日记中发现了好几次，似乎死者和这个人的约会次数很多。霍桑懂得"Lura"一词，是英文的女子闺名。现今我国的新式女子，有英文名字的原不足为奇。因而假定这个女子也是一个新式人物，和死者交情必很密切。不过一时还不容易知道这女子的中文姓名。

霍桑向倪金寿说："这日记也许足以助益我们的侦查，你们搜查总算没有落空。此外我们在炳福身上也有重大的希望。因为我细味他的"强盗！强盗！"的话，可见他对于那行凶的人必曾目睹。他不知那人要杀害他的主人，只以为是那寻常行劫的强盗，故而脑室中至今还留着这可怖的印象。现在我们希望他的神志能够完全恢复，这疑团大概也就可以打破了。"

倪金寿道："要是他的神志始终不清，或是变成了疯人，那又怎么办？"

"那自然是最不幸的。我总希望他不至如此。"

"我以为与其坐等炳福的清醒，不如先从别方面进行。我觉得那闻志雄很有些可疑。现在虽没有确实的证据足以把他拘禁起来，但我们也不能就此把这两个人轻轻放过，认作和此案完全无关。我打算先设法调查这两个人的行径，以备案情上的参证。你看怎么样？"

霍桑对于这个提议完全赞同。故而第二天——十一月十七日——清早，他们俩就一同往王镇华、闻志雄二人的寓处里去秘密调查。

王镇华是北方人，寄寓在八仙桥的一个姓邱的开绸庄的亲戚家里。他的年纪才二十六岁，还没娶妻，从民福大学毕业，故而和何世杰有师生关系。现在他一面作小说，一面还在华振纱厂里当英文秘书。不过这是一种闲散职业，每星期只有三个半天到厂里去办公。霍桑买通了他亲戚家的一个本地女仆，才查明上述的情由。霍桑又问起上一晚王镇华在什么时候从寓里出去。据女仆说，王镇华出门时恰敲十一点钟。

霍桑问道："恰是十一点钟？你怎么知道得这样准确？"

那女仆说："我记得在大雨的时候，他还伏在书房里写字，后来忽听得客堂中的钟声响了，问我敲几点钟了。我在钟上瞧了一瞧，回答他是十一点钟。他便匆匆忙忙地出去。"

霍桑道："他晚上可是时常出去的？"

女仆道："出去的时候很多，昨夜却直到一点过后才回。"

霍桑又问他平日来往的人。据说他的朋友很多，故而到寓里来访的人也不少。至于这些人的来历，那女仆当然不能答复，只知道都是些少年男子，并且大半是上流人。

于是霍桑陪着倪金寿再到西门路闻志雄的家里去。

闻志雄也是在民福大学里读过书的。现在担任上海中学训育主任的职司。他已二十九岁，父母都已过世，家中有一个妹妹还没有出阁。他自己虽已和一个姓曹的女子订婚，但因为家境清寒，还没有力量成婚。他家里只靠他的幼妹处理家务，并无婢仆。住的地方，转租了人家两间屋子，也不很宽敞。这一节是从他的邻居们嘴里探出来的。此外，探得他晚上时常出去，往往到深夜时才回来。

霍桑又问邻居闻志雄昨夜出外的时间，那邻居虽不能指出一定的钟点，但说是在大雨时出门的。

倪金寿忖度了一会儿，向霍桑说："昨夜的大雨到十点钟便停。他在下大雨时出外，可知必在十点钟以前。但他说到洛阳路何世杰寓里时，已是十一点过了十分。试想何世杰约会的时间是十一点钟，他既然早出赴约，怎么反而过时？那么他在十点和十一点之间干些什么事呢？"

霍桑道："这也许他另往别处去。我们可以向他问一问，也不难证实。"

"据我想来，这案子他所负的嫌疑很重。他尽可先进何世杰的寓里去，行凶以后悄悄地退出，等到十一点过后，他假无事地再去，以使人家不致疑他。你想这看法可能成立？"

"这果然是可能的。但我们探案，必须着重实际的证据，绝不能拘泥于成见。现在重要的证人没有开口，你不能就怀疑他一个人。"

"我也不是凭空怀疑他的。我瞧他的言语状态，都呈露一种畏惧的神态。你难道不觉得？"

"他的状态果然可疑，不过在我的经验上，常见有一种生性胆怯的人，往往自己心虚，要露出这种类似畏罪恐惧的样子。故而我们对于这种人，若没有事实的证明，绝不能轻下断语。现在我们姑且先往仁济医院里去，瞧那炳福是否已完全清醒。他若能说出一两种要点，那就更容易证实了。"

霍桑同着倪金寿到医院的时候，那炳福经过半夜的安眠，感觉已经恢复，神智也已健全。霍桑听了这个消息，便很高兴地进去见他。

这炳福姓张，是本地的浦东人，年纪刚近五十，头发都有些斑白。从他的面貌和语气上推测，他似乎很忠于他的主人。当霍桑问他夜来经历情形的时候，他忽从病榻上坐起来，反而先急急地发问。

他问道："我主人怎么样？可有什么岔子？"

霍桑见他很关心他的主人，并且他的神经已恢复了常态，因此索性据实回答：

"炳福，你主人已经被人杀死了。你现在也不用惊慌，只需把你所知道的和眼见的情形详细说明，以便我们把这案子侦查明白。那你也对得起你的主人了。"

张炳福张大了眼睛怔了好一会儿，接着呆滞了目光，低头叹息。

一会儿，他才仰面答道："这件事怪可怕的！不过我所知道的不多，对于你们未必有什么用。"

倪金寿纵了纵肩，又斜着眼光瞧瞧霍桑，似表示这一条重要的线索不免要失望了，霍桑仍很小心地问道："你姑且告诉我们。你瞧见的是什么人？"

张炳福摇头道："我没有瞧见什么人。"

"你不是瞧见一个强盗吗？"

"正是。我起先以为是行劫的强盗，却想不到他竟会杀死我的主人。"

"这么说，你明明是瞧见一个人的。怎么又说没有瞧见？"

"不错，我是瞧见一个人的。不过那人浑身黑黑，脸上罩着黑布，瞧不出他的面貌。你问我是什么人，我自然不知道。"

倪金寿的眉毛向上掀了一掀，分明表示第二步又告失望。

霍桑似仍抱着充分的希望，继续问道："你虽不会瞧见那人的面貌，但那人的姿态模样，可也能够辨识？"

张炳福低头寻思了一会儿，缓缓地摇摇头："也不能。我但觉得那人的身材不高不矮，约略比我长些。肩膀很阔，头上戴一顶黑呢帽子，压在眉毛上面。他脸上除了露出两只眼睛以外，别的部分都被一块黑绸或黑布遮盖着。我那时因着陡吃一惊，虽曾瞧见他的眼睛，却仍辨不出是谁。"

霍桑不顾倪金寿暗暗摇头，仍取出一本册子来，随手在册上记了几笔。

他又问："好，你且说这个黑人怎样进来的。"

张炳福定了定神，似在追索上夜的情形。一会儿，他才说道："那时候我在后面我的房间里，听得前面的铁条门有人开动，便走出来开门。铁门上没有下锁，铁闩虽然拴着，若从外面伸手进来，原也容易拉开门的。我听得了门上铁闩的拨动声音，似乎那人竟开不来。我便走出来开门。起初我的眼光完全注意在铁门上，并没有瞧到门外的人是谁。因为我主人的朋友很多，朋友们在晚上来见，原不算稀奇。我把铁门的闩拔掉，顺手拉开，抬头一瞧，忽见一个黑黑的人影，站在我的面前。这一吓非同小可！我不禁失声惊呼。我平日不相信有鬼，故而第一个念头，便想是强盗来了。可是我的呼喊声还没有发出，但见那黑影举起一手，猛向我的脸上扑过来。我正想退后去避开，却已来不及了。一刹那间，我但觉头目昏眩，仿佛眼前的屋子都突地转动起来。就在这时，我就完全昏倒。等到醒转来时，我的身体已躺在这个地方。"

倪金寿忽从旁边插口道："这样说，你除了瞧见一个黑影子以外，别的都不知道吗？"

张炳福答道："我当真不知道。"

倪金寿又向霍桑努一努嘴，摇摇头，示意这个人的供语在侦查上显然已毫无希望。但霍桑仍不理会，继续向张炳福问话：

"事后的情形，你虽然失了知觉，没法知道，但事前的景况你总可以告诉我们一些的。我问你，昨夜里你主人做些什么？"

"这个我不知道……他或是在给朋友写信，或者是写投寄报馆的稿子。我只看见他写了两篇，每一篇大约有三四张纸。"

"这一点你怎么知道的？"

"因为他写好以后，封成两封，还是我给他去投寄的。"

霍桑的眼珠转了转，也向倪金寿努努嘴，仿佛暗示他已经从黑暗中得到了一线光明，用不着性急失望。倪金寿的精神果然也振作了些。

霍桑继续问道："喔，这两封信是你投寄的？你可知道受信的人是谁？"

炳福摇摇头道："不知道。我但见一封是本埠的，一封是寄交天津的，受信的姓名，我不曾注意。因为像这样的信，一星期总要寄两三次，有时还要挂号。但昨夜的两封都是平信，故而我不大注意。"

"是送到哪局里去的？"

"不。我说过的，昨夜的是平信，用不着到邮局去，并且邮局的时间已过。我是把那两封信投在格致路西首的一只邮筒中的。"

霍桑又问："投信时，你可记得在什么时候？"

张炳福凝目想了一想，答道："昨夜的大雨是在十点钟时停的。"

张炳福说："那么，我出门时大约在十点一刻光景。"

霍桑又问道："那时候你主人仍在楼上吗？"

炳福点点头道："是的。"

"还有那个老妈子呢？"

"王妈是早来夜回的，吃过夜饭，收拾了碗盏，就回去，天天如此。"

"此外可还有别的来客？"

"没有。"

"只有你主人一个人在屋子里吗？"

"是。"

"那么，你送信回来以后，可曾看见有什么人？"

"也没有。我是一直回房里去的。但过了不久，那个可怕的黑影便出现了。"

"这样说，昨夜里你竟没有看见任何人来看你的主人？"

"唔。"

张炳福答这"唔"的时候眼睛在霍桑的脸上轻轻一瞥，似乎有些犹豫的神气，接着就将眼光移到白单被上去。霍桑仍目不转睛地谛视着炳福。

他喃喃自语地说："据我所知道的，昨夜里有一个时髦的女客来见过你主人的。炳福，你怎么隐瞒着不说？"

那张炳福一听这话，脸上忽微微地泛出一阵红色。他略略抬头，眼睛瞧着霍桑，唇吻一开一动，一时似乎答不出话来。

分　工

霍桑的自言自语，原是对张炳福脸上的犹豫表示的反应。这时他看见张炳福呆瞧着不说，明知道他的语锋已刺中了要害。倪金寿的失望神情也消失了。

霍桑用温婉声催促说："炳福，你不用多疑心，有什么话，你不妨实说。"

张炳福低头顿了一顿，才缓缓地说："先生，我并不是故意瞒你。但一时竟想不起来。你说有一个女客，不错。不过谈小姐跟这件事一定没有关系。"

霍桑忙道："唔，谈小姐？我原没有说有关系啊！但你又怎样有这个意思？"

"因为我知道伊是我主人的未婚妻，当然不会谋杀他。并且谈小姐来的时候，晚饭刚才完毕。伊在大雨以前就回去的。"

霍桑点了点头，又问这谈小姐的地址。据炳福说，伊叫谈素兰，今年二十四岁，在尚文路自强女学中担任教师。霍桑又在日记上写了下来。他继续问道："这谈素兰小姐昨夜穿的什么衣服？你可记得？"

炳福道："我记得伊穿一件黑绸的棉旗袍。"

"足上穿什么鞋子？"

"伊是常穿高跟皮鞋的。"

"可曾穿橡皮套鞋？或曾带什么雨具？"

"没有。伊来的时候还没有下雨。"

"那么你可曾见伊手上有没有手套？"

张炳福又低沉了头，想了一想，答道："这个我倒没有注意。有时候我也看见伊戴手套的。但先生问得这样仔细，有什么意思？我已经说过，伊和主人的交情十二分密切，时常在我们那里往来。不，先生，谈小姐绝不会下这种毒手。"

霍桑不答，似乎没有听得。他忽而从他自己的衣袋中摸出那副手套，突然送到张炳福的眼睛前去。

"你瞧，这副手套，可就是谈小姐的？"

张炳福似乎感到意外，呆了一呆，他伸手接住那副白麂皮手套，反复地瞧了一瞧，才摇摇头答话。

他说："我不能说是不是伊的。这样的手套很普通，我又没有特别注意过，先生，我不能说。"

"你从前见谈小姐戴的，可也是白麂皮手套？"

"白手套伊固然也戴过的，不过是不是麂皮的，我也不能说定。"

霍桑一边把手套收回了重新纳在袋中，一边定着目光寻思。一会儿，他忽然转过头来向倪金寿问话：

"金寿兄，你可知道格致路西首的邮筒，和何世杰的寓所有多少距离？"

倪金寿沉吟着说："我记得在平济路相近的地方有一只邮筒，距离约莫有半里。"

张炳福点头道："我投信的邮筒，正是在平济路相近的地方。"

霍桑道："你在投信时，路上可曾耽搁？"

"没有。我投好了信直接回去的。"

"这样，据你忖度，一来一往，约需多少时间？"

张炳福又估量似的想了一想，答道："我走路并不很快，须十多分钟。"

霍桑又说："你在路上可曾见过什么人？"

张炳福摇了摇头。

霍桑道："那么你回转去时，屋子里可有什么异状？"

"也没有。我出外时把铁门虚掩着，回去时仍旧这样。"

"屋子里有别的人吗？"

张炳福正想摇头答复，忽而又忍住了。他低下头，一只手在搓弄那盖在身上的单被的角。

霍桑仍温婉地提示说："譬如你出外投信的时候，有什么人进去见你主人，或者门口有什么雨具之类的东西留着。你可记得有这样的事？"

张炳福抬起了目说："我不曾注意。我回去后没有上楼，直接往后面我的卧室中去的。不过……不过我仿佛听见楼上有些声音。"

"唔，可是谈话声音？"

"我不能说。那许是谈话声音，也许是主人念文章的声音。先生，我主人在文章写好以后，常常要自己念的。"

"好，好。你说下去。以后怎么样呢？"

"我回屋以后，不到五分钟光景，就听得前门响动。等我走出来开门，就瞧见那个可怕的黑衣人！"

"在你回家以后，和开门看见那黑衣人以前，可曾有什么人从屋子里出去？"

"没有。"

"假使有人开门出去，你可是一定听得的？"

"那是一定听得的。"

霍桑摸着下颏，回过头来，向倪金寿点一点头。他走到病榻的那一端。倪金寿也跟过去。霍桑凑着倪金寿的耳朵低声说话。

他说："我看我的看法已经有了实证。照这情形看，当炳福出外投信的时候，一定有一个人乘间进去，直到凶案发生以后方才离去。这个人，我相信就是那个遗留手套的女子。"

倪金寿低声说："他虽说听得楼上有声音，但还不敢确定是谈话声音。你可就是将这一点做实证？"

霍桑垂下了目光，说："是的。我敢确定炳福所听得的确是谈话声音。因为何世杰虽有朗诵的习惯，但昨晚上他写成的东西，已经寄出了，事后你又不曾在书桌上搜到什么中文的论文，可见这声音一定不是朗诵。况且又有那副手套可以参合，更觉明显。我已经说过，那女子若不是临行时惊慌急乱，当然不会遗留这随身的东西。除此以外，时间上也恰合符。我们现在假定炳福出去送信时是十点一刻，或二十分，回来时约在十点半以后，等到那凶手进来，大概在十点三十五分或四十分之间。这样可见凶案的发作，可以断定在十点三刻左右。后来闻志雄进去发现，已是十一点十分，这样可见凶案的发作到被人发现，前后有二十多分钟的间隔。那个女子在这个当儿出来，不是完全没有人瞧见吗？"

倪金寿低头咀嚼着霍桑这一节分析，他承认理由很充足，便点点头表示赞同。

他说："这样说，你的想法确有成立的可能了。但这个在场的女子，你想可就是谈素兰？"

霍桑还没有回答，那病榻上的炳福忽坐直了身子，乱摇着手，自动地插嘴。他显然已听得了两个人的讨论。

炳福说："不是，不是。我刚才已经告诉你们了。伊是在大雨以前，不到八点钟时便回去的。"

霍桑重新走近些，说："我知道的。但伊回去以后不是可以再进来的吗？"

张炳福顿了一顿，才说："先生，你们不必疑心伊。伊和主人的感情特别深，绝不会有这样的阴谋。"

霍桑点头道："是的，我也没有这样的意思。我之所以要查究明白，就因为我们要知道发案时伊若是确实在场，但须向伊问一问，这案子的真相就可以水落石出，你主人的冤也就可以伸了。现在我还有几句话问你。你可知道你主人昨夜有什么约会？"

张炳福道："他说过的。他约四个人来。所以楼上书室中的椅子也是我安排的。"

霍桑回过脸来，又向倪金寿瞅了一眼，示意他先前的推测又证实了一种。

他又问炳福道："他可曾告诉你这四个人是谁？"

"没有。"

"他这种约会，可是常常有的？"

"是的，每星期至少有一次。"

"这样，那些时常来往的人，你总认识几个。是不是？现在你把知道的举几个出来。"

张炳福把他背后的枕头重新垫一垫，又定着目光想了一想，方才回答。

他道："我主人来往的人很多，我也记不清楚。但来往次数最多的，要称他的未婚妻谈小姐，上海中学的闻先生，住在西新桥的长源里九号的孟先生，纱厂来的徐先生，商务书局里的魏先生等几个人。"

霍桑又摸出小册子来，把张炳福举述的一一记着。

他又问道："以外可还有别的常来的人？"

张炳福道："还有几个学生模样的少年，和三四个女朋友，也不时在我们那里进出，不过我叫不出他们的姓名。"

"这些人来见你主人的时候，是否每次一块儿约会来的？还是也有单独来见的？"

"约会的次数多，但单独来见的也有。"

"你可知道他们约会时谈些什么？"

"这个我不懂得。他们大概是谈什么学问，并且每次都在楼上聚集。我也没有机会进去。"

"唔，那么，在你主人的朋友之中，可有和你主人结冤的和吵过嘴的人？"

张炳福用手摸着他的额角，目光凝视着单被，踌躇了一下，才道："这一节我也不知道。"

霍桑又鼓励他说："炳福，你不必顾忌。你要把你所怀疑的据实告诉我们。你得知道这对于给你的主人雪冤很有关系。"

张炳福对于他主人的感情的确是十分深厚的。他一听这一句话，便显示一种决意的神气，先前那种踌躇的态度立即消归乌有。

他说："既然如此，我姑且把我看见的情形说一说，到底有没有关系，我也不敢说。在一星期以前，那个住在西新桥的孟先生，曾和我主人口角过一次，吵得很厉害，彼此几乎动手。但经过这一次争吵以后，孟先生第二天又来见过我主人，他们谈谈说说，又好像没有事了。"

霍桑道："你可知道他们为什么吵起来的？"

"那也不知道。那时候也在晚上，除了孟先生以外，还有两个人在场。后来幸亏这两个人把孟先生劝走了。"

"这两个人你也认识吗？"

"这两个都是学生模样的少年，我都不知道他们的名字，不过其中有一个也时常来的。"

霍桑又在日记本上写了几笔。接着他瞧瞧手表，便把日记合拢了重新放好。他伸手拍拍那忠实仆人的背。

他说："炳福，你很老实，现在我们不必多问你了。你姑且躺下去，再好好地静养一会儿。你既然有志替你的主人申冤，我们一定尽力。将来如果再有要请你帮助的地方，再通知你吧。"

五分钟后，霍桑已和倪金寿从仁济医院里出来。在上车以前倪金寿与霍桑商量进行的方针。

他说："这案子从发案到此刻，已经有十多个钟头了。虽因警署方面的留阻，报纸上还没有披露，但这是短时的阻留，不能永远不登载。我们也应急速进行，以免坐失时机。霍先生，现在你打算从哪一条路进行？"

霍桑答道："据我看，我们的工作总算没有落空。就眼前说，已经有两条线路。"

"哪两条？"

"第一，我们已确信当发案时有一个女子在场。这个女子无论是否与凶案有关，终在可疑之列。但瞧伊慌忙地离去，竟致遗落伊的手套，可知伊必已发觉了何世杰被杀的事。既然这样，伊理当立即告发，但何以至今仍默默地没有声音？故而我们对于这条线路的进行，不能不特别注意。"

"但这个女子是谁？你可是确信是谈素兰？"

"确信的话固然难说，因为死者既然另外有往来的女友，难保没有别的女子来。但我们眼前的进行，只有先从谈素兰身上着手。"

"也好。不过这女子假使果是谈素兰，伊既是死者的爱人，发生了未婚夫的凶案，为什么又隐匿不报？"

霍桑微笑着答道："这原是最可疑的。但你总知道恋爱的关系最神秘，最多变化，又最复杂难解。我们在查明事实以前，这一点还不能凭空猜测。"

倪金寿点点头："第二条呢？"

霍桑说："那就是另一个不知谁人的男子。我们既知道昨夜约会的共有四人，除了那王镇华、闻志雄外，第三个就是我们在屋中发现的穿圆跟皮鞋的那一个。第四个也许就是那个女子。伊大概穿着橡皮套鞋，故而地板上找不出足印。现在四个人中还没有着落的一个，就是那个穿圆跟皮鞋的男子。我瞧那人足印的距离，料想他的高度，至少在五英尺半以上，合着炳福所说那黑衣人的身材，似乎是符合的。故而这个人确是这剧中的一个重要角色。但这个人究竟是谁，现在还不容易回答，只能先从最有嫌疑的人身上入手。据张炳福说，那个住在长源里九号的姓孟的人，在一星期前，曾经和死者有过争吵，不如就姑且到他那里去探探口气。这就是我的第二条线索。你可也赞同？"

倪金寿点头道："好，我赞同的。现在我们就分头进行。你去见见那个谈素兰，我去找这个姓孟的。不过我觉得那个闻志雄也不能完全放弃。我打算再要仔细些调查他一番。"

霍桑虽知倪金寿对于闻志雄的成见很深，但也并不表示反对。商议既定，他们就分别上车。不多一刻，霍桑已到了尚文路自强女中。他下了车,投了名片,便被一个校役递进谈素兰的卧室里去。

谈素兰那时不曾上课,正在伊的卧室中休息。伊一接得霍桑的名片,忽而震了一震。那名片上虽没有印着霍桑的职业,但霍桑的姓名,在上海社会,无论哪一种阶级的人物,谁也都耳闻过。因此在这一刹那间,谈素兰的俏丽的面庞立即发生了变态。伊的两条浓眉突然锁住了,妩媚的黑眼之中陡地显露出一种骇光,桃腮上的红色也顿时消退乌有。这种形状,可惜那坐在会客室中的霍桑没有天眼通的能力,不曾瞧见。否则他一定可以多得一种印证。

谈素兰

谈素兰的第一种意念,原想拒绝不见,但一转念间,又觉得不妥。伊定一定神,一双黑眸转了转,立即决定伊的意志——伊的意志本是很强固的。伊走到一面狭长的镜子面前,把伊身上的那件紫红缎子滚黑边的黑绸旗袍整了一整,又掠一掠卷曲的鬓发,才离开卧室,走到会客室来和霍桑会面。

霍桑早已立就身来,很恭敬地向伊行一个礼。但他在坐下来开谈以前,忽先把会客室的门轻轻关上。谈素兰看见了这种举动,又暗暗一怔。伊从椅子上仰了一仰身,似要表示反抗,却终于忍住了。伊很不自然地坐着,勉强保持着镇静,静待霍桑发表他的来意。不料霍桑的表示却是单刀直入的。

他突然问道:"谈女士,请问你的英文闺名,不是叫'Lura'吗?"

伊显然不曾准备,似乎很诧异,但点了点头。伊的面色已禁不住有些变异。

霍桑接着问道:"那民福大学的教授何世杰,和你有什么关系?"

谈素兰的桃唇动了一动,却没有声音吐出来。伊呆瞧着霍桑,默默不答。

霍桑继续道:"我听说他已和你有了婚约。是不是?"

谈素兰才微微点了点头。伊的两只手不住地在卷弄着伊手中的一块白丝巾。

霍桑又进逼地问道:"谈女士,这婚约近来有变动吗?"

谈素兰似乎再忍耐不住了。伊沉下了脸,答道:"霍先生,你问这样的话有什么意思?这是人家的私事,与你何干?你也无权干预啊。"

霍桑仰起些身子,鞠一鞠躬,应道:"是的,很抱歉。我当然不敢干预。我只要知道你和何世杰的婚约如果没有变动,那么我此次的来意一定可以得到你的好感。我原是来报消息的。"

谈素兰的脸色越发惨白了。伊低垂了头,身子微微有些发颤,似不知道怎样答话。一会儿,伊又仰起脸来,鼓着勇气似的发问:

"霍先生,什么消息?"

"他已经死了。"

这句话仿佛有什么尖刺,竟使谈素兰从椅子上惊跳起来。伊的手也失了握持,手中的那条白巾也落在地上。

"确实吗?"

"谈女士,这不是可以说笑的事,当然确实。"

"他怎样死的呀?"

"你还不知道?他是被人谋杀的。"

谈素兰作骇呼声道："唉，怪了！怪了！昨夜里我还见过他的啊！"

霍桑在回答的时候，曾俯下身子去给伊拾起了那块白丝巾，但他的严冷的眼光，始终有意无意地凝注在这女子的脸上，分明在默测伊的神色，借以窥探伊内心的状态。这时他忽把他的身子仰向前些，似乎已得到了什么要点。

他突然接嘴道："原是啊！昨夜你初次见他的时候，他原是好端端的。但后来却……"霍桑说到这里，故意顿住了，又目光灼灼地凝注着谈素兰的脸，似要让伊自己接下去的样子。

谈素兰却张大了双目，显着疑愕的状态。

伊颤声问道："霍先生，你说什么呀？"

霍桑道："你昨夜不是到过他寓里两次吗？第一次在大雨以前，他还是一个活泼泼的学者。但大雨以后，你第二次再去——"

谈素兰突然插口道："不。我只去过一次，没有去两次。"

"只去过一次吗？这却奇怪了，我以为你去过两次。当你第二次出来的时候，你的未婚夫已被人杀死了。"

"那真是太奇怪了！我只在大雨前去过一次。霍先生，你有什么根据，说我去过两次？"

霍桑又施展他的疾似脱兔的手腕，突地从衣袋中摸出那副手套来，一直送到谈素兰的面前。

"这不是你失去的东西吗？"

霍桑这一种举动，原想乘伊不备，瞧瞧伊变异的神色。但谈素兰一看见那副手套，身子略略退后，呆了一呆。伊只有诧异，却并无惊骇的表示。接着伊伸手把那手套接过来，反复地瞧了一瞧。

伊摇头说："这不是我的东西。你从哪里来的？"

霍桑皱着眉峰，不禁暗暗地失望。这失望是相当强烈的。

他又说："你再瞧瞧，当真不是你的吗？"

伊的神色仍没有变异："当真不是。我自己的东西怎么会分辨不出？我果真也有一副白麂皮的手套，但比这副旧些，并且大得多呢。"

伊重新把那副手套察验，又套在手上试一试，果真嫌太小，戴不上去。伊又把那手套上的四粒螺钿纽子再仔细瞧瞧，接着伊的双眸一转，又在他们中间的那只圆桌上面凝视了一下。伊忽似想起了什么，嘴里也不禁低低地发了一个"唉"字，但是赶紧忍住了。

霍桑忙问道："怎么样？"

谈素兰又摇摇头道："不是，不是。霍先生，你瞧这手套太小，和我的手相差很远，这就是一个明证。但你究竟从哪里得到的？"

"我是在何世杰书室中的椅子上取得的。"

"那么，你有什么根据竟说是我的东西？"

霍桑觉得有些不好意思，勉强地笑了一笑。

他答道："很抱歉。这原是假定的推想。我以为你在大雨前去过一次，大雨后第二次再去，临行时却遗忘了这副手套。现在你说你只去过一次，那么昨夜里除你以外，一定另有一个女子去过。但你昨夜去时，在哪一间里和何世杰会面的？"

"在他楼上的书室中。"

"那时候你可曾看见书室中有这副手套？"

谈素兰作寻思状道："我虽不曾注意，但大概不像有这副手套。你说是在椅子上取得的吗？"

霍桑点点头："正是。那里共有四只靠背椅，围着书桌排列着。这副手套放在和书桌前的螺旋椅最接近的一只椅子上。"

谈素兰应道："这四只椅子，大概是预备约会的人坐的。但我去的时候，椅子还没有排好哩。"

霍桑的眼光一闪，似又得到一种新的线索。

"你也知道昨夜他要和人约会吗？"

"知道的。他曾和我说起过。"

"他有没有告诉你约会人的姓名？"

"他也提起的。我记得说有四个人。王镇华……柯三省……闻志雄……还有一个——唔，我却记不起来了。"

霍桑的眉毛在掀动，眼珠也在流转，似乎因着要点的显露，心中暗暗惊喜，竟也略略失了些镇静的定力。

他急急地逼着问道："谈女士，你再想想，这第四个人是谁？"

谈素兰把白巾按住了嘴，低垂着头，似在脑室中竭力搜索。霍桑仍全神贯注地向伊瞧着，静等伊的答话。

一会儿，伊突地仰面说："我记得了。那是孟宗明。"

霍桑微微一怔，急应道："他可是住在西新桥长源里九号的？"

"正是。他是振华纱厂里的技师，也是工会的干事。"

"他的身材不是和我仿佛的吗？"霍桑且说且立直了身子，让谈素兰估量。

伊向他瞧了一瞧，点头道："差不多，似乎还略略比你短些。"

霍桑点点头，又坐下来："那柯三省是男是女？"

谈素兰道："是男子，但我不很熟识，只知他是做西医的，住在西藏路口。"

霍桑沉吟地说："这样说，这四个约会的人中间并无女子，但实际上却明明是有一个女子的。我相信这女子在发案以后，方始离去，匆忙间才留落了这副手套。"

"这女子和凶案有关系吗？"

"这还难说。但据我料想，伊至少曾目击凶案的发生，或凶手的逃遁。若使我们能够查出伊的真相，对于侦查一定很有帮助。谈女士，你可知道这个女子是谁？"

谈素兰沉吟了一下，摇着头道："我不知道。"

"我听说同何先生讨论研究的女朋友，有好几个。你可都知道？"

"知道的。但这件事关系重要，我不便信口乱说。"

霍桑顿了一顿，又问："那么在这四个约会的人中间，你想哪一个最可疑？"

那女子又摇摇头："这更不能乱说了。霍先生，你既然是个大侦探，还是请你从事实方面去侦查。"

"是的，我们此刻的谈话，原是在进行侦查时应有的步骤。譬如这四个人中间是否有一个人和何先生感情不睦，或者彼此曾怄过气的。你若使能够指示一二，那就可以找得侦查的引线了。"

这句话似又提醒了谈素兰。伊低垂了头想一想。

伊答道："若说朋友们失和的事，原也是常有的。就是那孟宗明在不多几天前，曾和世杰决裂过一次。但凭这绝不能就说他有行凶的嫌疑。"伊顿了一顿，又问："现在何世杰的尸体安殓了没有？我要去瞧瞧他哩。"

伊缓缓仰起身来，离了座椅，分明有逐客的意味。霍桑也很知趣，就也同时起来，告诉伊何世杰的尸体还在他寓里。他有一个哥哥，在南京办事，已经拍电报去通知，故而须等他哥哥到后才能收殓。霍桑在辞别的当儿又站住了发问。

他道："谈女士，请原谅，我还有一句话动问。那孟宗明对于你可也曾有过恋爱的表示？"

一阵晕红溜上了谈素兰的脸。伊似乎向霍桑眨了一个白眼，努力摇了摇头。

霍桑仍不顾唐突地进逼一句："那么，除他以外，可有别的人片面地恋爱着你？"

谈素兰辅颊上的绯色逐渐地消退了。伊抬起了头，庄声答道："霍先生，你这话有什么意思？"

霍桑又鞠一个躬，很恭谨地答道："谈女士，请你原谅。我没有什么别的意思。但为着侦查真凶，不能不顾到各方面。我只要知道你和何世杰订婚的时候，有没有别的男子同时单恋着你。假使有的，这个人因失恋怀怨，此番就有几分嫌疑的可能性。谈女士，你总明白我的意思了吧？"

谈素兰又低下了头，答道："没有这样的事。"

霍桑又问道："那么，你们的婚约，完全没有第三者的关系吗？"

谈素兰不再回答，但仍点了点头。

霍桑谢了一声，就辞别出来。他回寓以后，就想把经过的事通知倪金寿。但打了两次电话，倪金寿都不在警署，显见他仍在外面忙着探访。

霍桑吸着一支白金龙纸烟，坐在炉边的一只铺着软垫的藤椅上，伸直了两腿，默默地寻思。这案子虽还没有到水落石出的时候，可是经过了两次谈话，可算已有显著的进步。他已知道上晚十六日夜的约会的四个人的姓名地址，不难达到查明的目的。据事实推想，这行凶的人谅必就是四个人中的一个。现在除了那王闻二人，还有那穿圆橡皮跟皮鞋的人，很像就是孟宗明。此外第四个人，也许就是那柯三省医生。但室中既不见这个人的足印，事后他又不曾到来，似乎他始终没有到场。但从门口的泥迹上着想，或是他是穿着橡皮套鞋去的，故而虽曾到场，屋中却不见他的足印。不过比较起来，那孟宗明最是可疑。因为他起先既曾和何世杰有过口角，昨夜进了屋中，忽而销声匿迹，至今又不曾露面。就证迹上假定，他似乎比别的人先到，到了楼上，便约何世杰下楼到客室里去开什么谈判。但他一进客室，趁着何世杰不防，便下毒手行凶，接着又悄悄地逃去。当闻志雄进去时在转角上所见的一瞥的黑影，大概就是他逃出时的情形。不过现在既然知道了第四个人是柯三省，这个人又始终没有露面，也势不能置之不问。

那天——十七日——的午后，霍桑就往西藏路去调查这柯三省医生。

柯医生是一个三十左右的年轻人，白皙的面庞，乌黑的头发，五官也很端正，仪表上非常挺秀。他招呼霍桑以后，一听得何世杰被害的消息，也显得非常吃惊的样子。霍桑问他上夜里和何世杰约会的事，他略略一踌躇，也承认不赖。

他说："何世杰约我在十一点钟去的。但在十点四十分光景，我因着有一个病人急症，不能践约，就打电话去和他说明。故而我昨夜实在不曾去过。"

霍桑道："你打电话时，什么人和你接洽？"

"何世杰自己接的。"

"他可曾有别的话？"

"没有。那时我也很匆促，说明白了不能赴约的理由，就把电话挂断。"

"你可知道当他接电话的时候，他的室中有没有别的人？"

"我不知道，他并没有说起。不过电话接通以后，等了一会儿，他才来接，似乎他正和什么人谈话，因此耽搁。或是他在别室之中，听得了电话的铃响，才到书室中去。究竟怎样，我不知道了。"

"他约你去有什么事？"

柯三省顿了一顿，才缓缓答道："你总知道他是一个博学多能的人，精通好几国的文字。我是在日本毕业的，但因着要研究更高深的医学，德文还有些欠缺，故而常到他那里去讨教。昨夜的约会，也只为着补习，并无别事。"

霍桑略停一停，顺着柯医生的语气，说道："照你这样说，昨夜里你始终没有去过。是不是？"

柯三省道："正是，我打了电话以后，立刻提着药包，赶往民国路元大旅社去出诊。那是一个中鸦片毒的急症，我做了一个多钟头的手术，方才把那服毒的女子救好。你若不信，不妨去调查一下。"

霍桑把柯三省所说的地址记了下来，又问道："这个服毒的女子是不是旅客？"

柯三省道："是的。但打电话来请我的，是那旅馆的账房李东山。"

霍桑觉得柯三省的答话很流利，态度也很自然，问不出什么端倪，便辞别出来。他再往元大旅社去调查柯三省出诊的话是否属实。

那旅馆的账房，果真有一个叫作李东山。他是柯三省的朋友，每逢旅客中有求医的人，他总介绍柯三省去。昨夜他确曾请过柯三省，所医的也说是一个服鸦片毒的女子。这女子有一个男子陪着，很像是夫妇。不知为何，那女子忽而服起毒来，但救好以后，那男人陪着伊清早便去，故而霍桑已不能直接证明。霍桑又问柯三省到旅馆的时候。据李东山说，在十点四十分时打电话请他，不一会儿柯三省便到，救好以后，还在账房中谈了一会儿，方才回去，那时已近十二点光景。

霍桑听了李东山的话，觉得和柯三省所说的两两符合，就也不再多问。他回到爱文路七十七号寓所的时候，已是四点钟光景。那警署侦探倪金寿正在室中背着手踱来踱去，分明已等了好一会儿。

倪金寿作惊喜声道："霍先生，我等得好心焦。现在我来报一个信息。这案子破获的时期不远了！据我想来，这案子的真凶，一定是他。"

霍桑忙问道："他？是谁呀？"

"就是那个孟宗明。"

"唔，你也说是孟宗明？你可曾得到什么证据？"

"我曾到振华纱厂去过。他今天没有到厂。这已是可疑了。我又到他的长源里九号寓所里去，才知道他今天没有出门。我索性进去见他，他竟拒绝不见。但他的卧室就在楼下侧厢的次室中。当我在客室中等待的时候，明明听得他吩咐他的男仆说：'你去给我回绝了，说我有病，不能见客。'这更使人觉得可疑。我敢说他的不见，明明是推托有病，不愿见我。他为什么这样子？这不是他心虚的表示吗？我当时本想直闯进去，后来一想，这样子未免鲁莽不妥。我因此退了出来，悄悄地在外面等候他的仆人。我足足等了三个钟头，才看见他的仆人走出来买东西。这个人叫小林，我本打算就问他几句，但弄里面耳目太多，又在匆忙之间，势不能细谈。所以我应许给他重大的报酬，约他在晚上出来和我谈话。那仆人已经答应了，所以等到今晚九点钟，我见了那仆人以后，这案子的情由大概就可以水落石出了。"

倪金寿说完了，又向霍桑索取上夜在何世杰屋中所勾摹的圆跟皮鞋的足印图。霍桑就把足印的图样取出来给他。接着他又把他自己经历的情形说了一遍。

倪金寿说："我瞧你侦查的结果，分明也归结在这个孟宗明身上。试想约会的现有四人，我们姑且把王闻二人除外，那柯三省既然始终没有到场，最可疑的，自然只有这一个孟宗明。"

霍桑道："不错。不过案中还有一个女子没有着落。这女子我假定是眼见凶案发作的人，当然也处于重要的地位。因为你即使查明了行凶的人确是孟宗明，也得让这个女子来证实一下，孟宗明的罪名才可充分成立。"

倪金寿点头道："对，但这女子究竟是谁？你可有什么线索查明伊？"

霍桑沉吟了一下，答道："线索是有一条的，不过还不能确定。我以为可以从何世杰的未婚妻谈素兰身上着手。"

"什么？你想伊是知情的？"

"不是。我觉伊的心中似乎有所怀疑。当我把手套取出来问伊的时候，伊的神色上有一种表示，仿佛伊是认识这副手套的。因此我料伊必已想到了这手套的主人。不过伊自己也还没有确信，我虽然问伊，伊总说不知。我知道硬逼没有用，所以打算用别种方法凿通这一条线路。这一着大概不久也可以成功的。"

倪金寿连连点头道："这样很好。我们仍旧依照旧法，分头进行。等到有了结果，再会集了商量最后的步骤。"

黑暗中

十一月十七日晚上，虽然并没下雨，但天空中浓云四布，气压很低，仍和日间一般阴沉寒凛。入夜以后，星月已然悄无影踪，偶然抬起头来，越见得阴暗可怖。马路上的电灯似乎也比往日暗淡得多。若在墙阴屋角，那种黑暗的程度，和上一晚十六日晚上下雨时候竟也不相上下。

这时候自强女中的晚膳铃已摇过了十五分钟。膳厅中的一片喧闹声音也已逐渐减弱。因为学生们的吃饭，千校一例地都是采取"风卷残雪"方式的，一顿饭的时间不会超过十分钟。谈素兰进过了晚膳，勉强等那学生们从食堂中散尽以后，伊的督率的责任终了了，便也急急地回到卧室。伊拣出了一件深棕色毛细呢的斗篷，悄悄地离了卧室。当伊经过校门口的门房时，向守门的说了一句，便迅步走出。

伊出了校门，向左右一瞧，像要找寻空车的样子。但校门口并无停歇的车辆。伊只得裹紧了斗篷，向东步行。到了西门相近，伊才瞧见一辆空车。伊向那车夫说了一声"南阳桥"，便即跳上车去。

伊的车子进行的时候，在伊的车后八九码外，另有一辆车子。那车的车篷下着，似乎防突然下雨，或是出于那人怕风的缘故。因此这后面一辆车内坐的什么样人，别的人竟瞧不清楚。

谈素兰的车子到了南阳桥的一条鸿兴里口，便吩咐停车。伊摸出了一只小小的织锦钱夹，正在付车钱的当儿，忽见一个穿紫色旗袍，年纪比伊轻一二岁的身材较瘦小的女子从这弄里出来。虽在灯光之下，也可瞧见伊的袅娜的腰肢，白雪似的皮肤，覆额的卷发，漆黑的眼珠，小小的樱口，都显得很美。

谈素兰偶一回头，忙招呼道："漱芳姐，哪里去？真巧极！幸亏我早到一步。我正要来瞧你呢。"

那个穿紫色旗袍的女子陡听得有人呼叫，突地停了脚步抬起头来。

伊应道："喔，素兰姐。你要看我吗？那真是难得的。我哥哥有几个客人在家里，我正打算出去买些东西。但你在这时候来，谅必有什么事。我们不妨回去坐一会儿。"

谈素兰早已走近，便拉着田漱芳的手，并肩走进里弄去。

伊进弄以后，忽站住了，低声说："漱芳姐，我想我们不如就在这里立谈几句。我现在要请问你，你昨夜可是到过世杰寓里去的？"

田漱芳听了这一问句，伊的脸上的色素有没有变异，因着弄里的灯光太幽暗，谈素兰没有瞧得出。

漱芳略顿一顿，才答道："我没有去啊。"

谈素兰说："当真吗？漱芳姐，我老实告诉你。昨夜里世杰已经被人杀死了。你若知道内中的情形，请你瞧朋友的情分，据实告诉我，以便查出那真凶，给他申冤。你究竟去过没有？"

田漱芳又迟疑了会，答道："我实在没有去，也不知道何先生被人谋害的事。"

谈素兰觉得漱芳的回答似乎很坚决，不便再问。伊想了一想，忽发现了另一条进攻的路线。

伊又突然问道："漱芳姐，我要问你借一种东西，不知你肯不肯。"

田漱芳疑迟了一下，反问道："你要借什么？"

"我要向你借一副白麂皮的手套，就是那天你在永安公司买了以后，叫我估过价的。"

这话一出，又使田漱芳呆住了好久，低了头答不出话来。

在这当儿，有一个穿黑色长袍的男子，忽从弄口经过。他经过弄口时，脚步似乎很慢，他的头也曾向弄里窥探过一下。其实这个人从南往北，从北往南，已在弄口外来回了好几次。假使他要窥听那弄里的两个女子谈话，至少也可以听得了十之六七。不过这两个女子的一问一答，都是全神贯注着，并不曾注意这个人。

田漱芳略等一等，才道："很抱歉，我不能应命。因为我的手套买来以后，只戴过两三次，不幸已经失落了。"

"唉！失落了？失落在哪里的呀？"

"我记得是在电车上遗落的？"

"几时遗落的？不就是昨天吗？"

"不，不是。已经好几天了。"

"那么你昨夜里可曾外出去过？"

"没有。昨夜里雨下得很大，我在家中阅书消遣，没有出门。"

谈素兰的不少问话，没有得到一句满意的答复，因此伊心中怀着的疑团愈弄愈炽，伊注视着伊的女伴还不肯就此罢休。

伊又问："这几天你可曾和孟宗明先生会面过？"

田漱芳答道："两天前他曾到我家里来过一次。"

"昨夜里你可也曾见过他？"

"没有。我已经告诉你，昨夜里我不曾出外，他也不曾来过。"伊略顿一顿，"素兰姐，你此刻来见我，可就要问这几句话？现在请你原谅，我哥哥在等着，我不能多耽搁。你若有别的话，我们明天再谈吧。"

田漱芳说完了这几句话，不等谈素兰的回答，便点一点头，回身走出弄去。弄口恰巧有一辆空车停着。伊跳了上去，但向转角上一指，那车夫拉着车便走。谈素兰显出十二分失望的样子，目送着田漱芳的车子转了弯后，也只得没精打采地独自回去。

当谈素兰走出弄的时候，那一辆先前跟在伊背后的下篷车子，此刻却移花接木地陪送着田漱芳的车子同去。

田漱芳坐在车中，心中也真像车轮般地辘辘旋转。伊觉得刚才谈素兰所问的话，委实句句都是有骨子。伊竟能应付过去，不能不佩服自己的口才。伊早也想到这事有些危险，但因着日间不便，才等到晚上进门。伊看到了眼前的情势，才深悔伊不曾早些准备。

伊在车中这样子反复地思索着。伊的精神既然集中在这一方面，当然顾不到背后。

伊的车子转进了西新桥街，到了长源里口，就停下来。那后面的一辆下篷车子也在远远的地点停止。车中跨下一个男子，身穿一件黑色的棉袍，头上戴着西式呢帽，帽檐压得很下。

这人见田漱芳走进了长源里以后，也就放开脚步跟着进去。这条长源里是一条总弄，前后都通；弄的两面，各有三四条侧弄。那田漱芳走到了右手的第二条侧弄，便即转弯上前，叩那侧弄口第一个九号门牌的石库门的门。那后面的黑衣人也便停了脚步，不敢再冒昧前进。

田漱芳在门上叩了几下，有一个身材矮壮眼睛骨碌碌的中年男仆开门出来。

他很熟悉地招呼道："田小姐。"

漱芳点了点头，问道："小林，孟先生在家里吗？"

那男仆显出疑迟的样子，答道："在是在的，不过……田小姐，请你在这里站一站。让我去通知一声。"

田漱芳作诧异道："我来也得通报？"

男仆低声道："请小姐原谅。今天我主人吩咐的，任何人都不见。你是特别的，我不敢擅自回绝，故而先进去通报。见不见还得让他决定。"

田漱芳正要回答，那仆人却已转身向里面走去。伊气冲冲忍耐不住，并不顾忌，竟也跟着进去。伊到了客堂里，听得那仆人正和他的主人在次间中说话。伊也不再等待，一手推开了次间的门，直闯进去。

这次间就是孟宗明的卧室；那接连的厢房，就做了他的书室。孟宗明有一个老母，住在中间楼上，还有一个嫂子，也住在楼上的厢房中。他的哥哥是出门经商的。

孟宗明的年纪约在三十以外，方形的脸儿，有两条粗眉，一双大眼，脸色带黑，身材也算得高大，足有五英尺左右。这时候他正和衣躺在床上，忽见小林通报有客。宗明便突地坐起身来，怒声申斥。

他道："谁叫你通报的？"

小林讷讷地辩道："这……这不是别人，是田小姐，我才进来通报。"

孟宗明呆了一呆，沉一沉目光，正想答话，忽见室门推开，那身材苗条的田漱芳已经跨步进来。于是他只得忙着招呼，一边穿好鞋子立起身来，一边勉强赔着笑脸。

他说："漱芳，我想不到你此刻会来。"

漱芳把怀疑的目光凝注在他的脸上，答道："假使不是我，你还打算拒绝吗？"

孟宗明吞吐地道："是……这个……我今天有些头痛，在床上躺了一天，连厂里都没有去，故而怕烦不愿见客。但你来，我当然是欢迎的。"

他立起来，把身上穿着的法兰绒睡袍裹一裹紧，扣一扣硬领，又举手把头发向后掠了一掠。他走到厢房中的书桌旁边，取出一块白巾，在一只靠窗口的罩白布套子的安乐椅上拂了一拂。窗外就是侧弄，这时有一扇窗开着。

他含笑说："漱芳，请坐，请坐。"

田漱芳和孟宗明的交情，本加得上"非常密切"的考语，平日见面的时候，总是十二分高兴。但这晚上伊的白玉似的颊上，却似蒙着一重霜气，活泼而天真的眼珠，也露出一种严冷的异光，和往日娇媚的容态完全不同。这一点孟宗明已经察觉，可是他似乎顾着什么，竟不敢发问。他在书桌前坐了下来，取了一支纸烟，似乎要借此掩饰他不自然的状态。但他擦了第三支火柴，方才烧着了纸烟，也可见他心中的不宁。

田漱芳突然问道："宗明，你昨夜往哪里去的？"

这句话仿佛含着什么电力，竟使孟宗明愣了一愣。他张大了两目，呆瞧着田漱芳，忽见漱芳的眼光也正盯在他的脸上。他静默了好一会儿，才缓缓摇了摇头。

田漱芳接着说："宗明，你何必瞒我？我完全知道了！"

孟宗明吃惊道："你知道了什么？"

田漱芳低声道："就是何世杰的事。"

孟宗明手中的纸烟忽而落在书桌上面。他脸上的血色一时也完全消灭。一会儿，他欠着身子，重新拿起了纸烟，努力定了定神。

他反问道："你怎么知道的？莫非外面已经有人在传说？"

田漱芳道："不是。这件事只有我一个人知道。你尽管放心。"

宗明诧异道："奇了！你怎么会知道？"

漱芳答道："老实说，当你动手的当儿，我原也是在场的。"

他们俩说到这里，忽听得砰的一声，似乎后面的后门开动了。田漱芳连忙把一块素巾按在嘴上，一手紧按在伊的胸口，从安乐椅上立直了身子，显得很惊惶。孟宗明也站了起来，侧着耳朵听了一听，便高声呼叫：

"小林！——小林！"

没有回答的声音。

孟宗明重新坐下来："没有事。这定是小林出去了。漱芳，你坐下来。"

田漱芳勉强地重新坐下。

孟宗明继续说："你的话我不懂。你怎么说我动手？"

田漱芳率直地说："你不曾杀死何世杰吗？"

孟宗明突然把身子向后一晃，两只眼睛忽也张得像胡桃一般。他的呼吸也忍住了。

"没有啊！漱芳，这话从哪里来的？"

"那是我眼见的。你何必再在我面前撒谎？"

"你弄错了！我实在没有杀他。"

"我不是法官。你何必用这样的话向我搪塞？"

"漱芳，你真弄错了！我到他家里去时，屋子里已经没有别人。我先到楼上书室里去，没有人，就下来了。我在楼下客室中开了灯瞧见了他的尸体，也很吃惊。我恐怕被认为有嫌疑，就熄了灯悄悄地退出。你怎么说眼见我杀死他的？"

"你放心！我绝不会把这件事泄露出去。你也不必空费心思，制造这样的故事。论情，你早应当向我实说。你得知道，昨夜里我为了你的事，也在他的楼上。后来我从楼窗中见你悄悄地逃出。那时你不是穿一件黑色的外衣和戴一顶黑呢的铜盆帽吗？"伊回头向一边的衣架上指了一指。架上挂着的呢帽和外衣，果真都是黑色。

孟宗明气息喘喘地答道："是的，昨夜里我果真穿过这件黑呢外衣和戴过这顶黑呢帽子，但我可以发誓，我实在不曾有行凶的事。你瞧错了人哩。"

"你的身材和高度我也会瞧错？"

"怪了！怪了！这件事我真不能够辩白了，其实——"

漱芳忽剪住他道："好了。现在不必说什么废话。别弄错，我不是来告发的，也不是来和你辩论的。我的意思，是要叫你往别处去暂时避一避。否则，你的处境未免有些危险。"

宗明点头道："是的，你的话不错，我也觉得如此。今天午后，已经有一个侦探来过。不过他们究竟没有证据，还不敢怎样随便对待我。"

"不过，他们要搜集证据，并不难办。你还是避一避的好。"

"是，我也正在这样打算。我本想往北边去走一趟。"

"这样再好没有。你不应耽搁，最好今夜就走。"

宗明想了一想，忽作迟疑声道："不过厂中和工会里的事务，都得先有个交代，我才能动身。"

漱芳说："那你可以留一封信交代的。我看你既然要走，越快越好。"

孟宗明取出表来瞧了一瞧，忽做决定语说："好。此刻才九点钟。我写好了两封信，乘夜车还来得及。"

田漱芳听说他已定意动身，似也放心了些，便立起身来，掠一掠额上的卷发，又将伊身上的那件紫色旗袍的前襟整了一整。

伊说："你就写信吧。你到了北方以后，立即把你的地址通知我，以便我可把这案子的情况随时报告你。"

孟宗明连连点头，显得很感激的样子。接着他立起来，握着漱芳的纤手，走出门来。他们中间是有深密的交情的，离别时自然有一种依恋不舍的情景。但记叙人的笔尖，这时另有任务，先得追写那仆人小林的行动，他们俩的别离情话，只能付诸缺如。这是要请读者们原谅的。

小林趁着他主人和田漱芳密谈的机会，悄悄地从后面溜了出去。他出门时，腋下挟着一个新闻纸包的小包，走出了后门，轻轻把门拉上，还凑着耳朵向里面倾听了一会儿。他忽觉里面的谈话声音停止了，仿佛要出来追查的样子。小林有些吃惊，一时不敢走动。一会儿，他听得里面的语声继续了，他才放心走开。他走到了长源里口，向左右探望，似要找什么人的样子。他瞧了一会儿，忽有一种失望的神情从他脸上显露出来。

他正在进退两难的当儿，忽觉他的肩背上有人轻拍一下，同时他的耳朵中又有人低声招呼：

"小林，你来了？"

小林回头瞧视，看见一个瘦长身材的人，穿一件深色的宽袖长袍，正站在他的背后。那人正是警署侦探倪金寿。

小林连忙道："唉，先生，我正找你呢。"

倪金寿低声道："你的东西带来了没有？"

小林指着他腋下的小包，说："带来了，在这里。"

倪金寿说："好，你跟我来。这里耳目太多，不方便。"倪金寿领小林走进了长源里左向的侧弄,方才站住。那里出进的人较少,灯光也照射不到,很宜于密谈。

倪金寿问道:"你不是说家主人昨夜大雨后出去过的吗?"

小林应道:"是的。他出去时大雨已经停了好久,我记得他一出门后,便敲十一点钟。"

"这样说,他是十一点前出去的。他在什么时候回来的?"

"他出去了不久就回来,一出一回,约莫有半个钟头。"

"他出去时穿什么衣服?"

"一件黑色的大衣。"

"帽子呢?"

"也是黑呢的铜盆帽子。这都是他时常穿的。"

倪金寿觉得小林的答话,句句和他所知道的情况合符,不禁暗暗地心花怒放。不过他知道这高兴的情绪不能在脸上露出来。

他又问:"那么,我叫你带来的这双皮鞋,也确实是他昨夜穿过的吗?"

小林道:"自然。这几天他天天穿西装,鞋帽和外衣原只有这一套,并无替换。瞧,这皮鞋底上,昨夜的泥痕还没有收拾过呢。"他且说且将腋下的纸包打开,拿出一双圆头的黑皮鞋来。

倪金寿接过来一瞧,忽作惊喜声道:"唉!果真是有橡皮圆跟的!"他急忙忙摸出一张绘着鞋底印的纸来,偻着身子将纸铺在地上,又把一只皮鞋在纸上按了一按。他又低呼道:"完全符合的。再没有什么疑惑了。"他立直了身子,将皮鞋交还给那仆人:"这鞋子你仍旧可以带回去,但给我保存着,我还有用处。"他摸出两张钞票来,塞在小林的手中:"这是我允许你的酬报，你收了吧。——且慢，我还有一句话问你。你主人昨夜回家以后，形态上可有什么异状？"

小林道："他好像很慌张的样子。他回来后便躺在床上，至今还没有出门过。"

"可有人来找过他？"

"今天日间，只有先生你来过。但刚才我出来的时候，他的相好的女朋友田小姐还在里面。我不知道伊此刻已经回去了没有。"

倪金寿所怀的疑问，此刻已完全有了解释，便不再多问。但他有些感慨，一个炳福那样忠诚，这个小林却会贪了钱出卖他的主人。人心的不同竟有这样显著的分野！他和那仆人分别以后，急急走进一爿酱园，向一个司账的说了一句，便借用他们的电话，打到警署里去。

倪金寿问道："今天值夜的不是徐宝卿吗？唉，叫他接电话。"停了一停，他又问道："你是宝卿？你赶快派两个人来。我立刻要去拘一个人。我在长源里东口等待……是，叫他们就来，不要耽误……唔，什么？霍桑先生刚才有电话来过……什么？他也叫我拘一个人……这个人在什么地方……长源里右二弄第一家九号，叫孟宗明？哈！巧极了！喂，别另外派人了，这就是我要拘捕的人！再谈。"

十分钟后，警署里派来的两个侦探助手已经开了汽车赶到长源里口，和倪金寿会齐。

倪金寿问道："手铐儿带来没有？"

内中有一个人在衣袋外面拍了一拍，里面发出一种铿锵的金属声音。倪金寿点了点头，不再多谈，便引导着向右手第二弄走去。到了侧弄口时，他吩咐一个助手到后门口去守着。他自己和另一个侦探上前叩门。不料他的拳头还没有触着那黑漆的门，门突地从里面开了，有一个人猛然奔出来。

倪金寿的举动原很敏捷，忙把两条臂膀张开，就将那奔逃出来的人拦腰抱住。

那人大声呼道："哎哟！你们是什么人？为什么这样？"

倪金寿似乎听出了那人的声音："喔，你是小林？我问你，你为什么这样？可是要逃走？"

小林好像没有气力挣扎，喘息着道："我不是逃走。我是出去报告警察的。我的主人被人杀死了！"

发案时的情形

十一月十八日那天，上海各报的本埠新闻栏里，登着一节惊人的谋杀新闻。不过各报的记载简繁不同，有些偏重传闻的事实，有些满纸都是空泛的假想和议论。内中要算《上海评论》所记的一段，事实和批评，双方兼顾，最合新闻的体裁。现在我把它录在下面：

"一般抱严肃观念的人们，都说上海是罪恶丛集的区域，报纸上所记的新闻，偷盗、抢劫、奸拐、诈骗、私贩、密赌、绑票和勒赎等等，已觉怵目惊心，现在又接连发生了许多神秘莫测的暗杀案子，那真可算'无美不备'，挂得起罪恶渊薮的牌子了！

"我们总还记得，上星期，黄浦江中发现一个被勒死的体面男尸，和第二工场工头的给毒毙的事件，至今都还没有破案。不料前天十六日半夜，民福大学何世杰教授忽又惨遭暗杀。这案子发生在深夜，地点又偏在西区，故而昨天报上来不及刊载。

"据本报调查所得，这案子非常神秘。屋中绝没有物质上的损失，箱中的现款，和巨数的银行存款都没有短少。正像前天黄浦江中的尸身，衣服金表俱全，同一情形。这可见都不是因财谋命。这案子业经西区探员倪金寿和私家侦探霍桑负责侦查，但至今还不知道这凶案的真正面目。因着这两位侦探费了一天的工夫，刚才探得了一条线索，寻疑到振华纱厂的技师孟宗明身上。不料这一条辛苦得来的线索，忽然又意外地中断了。

"原来昨天晚上，因着各方面的证实，倪探长带助手到长源里去拘捕孟宗明，谁知孟宗明竟遭了暗杀。因此这件事越闹越大，侦查上也越发棘手。

"据倪金寿的检验，孟宗明身上穿着法兰绒的睡袍，里面衬着西装的衬衫，硬领却仍戴着，足上穿着一双酱色薄呢的暖鞋。他的致命刀伤，恰当心窝，分明也是被杀。伤势似乎非常猛疾。遍查室中，并没有遗失什么。抽屉中有钞票一千多元，仍包封着不动。死者的位置恰在书桌的面前，桌上有一封不曾写完的信。那信是写给工会会长的？略言他有要事离沪，故而干事的职务只能暂时告假。就情势推测，似乎死者正自写信，那凶手忽然直闯进去。孟宗明掷笔起来，刚才回身，便遭凶人的毒手。但这凶手是谁，尚无把握。

"据死者的仆人小林说，他在九点钟时，从后门出外，和倪金寿约谈，后来他仍从前门里进去。他先在披屋中耽搁了一会儿，听得前面的厢房中毫无声息，才走进去瞧视。他忽见他的主人已死在地板上面，身旁都是血液。他大吃一惊，便赶出去报警，刚到前门口，忽见倪探长也正要进去逮捕。

"又据小林说，他出外时，有一个孟宗明的女朋友田某正在室中谈话，回进去时，这姓田的女子却已不见。所以这女子实处于嫌疑地位。现闻倪探长正要把这姓田的女子逮捕，一俟有确实的口供，本报再行披露。不过这田姓女子本是孟宗明的恋人，行凶的是否是伊，却还难说。就大体而论，这案子和何世杰的一案，似乎有连带的关系。只不知杀何世杰的，是否就是孟宗明。现在孟宗明既然同样被杀，是否有人给何世杰复仇？或是另有什么通谋的人，深恐孟宗明被捕以后露出真情，故而先杀了他灭口？这疑点一时还不能明白。

"就记者的眼光观察，像这样连一接二的凶案发生，也许上海社会中已产生了一种团体的组织，专门从事暗杀。若使记者所料不幸而中，那只能希望一班维持社会安宁的警探们尽些力，把这一班暴徒彻底扑灭。否则上海市民将人人自危，社会的秩序也势必因此越发不安宁了。"

这段新闻在上海全市宣传的时候，倪金寿也正在忙着进行。他在清早时已凭小林的指示，到南阳桥鸿兴里去，把那田漱芳带进了警署，又打电话通知霍桑，报告他昨夜发现的事实。田漱芳进了警署以后，始终保守着缄默态度。倪金寿虽把伊叫进了办公室中，再三盘问，软性和硬性的话都说尽了，效果是一个圈圈。伊不但不承认行凶，连别的也都缄口不答。倪金寿正自没法可想，忽而救星到了，霍桑已闻信赶来。

倪金寿将霍桑迎进了办公室以后，敬了一支纸烟——霍桑是习惯吸纸烟的。他等霍桑坐定了，自己点了一支雪茄，就把昨夜的经过向霍桑报告：他怎样和小林约谈；后来又怎样发现凶案；他因着怀疑田漱芳，加以逮捕；漱芳又坚不吐实；等等。那时候田漱芳本坐在书桌旁边的一张沙发上，低沉了粉颈，默不作声。霍桑听完了话，向那女子瞅了一眼，忽也沉倒了头，紧皱着双眉。

一会儿，他才向倪金寿说："金寿兄，请你原谅我说句不客气的话，你未免有些鲁莽。我觉得你要向这位田女士问话，应得换一种态度。第一着，你应得是请伊来的，实在不应拘捕。"

倪金寿呆住了，张大了双目，向霍桑狞视着。

他问道："什么？我可是捕错了？但据小林的证实，伊昨夜的确到过孟宗明家里，实在是处于嫌疑的地位。"

霍桑应道："你又说错了。田女士只是处于证人的地位罢了。若说伊有行凶的嫌疑，那是我可以担保的。"

田漱芳听了霍桑的说话，忽缓缓抬起头来，把注意的目光瞧瞧霍桑，随即又低下去。

倪金寿又作诧异声道："你敢担保？有什么凭证？"

霍桑吐了一口烟，才说："伊昨夜的举动，我是完全知道的。当八点半钟时，伊从家里出来，走到弄口，忽和伊的女朋友相遇。她们就在弄口里面去谈了几句。接着伊就到西新桥街长源里孟宗明家去。伊和孟宗明的谈话，我也完全听得。伊本疑心孟宗明是行刺何世杰的凶手，特地去说破他。不过伊并没有恶意，伊是关心他而去的，所以临行时伊还叫他私下逃走，可见伊绝不会行凶害他。"

田漱芳忽又抬头瞧瞧霍桑，用素巾掩住了嘴。伊的脸色逐渐地由红泛白，由白泛红。伊不再低头，呆怔怔地瞧着霍桑，似乎心中正惊疑霍桑有通天眼的神技。倪金寿也用疑问的目光向霍桑呆瞧，他像不知道怎样答辩。

霍桑似已会意，微笑着说："金寿兄，我昨天已经告诉你了。我觉得那谈素兰对于那副手套有所怀疑，可以做我们的一条引线。伊既然不肯直说，强制是无效的，也许反而误事。我本打算费几天工夫，从伊身上另接一条新路。不料事有凑巧，伊昨天夜里，就赶到这田女士那里去证实伊的疑窦。因此我就移花接木地跟着这位田女士直到孟宗明那里去。以后我就在厢房的窗口外窃听他们的谈话，一句都没有错过。故而伊的举动我完全可以担保。"

倪金寿和田漱芳不约而同地暗暗点了点头，表示一种醒悟状态。那女子的坚抗态度已在无形中融化了。

霍桑不等他们发言，便回头向田漱芳道："田女士，你尽可放心。这件事绝不会连累你。不过你所知道的事，也得据实说明。现在请你把前天十六日晚上在何世杰家里经历的情况说一个明白。好不好？"

田漱芳起初虽坚抱着缄默主意，什么都不睬不理，此刻经霍桑这样一说，觉得事实上已没有守密的必要。伊踌躇了一下，果然接受了霍桑的劝告。

伊说："前天晚上，我所以去见何世杰，原想做一个调人。因为在上星期中，宗明和何世杰决裂过一次。事后宗明曾在我面前说起过，语气中似很怕何世杰和他为难，心中有些惴惴不安。我曾问他究竟因着什么事，他却不肯说明白。我先前曾和何世杰见过几次，因思不如直接去见他一面，问一问他们俩所以失欢的缘故，同时我给他们调解一下。我到他那里时，屋中并无别人——"

霍桑忽插口道："田女士，且慢。你到何世杰寓里，大约在什么时候？"

"约近十点半钟。那时雨点虽已经小一些，但仍淅沥淅沥地不止。"

"你进去时谁给你开的门？"

"门是虚掩着的。我自己推进去的。"

"你没有看见什么人？"

田漱芳摇了摇头。

霍桑说："好，你说下去。你进门后的行动怎么样？请说得仔细些。"他丢了烟尾，重新点了一支烟。

"我走进了铁门，仍照样把门合上。上了阳台，便把足上的橡皮套鞋脱掉。我走进了门，觉得我的伞还带在手中，就顺手放在门后。

"我在楼梯脚下叫了一声，何世杰便走到楼梯头上来招呼。

"我走上楼去，在他的书室中坐定。我当真是戴了手套去的，卸下来后，顺手放在我所坐的椅子上。何世杰问我的来意。我就反问他为了什么事和宗明争吵，竟使宗明惴惴不安。他回答因着意见不合，稍微有些口角。我又问他关于一方面的意见。他仍含糊不肯说明。经我一再地盘问，他才说：'前次口角的事已经过去，我对于宗明并没有恶感，叫他放心好了。'我乘势说了几句劝解的说话。他也表示接受。

"我正待辞别出来，忽听得下面有一种异声，仿佛有人在呼叫，却只叫了半声。何世杰敛神听了一听，似乎有些疑讶。他就叫我等一等，自己走下楼去瞧视。可是他到了下面，又有一种奇怪的声音发作，好像有什么人打架倒地一般。我不觉惊疑起来，但一时又不敢走下去瞧。

"停了一停，声音忽完全静寂了。我走到书桌的那边，开了楼窗，向下面一瞧。我看见有一个黑形正从铁门里奔出去。那时我陡然一惊，几乎失声呼喊。原来那人的形状我瞧去是很熟悉的。"

霍桑点点头，接口道："你瞧见那人的衣帽和身材，都像是孟宗明。是不是？"

田漱芳应道："是的，我果然信作是他。但昨夜我问他时，他却不承认。这一点现在已无从证实了。"伊的语声带些呜咽。略顿一顿，伊反问道："先生，你想何世杰究竟是他杀死的吗？他自己昨夜又同样遭害，可是有什么人给何世杰复仇？"

霍桑吐着烟雾，沉吟了一会儿，答道："这一点眼前还不能断定。但我料不久总可以分晓。现在请你说下去。以后怎么样？"

田漱芳继续说："我看见了那黑形出门时鬼鬼祟祟的状态，知道事情有些不妙，就也放大了胆，急急赶下楼来。那时下面客室的门一半开着，里面灯光完全明亮。我走进门去一瞧，几乎把我的魂灵都吓掉！我看见何世杰横倒在地上，头颈上鲜血淋漓，可怕得很。那时我站立在门口，忽把壁上的电灯钮扳了一下，室中的灯光立时熄灭。大概我吓极了，因着怕瞧这惨怖的形状，故而不期然而然地有这举动。接着我退出客室，又把那门拉上，便想悄悄地出来。因为这时候屋中仍是静悄悄的，显见除我以外，没有别的人。我取了雨伞，又到阳台上穿上橡皮套鞋，就开了铁门逃出门外，始终没有人瞧见。我见转角上有一辆空车正缓缓地走着，我就坐了那辆车子赶回家去。

"到家以后，我的惊魂略定，才记得我因着慌忙出来，竟把我的手套遗忘在楼上。我当然不敢再回转去取，只索性听其自然。我自以为这种手套是上海流行的东西，原很普通。除非何世杰还会开口，否则别的人势必不能够因着这副手套知道我曾到过那里。

"不料这东西竟会叫谈素兰瞧见，伊就疑到了我。原来我在买这手套以后，曾给伊瞧过。伊还批评手套上的四粒螺钿纽子，颜色略嫌深些。故而伊一看见这东西，便马上辨认出来，疑心是我的东西。昨夜里赶到我家里去问我，幸亏我早有准备；否则我早就给伊冒出来了。

"但伊既这样关心何世杰的死事，莫非伊也已疑心是孟宗明干的？这样，昨夜的事，可就是伊为着复仇而干的？先生，你看这推想合不合？"

霍桑把纸烟上的积灰弹去了些，摇头道："这想法太空虚。我以为你暂时忍耐一下，不必急急就下结论。我还有一句话。当你在何世杰书室中的时候，他可曾接过电话？"

田漱芳想了一想，答道："我记得了。当真有过的。当他听得了下面的呼声以后，立起身来，正跨下楼梯，忽而壁上的电话铃响了。他就回身上来接电话，但只说一两句话，他就把听筒挂断了重新下楼。"

霍桑旋过脸来向倪金寿道："现在我们的推理大半都已证实。可见这田女士实在只有证人的资格，并无行凶的嫌疑。你尽可以道个歉让伊回去。将来如果要伊作证，可以再请伊来。"

倪金寿觉得霍桑既然如此确信，田漱芳的供词又很合情理，只得依允了。田漱芳很感激霍桑的好意，谢了一谢，就从警署中出去。

倪金寿立起来，伸了一伸腰，又吸着第二支雪茄。他作抱怨声道："这件事正越弄越棘手了！第一件案子还没有着落，不料一波未平，一波又起，这第二件案子越发无从捉摸。霍先生，你现在打算怎么办？"

霍桑说："我以为这两件案子一定有连带关系。我们只需探明了一案的真凶，第二案自然可以迎刃而解。"

"那么，你想第一案的凶手究竟是哪一个？"

"据我们侦查的结果，死者孟宗明在第一案上很有嫌疑。但昨夜里我听他和田漱芳谈话时，他又坚不承认。假使他对伊说的话果真实在，他当时也只在何世杰屋中进出了一次，那么行凶的自然另有别人。这样，我们在所知道的人们中推想，那王镇华、闻志雄二人，确有可疑之处了。因为昨夜的约会，明明只有四人。除了那柯三省医生确实不曾到场以外，孟宗明又坚不承认，可见只有这王闻两个人最是可疑。"

倪金寿忽张大了眼睛，接嘴道："我早说过了！这两个人很可疑，尤其那闻志雄更有重大的嫌疑。现在我们何不就去把他拘来？"

霍桑摇头道："这个还得缓一缓。我们只是想法，还没有确实的证据，不应随便捕人。我们但暗中进行，若能得到一两件要证，再行逮捕不迟。况且除了这两个人以外，还有一条路也不能不防——除了那天约会的四个人以外，另有一个与约会无关系的人。这个人和何世杰为难，在有意或无意间进了何世杰的屋子，行凶以后就悄悄地逃去。这也是一种可能的推理。"

倪金寿想了一想，又问道："那么第二案的情形又怎么样？"

霍桑道："昨夜我在孟宗明前门外的厢房窗口外面，窃听他们的谈话。直到孟宗明准备送伊出来，我才离开那里。这时候那男仆小林早已从后门里出来和你约谈。谅必就在那田漱芳出外以后，小林回进去以前的当儿，那凶手便闯进去行凶。事成以后，那人仍从后门逃走。那时小林还没有回去。可惜我不知道你和小林的约会就在附近的侧弄中，我竟打电话到警署里来找你。否则我出来报告你以后，一块儿再进去，也许还碰得见那个凶手。"

"这样看，不但这凶手的计划周密，连他下手的举动也非常敏捷呢！"

"原是啊！因这一点，很使我怀疑这两案也许出于一个人的手。"

"唔，你依据什么？"

"试想这两案同是刀伤，并且行刺的举动又同样猛疾。这一节我们不可不特别注意。"

倪金寿寻思了一下，又问："假使果真是一人，那人接连杀死二人，到底有什么目的？"

霍桑说道："我在这问题上着实绞过一番脑汁。这不是谋财，也不像是恋爱问题，却像是一种同室操戈的把戏。试想何世杰的约会果真是讨论学术吗？这问题实在是很怀疑的。他是一个大学教授，所约的却有技师、医生、著作人等。各人的职业既然不同，若使真要研究学术，也当然个别分开，但他们怎么竟会在一个时候会集？并且我们每次问他们约会的性质，他们终有些含蓄不吐的表示。可见这班人也许是一种秘密集团，约会时也有秘密性质，不过假托着讨论学术的名目罢了。"

倪金寿点头道："这一层我本来也有些怀疑的。但你对于这班人的旨趣可也已有些眉目？"

"是的。我已经约略有些端倪。这问题你可以从他的日记上去找答复。日记上不是有不少俄德文字吗？这一定是什么秘密的暗语。"

"不错。我应得去请人研究一下。"

"此外，你还需调查在冷僻的地方，有没有秘密会集的约会所。据我料想，这班人的团体人数不少，一定有个秘密会集的地点。"

"好。我可以通知各处，留意侦查他们的秘密。同时我还须向闻志雄的那条线索进行。我们昨天查得闻志雄在前天晚上是冒雨而出的，但他到何世杰寓里的时候，据说已十一点十分。他离寓以后究竟是先到哪里去的？假使他不能确切证明，那我就不能再轻放他了。"

霍桑想了一想，缓缓答道："我却打算向另一条较切近的线索进行。"

倪金寿道："还有哪一条较切近呀？"

霍桑停了一停，答道："就是那王镇华。"

逮　捕

霍桑的语气中含有一种坚决地表示。这一点似乎出乎倪金寿的意料，使他不免有些诧异。

他反问道："你说王镇华的一条线索，比较闻志雄的那一条更确切吗？"

"是啊！但这也是凭推理说的。现在我当然还没有确证。"

"那么就请你把你的推理说一说。行吗？"

"照眼前的情势推测，这两个人都有先进何世杰寓里去行凶的可能，事成以后，第二次再回进去。据我们调查所得，闻志雄出门时很早，王镇华却是在十一点钟敲过后才出门的。但据我的眼光，他却比较可疑。"

倪金寿的两手本抱着他的右膝。这时他突地放手，又把始终叼在嘴里的雪茄破格地取在手中。

他作诧异声道："这却奇怪了。他因着出门时已交十一点钟，故而到何世杰寓里时，已近十一点一刻。就时间上想来，他当然不及闻志雄的可疑。你怎么反说他更可疑？"

　　霍桑仍闲闲地吐吸了几口，丢了烟尾，方始给倪金寿解释疑团。

　　他说："你这见解只是从表面上讲的。假使再进一步思索，便可以发现我所说的疑点。请问王镇华在十一点钟时出门的话，我们不是从那女仆嘴里探出来的吗？据这女仆说，那时候王镇华在书室中写字，听得了客堂中的钟声，忽问那女仆什么时候。女仆回答他是十一点钟，他才匆匆地出来。但从人们的心理上推想，凡人约会的时间既在夜间，除非完全忘掉，那时刻的错过和遗忘，比较日间的有较少的可能。试思他既知夜间尚有约会，何以会忘掉时刻？后来他听得了钟声，又何以自己不能起来瞧瞧，却要叫女仆瞧了钟回答他？这都足以引起我的怀疑。你若就这一点上想想，这里面不会是有些作用的吗？"

　　倪金寿不答，嘴里吐着烟，眼睛呆呆地向霍桑瞧着。他心中是否已领会霍桑的语意，脸上却并无表示。

　　霍桑继续说："这里面的作用原是很容易明了的。他无非想利用那女仆出来证明。实际上他也许先自把他的钟暗暗地移快些。他出门时虽是十一点已敲，其实或者十一点还不曾到。你再想一想，如果我这假定的想法不错，他和闻志雄比较，不是更可疑些吗？"

　　"既然如此，我们尽可以把他拘捕起来了。"

　　"慢，这又不能这样性急。我已经说过，我们还没有证据啊，此刻我们当然还不能轻易动手。"

　　"你不怕他会逃走？"

　　"你放心，他绝不会逃。自从十六日夜里发案以后，我们的目光并不注重在他的身上。他此刻正自觉得计，岂肯逃走了自露破绽？"

倪金寿把雪茄烟尾丢了，皱着眉毛答道："虽然，你起初既说这两案也许是一个人干的，现在又已疑到了王镇华身上！你若再迟迟不动手，听他逍遥自由，那也许要干出第三或第四案来呢！"

霍桑应道："这话不错。我们自应得急急进行，防止其他的不幸事情。现在我要搜集证据。我们仍分头进行，有了结果再行接洽。"

倪金寿所预言的第三次凶案，不幸言中。在十二个小时以后，果然又发生了一件新案！

十八日下午，霍桑赶到八仙桥王镇华寓里去求见。王镇华不在寓中。霍桑又乘机探得了几种证迹。他的书室就在侧厢中，和放一只木壳子的时钟的客室距离很近。论势，他就算没有听清楚钟的记数，也尽可以自己立起来瞧瞧，用不着多费周折，叫女仆代瞧。又据女仆说，他身上本来是有表的，不过那时候他的表是否停着不走，伊却不知道。

霍桑本想进书室中去搜索一下，希望得到些确切的证据。后来一想，这一着未免使王镇华生疑，万一落空，反而打草惊蛇，不如先从别方面进行。

傍晚五点钟时，因着天色的昏暝，街路上电灯都已通明。霍桑回到了他的寓所，踏进办公室时，忽见里面有一个意外的来客。那是孟宗明的恋人田漱芳，正坐在他的书桌面前等他。在霍桑的意中，以为这女子也许因着刚才他代伊辩白了，特地来向他致谢的。但他从电灯光下，瞧见伊的紧张的脸色，才觉得并不如此。他在简单地招呼以后，忙问伊的来意。

田漱芳说道："霍先生，我有些想法，特地来告诉你，给你做一种参证。"

霍桑注意地问道："很好。你有什么想法？"

田漱芳道："我现在想来，那杀死何世杰的凶手，也许就是王镇华。"

霍桑的身子微微一震。他的惊讶的目光也不由闪了一闪。他心中暗忖，他正向这条路进行，却又有这不约而同地报告，那不能不算是意外的凑巧。

他问道："田女士，你这话有什么根据？"

田漱芳道："刚才我回家以后，谈素兰又到我家里来看我。伊又问我凶案的事情。我就不再隐瞒，把经过的情况，仔仔细细地告诉了伊。伊和我二人细细地推想了一会儿，伊忽说眼前只有王镇华最可疑。因为王镇华的身材，和孟宗明仿佛，他虽不常穿黑衣黑帽，但他也许故意装作像宗明的样子，打算嫁祸给他。我仔细想想，这想法的确很近情理。"

霍桑点头道："这一点和我的意思竟不约而同。我也觉得王镇华的身体的高度和肩背的阔度，与孟宗明不相上下。你当时所看见的，在惊惶中确也有误会的可能。因此我觉得在这王闻二人之中，闻志雄既是一个瘦子，自然不及王镇华可疑。"

田漱芳又说："此外还有一个疑点。据谈素兰说，当他们初交识时，王镇华很有意于素兰，素兰却不爱他。伊和何世杰非常投契，王镇华才断了这个意念。但这只是外面的表示，他的心中也许因此嫉恨何世杰。这一次他就借此泄恨，也未可知。"

霍桑忽挺直了身子，作诧异声道："唉，他们中间还有一层类似三角关系的纠葛哩！但我曾经问过谈素兰，伊说伊和何世杰的爱情非常圆满，绝对没有三角关系。"

田漱芳道："这也不能怪伊。这原是已往的事。现在他们既将近成婚，王镇华的表面上也已断了这种意念，绝无余恋的表示。自然再算不得三角关系了。"

霍桑点头道:"好。我们姑且假定如此。他杀何世杰,为的是失恋而泄恨,那么他杀死孟宗明的目的又是什么?"

田漱芳突地竖起了双眉,坐直了身子,惊问道:"你说宗明也是他杀死的吗?"

霍桑道:"我估量这两件案子的情形,才有这个假定。例如伤势的凶猛,计划的秘密,和手段的敏捷,都觉得像是出于一人之手。"

田漱芳沉吟了一下,也点头应道:"这话很明确,我现在也不能不疑心他了。但他为什么要害死宗明?我并不曾和他有什么纠葛啊。"伊忽而抬起了头,杏目圆睁着,桃腮上晕出一缕怒红,伊的呼吸也急促了些。

霍桑婉声说:"田女士,你耐性些。假使孟宗明果真是王镇华一手所杀,我们把他捕住以后,便可以知道这事的真相。现在你这一番报告,确实足以给我一种参证。我觉得这一条线索已经到了尖端,现在有急速进行的必要了。"

霍桑送田漱芳出去以后,便打电话到警署中给倪金寿,要和他商量逮捕王镇华的准备。不料倪金寿不在,别的人又不便负责。直到晚餐时分,霍桑正要进餐,倪金寿才赶到他的寓所里来。

倪金寿说:"霍先生,你可知道闻志雄已经失踪了?"

霍桑摇摇头:"有这事?"

"他的家里和上海中学,我都已去打听过。他自从昨夜出外以后,还不曾回去,今天也不曾到校。我又到他的几个相认的人家里去探问,都说不知去向。这不是很可疑吗?"

霍桑寻思道:"虽然如此,但我瞧他是一个胆小如鼠的人。

他也许因着恐怕被累，故而暂时避开。若说他有行凶的嫌疑，那是不可能的。"

倪金寿反问道："你何以这样子深信？"

"这里面有一种铁证，你也早已知道了。据田漱芳说，伊曾眼见一个穿黑衣的凶手，伊先前疑作是伊的恋人孟宗明。这凶手如果不是孟宗明，那么他的身材也势必和孟宗明相像。你想那闻志雄瘦小的体格，可会得被人家误认作孟宗明？"

"那么闻志雄在第二案上可也有什么嫌疑没有？"

"这话我虽然还不能断定，但比较起来，他的嫌疑远不及王镇华。我们应特别注意他。"

霍桑又把田漱芳的意见和他怀疑王镇华的事实和见解，向倪金寿说明白。

末后，他又说："我觉得这人已到了可以逮捕的时候了。先前我打电话给你，就要叫你把他逮捕了，乘势在他的屋中搜索一会儿。不料你在外面，故而在晚饭前，我自己又到八仙桥去过一次。王镇华仍旧没有回寓。我打发了一个人，悄悄地守在他的寓外，以便暗中监视他的行动。"

倪金寿道："这样很好。逮捕的手续我早有准备。现在你既有这打算，我们就立刻去把他捕了来再说。"

霍桑同意了，就留倪金寿在寓中一同晚餐。餐毕以后，两个人不再耽搁，就出发往八仙桥去。不料他们又扑一个空。霍桑私下向那女仆探听，据说王镇华曾回家过一次，但转了一转重新又出去了。

倪金寿问道："霍先生，你派在这里守伺的人呢？"

霍桑向屋前屋后和街的左右找了一会儿，果真不见。

他说："我想根森一定跟着王镇华一块儿去了。这杨根森很灵活，绝不会放过他。我嘱咐监视王镇华的行动，此刻他既然不在，可知必已尾随着同去。大概他不久就可以有报告来。"

倪金寿道："你想王镇华不会就此逃走吗？"

霍桑道："他既然不知道我们已经怀疑他，谅必不至于如此。现在我们姑且回寓去等他的消息。"

他们回寓以后，倪金寿足足等了半个钟头，吸完了两支雪茄，还不见那杨根森的报告。他觉得不耐，便先辞出。霍桑仍耐着性子等待。直到十点钟光景，方才见杨根森进来。

霍桑问道："王镇华已回寓了吗？"

杨根森忽摇了摇头，作失望状道："没有。"

霍桑微微吃惊："还没有回家？他在什么地方？"

杨根森期期然道："我……我不知道。"

霍桑更觉诧异："什么？究竟什么缘故？他不是曾回家过的吗？我不是叫你悄悄地监视着他的吗？"

杨根森很不自然地搓着两手，低着头答道："他回寓后又出来，我本来一直尾随着他。不料他突然间乘了汽车逃去，我追不上了。"

霍桑失望地摇摇头："那么你说得仔细些，究竟怎么一回事？"

杨根森似乎因着不曾得到期望中的训斥，态度上自然了些。

他说道："我起先守在他家门外。在断黑时分，他回去了。我正想设法报告你。不料他立即回了出来。那时他穿一套灰色西装，外面罩一件棕色大衣。我就悄悄地跟着他同去。他先到一家餐馆里去进膳。我也一同进去，在他的隔座上吃些东西。他同三个人同餐。那三个人年纪都不出三十，两个穿西装，一个穿中装。进食时他们谈了好久，不过语声很细，还夹杂着外国语，我一句都听不清楚。吃完了，王镇华打了一个电话。他们四人就在餐馆门前分别。那三个人一同走。我仍悄悄地跟着王镇华。

"他雇了一辆黄包车，一直向半泓园去。我远远地跟着，料想他在夜中到这冷僻地方去，一定有什么约会，并且这约会多半是秘密性质的。这一点果然被我料中。到了半泓园门前，他就下车。那时园门已开，街路上黑得也静得没有人。他就在园门附近踱来踱去。约莫等了一刻钟的光景，他似乎焦急不耐，时时拿出表来看，又作顿足恼恨的样子。

"这时候忽然有一辆黄包车来了。那车子不到园门就停下了。王镇华忙迎上前去。车中走下来的是一个女子。接着两个人就走到园的一边站定了密谈。

"那时我怕露出破绽，不敢走近前去，因此他们俩谈的什么，我也不能听得——"

霍桑忽问道："这女子的面貌你可曾瞧见？"

杨根森说："瞧见的，但不很清楚。伊的脸色很白，身上披一件深色的斗篷，身材约略比王镇华短些，足上似乎穿着高跟皮鞋。"

霍桑点了点头，又道："好。你再说下去。以后怎么样？"

杨根森说："他们谈了一刻钟左右，忽而呜呜的喇叭声音自远而至。不一会儿，有一辆黑色汽车，驶到园门停住。王镇华就挥挥手别了那女子，走到车前，立即跳上车去，那汽车不曾停留，又呜呜地驶开去了。这一着不但使我失望，仓促间又来不及追踪。那个女人也似乎因着谈判没有结果，看汽车远去，露出一种愤恨的神气。接着伊仍坐了那辆停等的黄包车回去。我既没法可想，也只得赶回来报告了。"

电灯光照见霍桑紧蹙着眉尖，懊丧地立起身来。他的两只手插在裤袋中，在书室中踱了几步，兀自皱眉深思。杨根森的任务是失败了，但情势如此，他又不便斥责根森的措置失当。他踱了一会儿，又站住了问话：

"根森，你看见王镇华的汽车往什么方向去了？"

"向西往制造局方面去的。"

"汽车中可有别的人？"

"那汽车是轿式的，我隔着马路远望，也瞧不清楚。"

"那么汽车的号码你总已瞧见吧？"

"是的，我看见那车灯的号数是三二九六，并且是白地儿黑字的出差车。"

霍桑在日记册上记了一笔，又仰面问道："好了。你虽失落了他的踪迹，但也不能怪你。不过你没有跟随那女子同去是一种失着。好在他此刻绝不致就会逃走。你现在不妨仍旧到王镇华家去守候。我想他这一次回家以后，不致再匆匆出去了。"

杨根森受了霍桑的吩咐，连连地应诺着，就重新到八仙桥去守候。过了两个多钟头，那时已在夜半一点钟敲过，杨根森果又来报信了。不过这信息是出乎霍桑的意料的。那王镇华也遭人暗杀了！

另一线索

这意外的信息不但惊破了霍桑的睡梦，还使他呆呆地出了好一会儿神。当他呆住了深思的时候，他的脑细胞的活动，不知剧烈到什么程度。他曾把这消息的前因后果竭力地推索，却终于不能下确切的结论。

一会儿，他把那件方格绒的睡袍裹一裹紧，向杨根森说："这种波浪似的剧变真是我所意想不到的……但情形怎么样？你且说说看。"

杨根森道："先生，我依了你的吩咐，重新到那姓邱的屋子外面去守伺。直等到半夜后十二点半光景，马路上行人早已绝迹，才听呼呼的寒风之中，挟着呜呜的汽车声音。我暗暗欢喜，料想这一定是王镇华回寓来了。

"汽车果真停在那屋子门前，停了以后，却不见车中人下车。我看见那司机跳了下来，猛力敲邱家的门。门开了，那车夫和里面的人说了几句，忽而惊动了全家。接着，就有两个男人和一个女人从屋子里出来。他们的衣服都不整齐，并且都带着惊慌的神气，分明都是从床上爬起来的。内中有一个年长的男子，开了汽车的门，走上车去，隔了一会儿，才抱着一个人下车。同时另外有两个女人走到门口来，都不约而同地喊着'哎哟！哎哟！'的声音。那时候我不再顾忌，装作路过人的样子走近去。我瞧见那个从汽车中抱下来的人，穿着灰色西装和棕色大衣，正是王镇华。但他的右领下鲜血斑斑，口眼也紧紧闭着。我才知他一定已遭人暗杀。所以就急急赶回来报告。"

霍桑问道："他此刻可在他的亲戚家里？"

"正是，我看见那个年长的男人把他抱进去的。"

"你一见他进去以后，就赶到这里来的？"

"是的。当时我本想向那司机探听几句，但那司机一等王镇华离开车子，就立即驶去了，我竟没有机会。但那车子的号码，我又瞧清楚的，仍旧是三二九六。我还看见车厢上的玻璃也碎了一块。"

"据你看，王镇华是否还活着？或是——"

杨根森忙道:"还活着呢。我还听得他的哼哼哼的声音。"

霍桑又低着头在室中来回走着,他瞧瞧时钟,又回头向杨根森说话。

他说:"根森,事既如此,我们也无可挽回。现在要探明这件事的真相,势不能不另费一番功夫。此刻已是深夜,不能有什么举动,只能等到天明再说。你索性再到那里去守着。瞧他们以后的举动怎样。根森,你身上不觉得冷吗?这里有一件外衣,你穿了。喂,这盒饼干,你也带了去。明天清早,我和倪金寿接洽以后,再定进行方针吧。"

这夜里霍桑完全没有归睡。他拨了一拨炉火,一连吸了好几支纸烟。他努力把他脑中的思绪下一番梳理的功夫,结果仍是纷乱异常。他平时虽有极丰富的推理能力,但这时竟到处窒碍,索解不出。他起先本已假定王镇华是以前两件凶案中的主角,只因时间上参差了些,不能早把他捕住。不料因这一搁,忽又另起了波澜。王镇华怎么也会受伤?是暗杀,还是互斗致伤?那个伤他的人有什么目的?可仍是同党自残的老把戏?或者是一种报复?这种种疑问,在霍桑的脑室中盘旋了半夜,结果还是黑漆一团。

天明以前,霍桑又得到杨根森的报告。那王镇华已被他的亲戚们送到微宁路沪江医院里去了。他才知王镇华的伤势大概还有可以救治的希望。他觉得这件事的情由,那司机是一个活证,尽可先找到这辆汽车,从那车夫嘴里探明情况,然后再到医院里去见王镇华。因为王镇华既然进了医院,势不会立刻就出来,眼前反而没有急急向这条路进行的必要。

清晨七点钟时,天色刚才亮足,霍桑正要找倪金寿,倪金寿忽先自赶来。他说据南区警探的报告,高昌庙路一带,深夜中常有车辆经过。每当经过的时候，汽车或自行车、黄包车的数目不少，很像那里附近有什么秘密机关。倪金寿得了这个消息，认为有重要关系，故而一早赶来通知。霍桑也把上夜里杨根森两次报告的事告诉了倪金寿。

倪金寿说："这样说，这里面有一点已合符了。王镇华的汽车既然是向制造局方面去的，和我所得的消息已经符合。可见那里附近确有一个秘党的窟穴。昨夜王镇华一定是往秘党里去的。他后来的受伤，谅必就因和他的同党起了什么争端，因而自相残杀。现在你既打算从那司机嘴里探听真情，这也容易办到。我马上给你去调查，一个钟头以内，准可以给你回信。"

霍桑早餐终了以后，等候了一个小时，还不见倪金寿的消息。他有些不耐，因思与其空坐着等候，不如就往沪江医院里去问问。他和他的老仆施桂说明了一句，就往沪江医院里去。

那沪江医院的院长刘颂文，本是日本帝大毕业的，回国后还只一年。他的性情似乎很固执，办事也十分严格。霍桑和他见面以后，说明了来意，要探探王镇华的伤势，请求允许他进去见见。那刘院长忽摇摇头，表示不能接受。

他说："霍先生，这要请你原谅的。他的伤势很厉害，这时候任何人不能进去。他进院已经有五个小时，至今还没有醒。我们还没有把握呢。"

霍桑虽暗暗失望，但院长既然不许进见，他也不愿做非分的请求。

他问道："他可是很危险？"

刘颂文道："那也难说。就现状看来，他当然没有脱离险境。"

"他伤在哪里？"

"伤在肩骨之下，前后已穿透了。"

"刀伤吗？"

"不是，是枪弹伤的。不过子弹已从背后穿出，我们没有检得。"

霍桑暗忖前两案都是刀伤，这一案却是枪伤。案情既有变化，案中的凶手，可见也不是一个人。

他又问道："那么你可知道这是一件互斗案呢，还是暗杀案？"

刘颂文皱眉道："这个问题不在我们范围以内，我也不知道。我只听说他受伤后回到家里，已经不能开口，后来由他的姨夫送他到这里来。这事的起因如何，我想连他的姨夫也不会知道。"

霍桑瞧了瞧表，又问："这样，你想他什么时候才能恢复神智？"

刘颂文踌躇地答道："这个很难说。我们希望在二十四小时内，他也许可以苏醒，但假使热度增高，那就危险。"

霍桑一边虽觉失望，一边也暗暗得意。他知道王镇华既已进了医院，他的行动必受医生和护士的监视，并且在这状态之下，更不必怕他逃走，或另有意外的伤害。他向刘院长谢了一声，就离开医院。

他在离医院以前，曾打一个电话回寓里去，问施桂有没有信息。施桂回答倪金寿打电话来过，声言那三二九六号的汽车已经查明，是从方板路如飞汽车行里租出的。那开车的车夫名叫蔡阿火，现在正在设法找寻中。霍桑如果回寓，可直接往警署里去一同问供。

这个消息，霍桑认为足以弥补他到医院里来的缺憾，所以他出院以后，就直接往警署里去。他希望这个蔡阿火最好一找就着，就不要再起变化。他到达警署时，听得倪金寿恰巧把蔡阿火找到了，他感到满意的快慰。

蔡阿火的年纪还不到三十，方形的面庞，皮色黝黑，一双大眼，说话时向人直瞧，显得是一个诚实而没有城府的人。倪金寿问他昨夜经过的事，他果真毫无留难地报告他的经历。

他说："昨夜九点钟前，有一个姓王的打电话到我们公司里来，租一辆小号轿式汽车，约定九点半钟，到半泓园门前去等他。到了那时，我开着车子到半泓园去。开到的时候，果真有一个穿棕色大衣的西装少年走上车来，吩咐我往西驶向制造局街去。

"我把车子驶到了龙华路上，他仍叫我继续前进，一直到了泉漳别墅地方，他才叫我停车。他下车以后，叫我歇在路边的一棵大树底下，并告诉我等一个钟头就可以回去。那时候天气很冷，我有些不愿意，但他既没有付车钱，我也不能够空手回去。我看他不像是乘白车的滑头，不会得一去不回。我答应了，他也就步行转过别墅方面去。

"那时候夜已深了。风声越紧，吹在脸上仿佛刀割。我坐在车子里，不由不簌簌地发抖。我就索性进了轿厢，在车座上打一会儿盹。不料这一睡竟睡着了，直到这姓王的回上车来，在我的肩上拍了一拍，我方才惊醒。这时候已经是十二点缺十五分了。

"他叫我开车驶回八仙桥去。我答应了，就开车回来。一路上平静无事。不料到了高昌庙路附近转角狭窄的地方，忽见马路中央横着一只倒垃圾的大木桶。幸亏我瞧见得早，没有让车子冲撞上去。我赶紧刹住车，打算走下车来，把垃圾桶搬开。

"不料我刚开了车门，跨下一脚，忽听得砰的一声，分明是手枪声响。我回头一瞧，看见有一个黑影向路旁黑暗中一闪，就不见。我吓极了，向车厢中一瞧，车窗的玻璃有一块已给打碎了，车中的客人仰靠着座背，颔下流着血。

"我吃惊地问道：'哎哟！怎么样？是不是强盗？'

"姓王的但摇了摇头。低声说：'你别管！快把我送到八仙桥四十七号去。'他勉强从大衣袋里摸出两张钞票来给我：'这是你的车费。现在开车！'

"我就移开了木桶，开车把他送回去。送到以后，我也就回公司里去。"

这车夫的故事前后贯串，绝不是假造得出的。他说话时的声音态度，也并无可疑。霍桑默默地考虑了一下，才向倪金寿表示意见。

他说："这样说，这不是一件互斗案，却同样是暗杀案。"

倪金寿点头道："是的。现在的疑问就是，这暗杀他的是谁？又含着什么性质？霍先生，你有何意见？"

霍桑想了一想，答道："现在这个人的报告已经说完了。你姑且先把他放了，我们再打算进行的步骤。"

倪金寿立即吩咐把蔡阿火放了。接着他们俩回到办公室中去商量进行的方法。

霍桑说："你刚才提出两个问题，只能等王镇华的神智健全以后才有分晓，急切间无能为力。我打算先到龙华路那边去调查一下。据我料想，王镇华往那里去，一定是赴什么秘密约会，与我们先前所假定的秘党的想法已有几分相近。你又说近来有人看见深夜里常有车辆往制造局方面去，更让人觉得彼此符合。所以我们若能先从这方面进行，探得了他们的秘窟，那么斩草除根，内幕中的情由曲折，也一定可以明白。"

倪金寿赞成道："不错。这确是一种根本办法。如果进行顺利，委实比王镇华的一条路更觉彻底。"

可惊的一幕

十九日下午两三点钟光景，霍桑和倪金寿二人换了装束，扮作乡人模样，一块儿往龙华路去探听秘党的窟穴。他们一路上观察探访，非常小心。每逢在冷僻地点的屋子，总得走进去瞧察一会儿，却都毫无可疑。直到走到了龙华路的尽头，泉漳别墅门前，他们俩便停止了，向四周察看。这地方离城市既远，附近也没有店户住家，除了几处菜圃以外，大部分是荒坟野田。那别墅的房屋因着年龄已老，又失于修葺，那种衰朽颓废的现象便也掩饰不住。墅屋门前有几枝欹斜的髡柳，枯条残枝，更足以助衬它的荒凉。

霍桑低声说："这地方真冷静极了。若使有人利用这个所在，在深夜里干什么犯法勾当，那真是再相宜没有。"

倪金寿答道："唔，像这个地方，一个人在深夜中经过，确实有些可怕。"

霍桑忽俯着身子，向路上的许多汽车轮迹指了一指，说道："王镇华的汽车，大概就在这里附近停过的。他的秘窟一定也距离不远。"他伸长了头颈瞭望了一下："你瞧，别墅后面不是有不少小小的村屋吗？"

倪金寿依着霍桑所指的方向瞧了一瞧，答道："是，那像是一个村子。"

霍桑道："正是。但若使向西前进，便是日晖港了。就情势推测，王镇华当时既然下车步行，目的地大概不远，一定不会到日晖港去的。我看这个村子我们不能不注意一下。"

倪金寿走近些，向别墅的门缝中瞧了一瞧："霍先生，你想这别墅可会有人居住？"

霍桑摇头道："不像。我已瞧过一回。这别墅有前后两个通道，门上都是灰尘满积，分明已好久不会开动。四周都是很高的围墙，爬墙出进，也不可能。况且这别墅和马路距离较近，也不宜作秘密勾当用。"

倪金寿道："那么我们就往这村子里去走走。"他说着，首先绕过别墅的后门，向一条狭窄的泥径走去。

小径的泥土还软，印着不少杂乱的足印，可见这条小路倒成了要冲，在这里出进的人不在少数。小径的一旁，有一条小沟，沟中因雨后的积水，居然也似咽似泣地淙淙地流着。沟水面上覆满了枯黄的落叶，一阵风过，有几片好像还想挣扎起来，可惜"一失足成千古恨"，只能在水面上瑟瑟地动几动罢了。这时已是五点钟过后，一轮淡弱无力的太阳，在停午时勉强穿破了云阵，总算漏了漏脸，此刻却又渐渐地向西沉落下去。它那丝丝的余光从没叶的空林上穿过，照在那一片已经收获的菜田上，现出一种萧条凄凉的颜色。

霍桑一边慢慢地踏着稳定的步子，一边把目光向左右流转。他此刻并不像美术家一般地欣赏晚景，也不是像诗人般地搜集诗料，他的眼光却集中在他们所经过的泥径上面。

他忽而停了脚步，把身子俯下来："金寿兄，这里有足印呢。你瞧，这泥径上除了乡人们的草鞋钉鞋以外，不是还有皮鞋印子吗？唔，瞧，这一个皮鞋印倒是时式的尖头皮鞋！"

倪金寿也低了头随着霍桑手指的指向瞧视，果见有许多皮鞋

印子，不过都已被别的印迹所踏乱，已找不出一个完整的印子。

霍桑又说："这条泥径和那东面的一条相同，都是从马路直通那村子的。假使那村中果真有秘党的窟穴，这条路自然是党人们所必经的了。"

两个人小心地踏着泥径，一步一步地继续前进，没有多远，就到达村口。村中约有六七十家人家，大部是盖瓦砌砖的平屋，内中也夹杂些覆草堆泥的茅舍。村口有一座破庙。庙的隔壁另有一宅方形的瓦屋。霍桑和倪金寿走到了这里，便又站住了瞧地上的足印。

倪金寿作失望声道："唉，从这庙口起始，直入村中，这条路都是石条砌成的。足印已经看不到了！"

霍桑答道："虽然，这个地方，无论如何，我们总得先注意一下。"

那破庙和庙旁毗连的屋子，都孤立在村口外面。那方形屋子的靠村的一边，另有一块宽广的荒地。所以这两宅屋子，和那围集的村屋是彼此隔绝的。

霍桑缓缓走近庙门，门外有一棵独立无依的高大槐树。一群暮鸦正在赤裸的枝头上哑哑地鼓噪着，总算打破了些静寂。庙门上面有一块朱漆剥落的匾额，隐约可辨是"土地祠"三字。庙前有两扇由红而转赭的破门，似闩非闩地合着。从门隙中内窥，里面枯蓬纵横，野草凋黄，庙屋的窗，也破落不全，显然是一座香火久绝，无人顾问的冷庙。霍桑又瞧隔壁的那宅屋子，前面围着一排竹篱，大半都已毁圮，里面两扇大门紧闭着，门上蛛网封满，分明也久不开动。那围墙虽已旧黑，但建筑很坚固，还不见有坍陷和窟窿。霍桑又兜到屋子的后面去，看到一带浓密的竹林，黑乎乎地掩护着一个土墩的坟墓。那屋子却并无后门。他绕了一周，仍回到土地堂的面前来。

他低声向倪金寿说："这地方不能轻轻放过。你瞧，庙侧的空场上，不是也有几个比较清楚的皮鞋和套鞋脚印吗？"

正在这时，忽有一个年在六十以上的乡人，从那泥径上走过来，似乎要回进村子去的样子。

霍桑迎前几步，向那老人搭讪："老伯，请问这里叫什么村子？"

那老人手里提着许多纸包，显然刚才从市上回来。他抬头向霍桑和倪金寿瞧了一瞧，仍足不停留地继续进行。

他答道："这里是王家宅，你们要到哪里去呀？"

霍桑答道："我们是随便逛逛的。请问这土地庙隔壁的屋子是不是人家的住宅？"

老人摇摇头："不是。这是上海城里姚家的家祠。祠堂里没有人住，连这土地庙里的香伙也跑掉了两年哩。"

老人说到这里，语声忽然放低了些，显出一种谨慎小心的神气，他的脚步仍不停止。霍桑似乎已听出了神，便靠近老人的身边，陪着他同行。

他又问："你说这庙里也没有香伙吗？为什么呢？"

老人道："起先本来有一个看庙的香伙叫喜生，但自从前年年初，喜生忽然看见了狐仙，逃走了……"

他这时恰从土地庙的门前经过，抬头向庙门瞧了一瞧，露出了一种恐怖的面色。他的话便顿住了，连连摇着头，战战兢兢地向前急进。霍桑仍跟随在他的旁边，似乎再要发问。

老人忽作拒绝声道："唉，我不能说了！我不多说了！"

老人的脚在那石条径上加快了速度，急急地走进村去。霍桑也只得在村口站住，目送这老人的背影。

倪金寿也走近村来，说："他的答话很可疑。你为什么不留住他仔细问问？"

霍桑道："我已经完全知道了。何必多问？"

"喔，你知道了什么？"

"我知道这宅空屋和这个破庙都完全没有人住。这庙中还有狐仙的历史，更促使迷信的村人们有所忌避，不敢接近。我们但瞧刚才那老人说了一句，便吓得什么似的，就可知这地方若使有人利用了干秘密勾当，委实再妥密没有。"

"对。现在怎么办？"

"我的意思，我们先到这庙里面去勘验一下，或者可以得到些线索，也未可知。"

"很好。我们从哪里进去？"

"这容易。你瞧，那破庙的门，里面虽然闩着，但门缝既如此阔大，伸手进去就可以把闩拨开。"

"那么现在我们就进去？"

霍桑摇头道："这不妥。无论这里面是不是秘党的机关，我们必须审慎进行，绝不可引动人家的疑心。我们还是等天黑了再来。"

倪金寿赞成了。他们就装作游客，索性走进村里去，在村中兜了一个圈子。村中都是些日落而息的农民，有几家都已关了门在笑语融融地进晚膳，绝没有可疑之处。他们俩退出了王家宅，又在附近踱了一会儿。直到天色昏黑，他们才回到目的地来。这时村人们都已肩挑手提陆续回家了。土地庙前绝少经过行人，便形成一个荒凉区域。他们就开始他们的探险工作。

霍桑首先上前去开门，那半关的庙门看上去似乎很容易弄开，但霍桑偻着身子，费了不少时候，还不能把里面的闩拨掉。

霍桑说："这里面还有栓子呢。我们不如爬墙进去，免得在这里虚费工夫。"

他们一同绕到庙的侧面，选定了一处较隐秘的所在，又小心地向左右望了一望。天色已完全昏黑。路上又没有街灯。行路的人早已绝迹。环境是极端幽秘的。

霍桑低声建议道："金寿兄，你助我一下。我先爬进去开门。"

倪金寿就把身子蹲下来。霍桑先将外面的一件青布棉袍卷了起来，然后把两脚踏在倪金寿的肩上。等到倪金寿的身子立直了一半，霍桑的手已攀着了墙头，乘势把身子向上一纵，便上了墙头。他一时伏在墙上不动，眼睛向下面院子里瞧视。除了蓬草在夜风中摇曳以外，别无所有。神殿中也黑漆无光，没有声音，似乎不像有人。霍桑把身子伏下些，轻轻跳到了里面。他蹲了一蹲，才摸出他随身带的电筒来照了一照。他确信院子里并无异状，才走出来开那前门。倪金寿在门外有些焦灼，一进门后，忙附着霍桑的耳朵，低声警告：

"快关门！我刚才看见一个人，正从北面的泥径上走过来。"

霍桑一边把那两扇破门合上，一边低声问道："只有一个人？"

"我只看见一个人。"

"那个人可曾看见你？"

"我不知道。我一瞧见他，便把身子贴在门上。他和我距离还有七八丈路。"

"这样黑，大概你不会给他瞧见。"

"唔……唉！听！"

一种轻软的脚步声音，隐隐地从庙门外石条路上走过去。

声音虽轻，但对于霍桑那特别敏锐的听觉来说是逃不掉的。

两个人蹲伏着，静听那步声走远了些，才低声说话。

霍桑说："这一定也是一个乡下人。没有关系，我们到殿里去瞧瞧再说。"他用电筒照地上，走了两步，忽又低呼："唉！我们的料想第一步已经证实了！"

倪金寿问道："证实什么？"

霍桑仍用电筒照地上："你瞧，这些卧倒的枯草不是已给人踏成一条通路吗？假使果真是一座没有人顾问的冷庙，哪里来这种痕迹？"

倪金寿点头道："不错。这果然是有人践踏的证迹。我希望里面更有可靠的证物。"

可是事出意料。他们到了里面，用电筒在四周照了一会儿，却并无期望中的可靠证物。庙殿的正中有一个泥塑的神像，面貌已辨不清楚。神像前面有一只长桌，尘埃积到一寸。一边另有一只破方桌，和两只断足的椅子，也都是堆满了灰尘，显见都已好久没人经用。他们倾耳细听，只有枯叶残草在寒风中瑟瑟颤动，此外并无声响。

他们更缓缓地走到后一进。后面另有两间门窗不全的小屋。他们俩逐步地观察，这里似乎是先前守庙人的卧处，但屋中的一张破榻和椅桌各物，都是给蛛网封满了。除了有几只蝙蝠扑扑地从黑陬中飞出以外，完全没有异状。他们只感到一种幽寂凄凉的刺激。

霍桑也不禁失望了："这却奇怪了！庭院中明明是有人迹的，这里却又绝对相反。莫非在那院子里另有通道？"

霍桑说这话时，原是保守着谨慎态度，附着倪金寿的耳朵说的。不料他的说话刚完，忽听得前面院子里有一种声音，仿佛已有什么人走动。他们俩立即蹲伏着。

倪金寿震了一震，也附着霍桑的耳朵说："你不听得有声音吗？外面有人进来哩。"

霍桑也敛神道："是！是枯草被践踏的声音！但是我明明把前门闩好的，怎么不听得开门？"

咯笃！格格格！

这是拨闩开门的声音。这声音比先前的更觉清楚。

霍桑振作着精神，说："留神些！我觉得这声音像是有人从院子里开门。"

倪金寿低声答道："我也觉得如此。这样看，这庙中本来是有人的。但除了这两进屋子以外，好像已没有别的地方。我们进来时，怎么没有看见什么人？"

霍桑不答，身子挺起了些，拉着倪金寿的手，蹑着足尖，从后面的院子穿出，重新回进前面的神殿里去。他们俩转到了神像的背后，缓缓地探头出去。神殿中仍黑漆漆的，静寂无声。但他们的目光更瞧到院中去。黑暗中赫然有两个人形，正从前门里走进来。

当然，他们的面貌是不能辨别的，但瞧这两个人的形态，却都是高大个子的男子。他们的手中也各执电筒，忽亮忽暗，且行且喃喃互语，可是也听不出什么。

倪金寿低声说："这不像是本村的乡土人。"

霍桑道："当然不是。我瞧这两个人的体魄都很矫健，而且都是穿的西装。"

两个黑影走到了那神殿的阶石相近，站了一站，并不跨进神殿里来，忽而向右转弯，转瞬间便都不见。

霍桑离开了掩护的泥像，偻着身子，也走到殿前的破窗旁边。倪金寿也跟过来。霍桑仔细一瞧，才看见殿的右侧有两棵桂树，树底下的墙壁上，隐隐有一扇狭窄的小门。霍桑侧过了半身，拉拉倪金寿的手臂。

霍桑说："现在明白了。这里有一扇门，和隔壁的祠屋相通。我们起先竟没有注意。"

倪金寿道："这样，可知那隔壁的祠屋中本来是有人的。刚才那人从庙的院子里出去开门，分明是先从隔壁走进来的。现在我们就一同进去！"

"慢。我们应谨慎些。我们还不知道这里面有多少人。"

"那么让我先到这小门口去瞧一瞧，究竟有几个人。"

倪金寿跨出殿门，沿着阶石，走到那扇关着的小门旁边。小门虚掩着。他轻轻将门推开了几寸，探头向里面瞧去。那里有三间正屋，右侧边的一间，隐约还有光线。同时有翻弄纸件的声音，似乎有人已在那里收拾什么。倪金寿已想退回来，忽听得两个人在低语，好似屋中只有这刚才进去的二人。一会儿，他又听得那两个人退到祠屋的院子里来。

一个人说："都舒齐了。我仍从庙里出去。你关好了门，我在外面等你。"

倪金寿急忙旋转身子，退进了大殿。他正要将听得的话告诉霍桑，霍桑忽先向他低声说话：

"瞧！庙门里不是又有一个黑形在进来吗？"

倪金寿把身子隐在破窗后面，用足眼力向着前面的庙门瞧。他在黑暗中视力当然还不及霍桑的敏锐，但也看见那左边一扇虚掩的大门已推开了半扇，朦胧中有一团黑影，缓缓在那里蠕动着，好像有一个人已弯着腰儿走进来。倪金寿觉得自己的心房中突突地乱跳，呼吸也急速得多。他拉着霍桑的衣袖，把嘴凑到他的耳朵边：

"你可也带着手枪？"

"唔。"

"那么就动手？"

"慢！"

这时候那最后进门的黑形越走越近，但好像不大熟悉，枯草的声音响得多，而且有一次那人几乎像要倾跌的样子。霍桑仍拉住了倪金寿的膀子。

桂树底下的小门也开了。那先前的两个高个子的人也且行且谈地走出来。这两个人仿佛"驾轻就熟"地毫无顾忌。他们刚到大殿的阶石面前，才突然停步。他们显然已瞧见了那正在进来的黑形，开始警戒了。那走在前面的一个立即怒声喝问：

"谁？"

他的问话的声音，和他手中所执的电筒的光同时发射。那光线直向着那团较小的黑形射出去，可是只闪了一闪。

砰……砰……砰……

倪金寿早已执枪在手，便不等霍桑的同意，瞄着那单身黑形的所在，一连发了三枪。

于是刺人心肺的惨呼的声音，从神殿阶石的左右同时发生，冲破了这黑暗的静寂！

院子里本来还有第三个人——就是从小门里退出来的另一个人。霍桑虽觉没有再发枪的必要，却也跳身而出，想把那第三个蹲伏的人捕住。可是那人也非常敏捷。他即见他的同伴中枪倒地，忽俯着身子，从地上抱起了什么，急急回身逃进小门里去。这个人本来离小门不远，一转身就退了进去。霍桑正追踪到小门口，倪金寿忽抢过来拉住他。

他说："我这里有枪，我去追他。"

倪金寿的语声还没有终了，早已一手执枪，一手扳亮了电筒，奔进小门里去。

霍桑果然停了脚步，扳亮电筒，低头瞧那倒在阶石下面的两个人。这两个人都已横在乱草上面，嘴里都在气息咻咻地哼着。霍桑先到左边首先开枪的那个人旁边，用电筒照了一照，不觉漏出了一声惊呼。因为他的电筒的光线最先接触的，是一件紫色的旗袍，下面还露出了一双蓝缎的女鞋！

"唉，是一个女子！"

他将电光移到了那女人的上身——白皙的额上覆着乌黑的卷发，樱唇张开，星眸却紧紧闭着。这又引起了霍桑第二次惊呼。因着这两次的惊呼，竟把倪金寿从那小门中呼了出来。

倪金寿惊问道："霍先生，怎么？"

霍桑反问道："那家伙怎么样？你追着没有？"

"他大概躲在祠屋里，一定逃不掉。你为什么呼叫？"

"你过来瞧瞧。这个被你打倒的是谁？"

倪金寿走近一步，用电筒照乱草地。一个女人侧面横着，右肩上鲜血模糊，嘴里在呜呜地呻吟。倪金寿的电筒光线移到了那女人的脸上，他也不禁失声骇呼：

"哎哟！是田漱芳！太奇怪！"

"金寿兄，奇怪的还有！这里还有一个出乎我们意料的人呢。瞧！"他将电筒的光移到了阶石的右侧里。

倪金寿的目光一接触另一个受伤的人，他的惊呼声又刺破了黑暗。

"哎哟！是王镇华！"

病榻上的供词

这一幕惨剧，在这个地点，和这个时候发生，委实是倪金寿和霍桑二人所想不到的。他们在惊诧之余，又同往那隔壁的祠屋中去搜索那第三个人。可是搜了好久，到底没有找到，只得退了出来。他们定意先把两个受伤人设法送进医院里去。他们走出庙门，看见马路上有一辆汽车停着，在泉漳别墅附近，另有一辆——前一辆是王镇华雇来的，后者是田漱芳雇的。倪金寿就利用这两辆车子回去和载送受伤的人。

王镇华是被田漱芳打倒的，一枪中在小腹，一枪中在腿上。那小腹的一枪，枪弹还陷在里面，故而比较危险些。田漱芳虽也被倪金寿打中了两枪，但一枪在肩部，一枪在手臂，都没有伤及要害。故而伊送进沪江医院以后，一经敷药裹扎，便安然睡去。

二十日的早晨，上海各报上又有大幅的凶案新闻。霍桑没心思细读，匆匆赶到沪江医院里去。田漱芳的神智已清醒如常。霍桑便问伊行刺王镇华的情由，伊也绝不隐蚀。

伊因说道："前天我和谈素兰说明白以后，大家讨论了一会儿，我觉得王镇华的身材，果真和宗明相仿，那晚上我实在是误认的。这一点我已经告诉你。因为宗明虽也到过何世杰寓里，但已在我离去以后。他到楼上转了一转，回下楼来，就在客室中发现何世杰被人刺死。他因着曾和何世杰有过争吵，深恐因此给人嫌疑，故而仍悄悄地退出。他那晚上告诉我的话原是完全实在的，但我竟一时执迷，以为他说谎卸罪，还不敢深信。现在回想起来，我真对不住他。可是我已经没法向他道歉哩！"

伊的语声中带些唏嘘。霍桑只在神情上表示同情，并不插口。略等一等，漱芳才继续下去：

"后来宗明也同样遭害。我又和谈素兰商量了一会儿，越发疑心是王镇华。因为他平日并不穿这黑色的衣服，但在行凶的时候，竟戴了黑帽，穿了黑衣，岂非故意要嫁祸给宗明？我又进一步推想，他起初一定是想借此陷害宗明的，后来看见警探们并不着眼在这一条路，他就再接再厉，索性也把宗明刺死。这原是我当时个人的猜想，一时还不敢确定。

"不料昨天早晨，谈素兰又来见我，告诉我伊已给何世杰复仇了。我问伊的情由。伊说据伊仔细推想，只有王镇华一人最是可疑。伊特地约他前夜九点钟时，在半泓园门前约会。见面之后，伊问他何世杰被害的事情，探听他的口气。王镇华一味推诿不知道，但情虚支吾的表情再也不能掩饰。素兰又问他宗明的死事。他的答语也含糊不清。因此素兰就深信这两个案子都是王镇华一个人干的。"

霍桑点点头，说："唔，伊后来就拦阻了汽车，开枪打王镇华，给伊的未婚夫复仇。是不是？"

漱芳应道："是的。素兰和王镇华在半泓园门前分别时，伊看见王镇华乘了汽车往制造局街去的，料想他终要回来，而且必有一会儿耽搁。故而伊赶回去换了装束，带了一支手枪，回到高昌庙路的转角上，搬了一只木桶放在路心，悄悄地伏着，准备给伊的未婚夫报仇。直到半夜时分，王镇华的汽车果然来了。伊就乘着停车的机会，向他开了一枪。死活如何，虽不可知，但伊的怨恨总算已发泄了。我听了伊这一番暗示，竟也引起了我的复仇意念。

"到了昨天下午，我也借得了一支手枪，先到王镇华家里去探听，他有没有给素兰打死。我听说他并没有死，已给送进沪江医院去了。我又赶到医院里去，探听他的伤势究竟怎样，我有一个同学在那医院做护士。我和伊见面之后，伊也不知道详情，但同意代我探问。一会儿伊就告诉我王镇华只受些轻微伤，在半点钟前已经出院。

"我听了这个消息，很觉惊异，心中暗想他既不会死在谈素兰的手中，也一定逃不出我的手掌。我料他出院以后，总要回家，故而重新赶到八仙桥去。

"我第二次到他家里的时候，已是傍晚时分，忽见他已和另一个西装男子一同出来。他的西装已变换了，又有一种鬼鬼祟祟的神气，分明有什么诡秘的举动。我因着他们共有二人，又在热闹之区，不敢冒昧动手。后来我看见他们走进一家汽车公司，跳上一辆车子开出去。我也雇了一辆，远远地跟在他们的后面，一直到那庙中。现在他果真已给我打中了。我已给宗明复了仇，我的心愿也已满足。我的处分怎样，完全听你们摆布好了！"

田漱芳这一番供述，已把这案中的疑团打破了一大部分。伊不但说明了伊自己复仇的经过，连前夜里王镇华被刺的事情，也已揭破了真相。这两个女子各自冒着危险，给她们的恋人复仇，可见她们的热情和毅力超过了一般女子。不过经过了王镇华的供认以后，又觉得这两个女人的胆量有余，但眼力不足，因为她们的恋爱对象，并不是值得以赤心相待的理想人物，这真是很可惜的！

王镇华虽同是在沪江医院里，但他被送进医院以后，腹部的枪弹还没有取出，过了半夜，他的神智仍昏迷不清，还不能同时向他问话。

直到二十日午后的五点钟时，王镇华略见清醒。霍桑和倪金寿得到了医生的消息，便又急急地赶去问供。他们起初深恐王镇华没有苏醒的希望，他的连刺二人的目的也许最终存疑。后来他们听到了他轻减的消息，仍恐他保守秘密，不肯吐实，还得费一番口舌。谁知事实上又出意料。他一见霍桑他们前去，竟毫不忌讳。

他先向守护的一个女护士要了两个软枕，垫住了他的腰部，喝了一口水，定了定喘息，才向女护士说话：

"小姐，我进院的时候，衣袋里不是有一把刀的吗？对不起，请你拿出来，交给这一位霍先生。"

那护士果然回去取了一把尖刀进来，交给霍桑。那刀足有八寸长，刀锋很犀利，并且磨得雪亮。柄是牛角制的，上面刻着四个篆文小字。霍桑仔细瞧了一瞧，是"神圣之刀"。

他问王镇华道："这就是你连杀二人的凶器吗？"

王镇华的脸上忽露出一丝苦笑，点头道："是啊！其实死在这一把刀上的，已经不止他们两个人哩！军阀……贪官……痞棍……伪君子……嘿嘿嘿！"接着是一阵神经性的傻笑。

倪金寿倒呆住了，仿佛认为这个人虽没有死，但已经疯了，也许终于失望。但霍桑并无此种感觉。

他仍安静地问道："你为什么专干这种杀人的事？刀上还刻着'神圣'的字样？莫非在你的意识之中，杀人竟是神圣的事吗？"

王镇华忽把两手按在榻边，似要从榻上撑坐起来的样子，同时他的眉峰一皱，似乎觉得非常痛楚。他的伤势显然阻止他起坐。他重新躺平了，略略地休息了一会儿，才缓缓解释。

他说："霍先生，我也知道杀人的勾当是不能一例算作神圣的，但假使所杀的是一种社会障碍，人群的害物，本人又并无丝毫利害的企图，那不是可以算得神圣的吗？霍先生，这见解你可也赞同？"

霍桑默默地不答，但他的沉静的脸上却仿佛有一种赞成的表示。倪金寿也开始了解这疯子也许并不全疯。

王镇华继续说："你们现在不是要知道我为什么杀死这两个人吗？我和他们俩绝对没有私怨，那何世杰和我还有师生关系。我之所以要杀死他们，实在只凭着公义，完全没有私意。何世杰已经在民福大学里当了好几年教员。他平日的著作言论，都是很冠冕堂皇的。他自信是一个学者。他的言论总是为一般平民呼吁，因此，有好多的盲目青年都和他表示同情。我最初也是崇拜他的一个，但我一接近他，窥见了他的内幕，才知他只是借着他的地位和一些好听的名词，吸引许多冒险敢为的青年，来做他的爪牙，便利他的私图罢了！

"他是一个秘密组织的领袖。他所标榜的主义，要从一般财阀豪富身上弄钱，分配给一般平民，和充作改善平民生活的经费，皇然是一个改革社会的先觉，也近乎一种我们古代的草莽英雄的侠义举动。若使他言行一致，那我个人还是同情的。可是这只是他的假面具罢了。实际上钱一到他的手，只归他一个人支配，十之七八，饱他的私囊！他在背地里挟妓，纵酒，赌博，无所不为，奢侈地挥霍，尽他个人的享用。但瞧他寓所中奢靡的陈设，便可见他纵欲无度的一斑。他玩过而丢掉的女人也不知有多少！"

倪金寿向霍桑瞧瞧。霍桑仍肃穆地坐着。那少年在叹了一口气以后，继续地发挥：

"至于他的弄钱的方法，恐吓，绑票，勒索，劫杀，真是无恶不作。他起初很不惜小费，又借了学问的幌子，结交了不少各种不同阶级的人物，以便做他的耳目手足。他为了使消息灵通起见，无论工学政商各界的人物，都在网罗之列。人们若使听从他的命令而帖服地照行的，他当然也能有条件地优待；但万一有违抗的表示，或有卖党泄漏消息的倾向，他的手段也厉害得很。换一句说，那些加入他的组织以后，忽而发觉了他的狰狞面目而反悔的人，已经牺牲了不少！你们试想，一个受高等教育的知识分子，不给国家社会尽些劳力，反而干这卑鄙阴险的勾当！像这样的人，岂不是社会的障碍，人群的害物？在有血气的人的眼中，又怎能容许他活在世界上呢？"

王镇华的气息突然短促了。他不住地把两只手在自己的胸口上抚摸。他的脸色通红，接着又泛出一阵白色，似乎他的感情激动得太厉害，他的受伤的身体也有些支不住。

在这略略静默的当儿，倪金寿低声对霍桑说："我也将近查明白了。今天早晨，我已得到几个专家的答复，才知何世杰日记上的俄德文字，都是记着种种秘密进行的方法，和调查所得的许多富翁的名姓。现在合着这话，当真可以印证了。"

霍桑但点点头，仍不说话。

王镇华平了平气，又说："何世杰即是这秘密组织的领袖，因着他消息的灵通，手段的敏捷，官家的探捕竟完全不是他的对手。我为良心所逼迫，才聚集了几个同志，立誓以毒攻毒，歼灭这一个社会的害物。但俗话说，'不入虎穴，焉得虎子'，我不但加入他的组织，还故意亲近他，冒险刺探他们的隐情，又暗中破坏他们的恶谋。但好几次我几乎被他们瞧破，做他们的牺牲品。幸亏我处处镇静小心，又实行过一次苦肉计，才不致先遭他的毒手。我知道他们中间有好几个有势力的人物，但我最注目而急于要歼灭的，第一，是何世杰，第二，就是孟宗明。霍先生，你得知道，这姓孟的也是非常有势力的，并且他精于思想计划，和何世杰不相上下，故而何世杰有时也不免要妒忌他。现在这两个人都已死在我的手中，我即使立刻就死，我已对得起社会，我也可以瞑目了！"

倪金寿问道："那么他们一共有多少人？"

王镇华微笑道："很多，很多。不过你不必问我。你既然当侦探，应得自己去侦查。我们却抱定宗旨，必须亲手除害，不屑假手于人。现在我的任务已经完了，继续我事业的人尽多着呢。"

倪金寿似觉得没趣，纵了纵肩，便把眼光移到窗口外去，不再开口。

霍桑问道："你把你动手的经过情形说给我们听听，行不行？"

王镇华允许了，便把行刺两人的情形，从头至尾地说了一遍。他的行动大部都符合霍桑先前的假定。他在十六日晚上，把他寓里的钟开快了半点钟，临行时又特地利用那个女仆，打算他万一被人嫌疑，可以叫那女仆作证。他行凶时候的打扮，也当真故意装成孟宗明的模样，蓄意嫁祸于孟宗明。一星期前，他眼见孟宗明和何世杰争吵，便认为有机可乘。他和孟宗明同在振华厂里办事，常见他穿着黑色的衣帽，又知道那晚上孟宗明也要去聚会，故而他移早了半个钟点，从寓里出门后，一直到何世杰寓中。

那时候恰近十点三刻，进门时先用哥罗仿的手帕，把那仆人张炳福蒙倒，顺手推他坐在树下；随即走上阳台，脱去了橡皮套鞋，走进里面，进入楼下客室中去暂伏。后来何世杰闻声下楼，他就躲在门后，等何世杰走进客堂的当儿，突然间扑上前去，将他刺死。接着他仍穿了套鞋逃出。他退出来以后，把外衣黑帽和套鞋等换下，寄放在附近的一个朋友家里，换了一身预先准备的衣服，重新进何世杰寓里去。那时候闻志雄已先在里面，他的计划完全成功。他本身已绝对没有嫌疑了。

霍桑听完了这故事，微笑着道："那晚上你第一次进去，原来也是穿着橡皮套鞋的。怪不得地板上没有足印。但倪探员研究阳台上泥迹的时候，说那泥迹是套鞋印迹的，就是你自己。因这一点竟使我当初疑不到你。你的胆力委实不小！"

王镇华的呼吸更急促了。他的脸上忽而红了一红。他举起了荏弱的手，抹了一抹额上的冷汗。他的唇角上又露出一丝微笑。

他低声答道："这一点我原是有些冒险的。其实我记得当我脱鞋的时候，阳台上先有一双女子的套鞋。我想即使被你们查明了，至少还有一个人给我分任嫌疑。"

王镇华又说明第二次凶案。他起初本估量等到张炳福苏醒的时候，也许要误认作行凶的就是孟宗明，而使他连带地受害。不料那张炳福似乎没有这样的证明，竟没有人怀疑孟宗明。所以他在次日十七夜里，又到孟宗明寓里去行刺。他到的时候恰巧田漱芳在里面，他就守在孟宗明的后门外面。他等到孟宗明送田漱芳出外以后，一个人回进去的时候，便闯进去动手。

十八日深晚，他在姚家祠堂里缮写了几份记录回来，半路上他自己在汽车中被枪击，他也知道行刺的就是谈素兰。他本知谈素兰也是参与党中秘密的人。他的举动既已被伊疑到，伊不但向他刺探，并且竟实行报复，他的地位便十分危险。所以他为安全计，就定意暂时利用医院，做他藏身的所在，随后再准备避往别处去。他本来只受些轻伤，但为掩饰起见，外面却故意宣传得非常厉害。那刘院长对他也是同情默契的。

下一天十九日的下午，他悄悄地走出医院，探听这事的情形。他知道了侦探们已去找着了那个司机蔡阿火，分明已经查明了出事的情由。他因知他们的会集地点势不能再守秘密了。他们有好几个同志，常借着那王家宅的姚家祠屋，秘密会集。这地点既已被侦探们得到了线索，那就有破露的危险。故而他就定意另换一个地方。

到了傍晚时分，他特地约了一个同志，一同到姚家祠堂里去，打算把里面的文件取出来。那祠堂的后面本来有一个空的寿圹，他们特地私下凿通了，做了一个秘密通道。每逢集会的时候，有一个人从后面秘密通道里进去，然后开了土地庙的前门，使别的同志们出入；散会时也是这样。那晚上那个同伴抢取了王镇华所挟的文件，逃进了祠屋里去，所以终于没有被捕，也就是从那秘密通道里逃出去的。

不过有一着竟完全出他的意料。据他所知，那田漱芳虽和孟宗明恋爱，但孟宗明所干的勾当，伊似乎并不知情，却不料伊这样的纤纤弱质，竟也会下这个毒手。但他并不怨恨伊，只可怜伊受了孟宗明的欺骗，料想伊若使明白了这事的内幕，也许要自己后悔呢。

这一点果真是被王镇华料中的。伊后来知道了孟宗明竟是一个戴假面具的自私自利的暴徒，王镇华却反是个为公忘私的爱国的青年，伊就深悔伊自己的愚妄。

王镇华的口供是在十一月二十一日的报纸上宣布的，很引起社会上一般人的惊异。这新闻宣布了不到两三个钟头，又使那谈素兰和柯三省二人同时失踪。这二人竟和闻志雄一般，以后便销声匿迹，不知去向。

据倪金寿的意思，还想设法解散王镇华的组织，恐怕他们再演出这种流血的惨剧。但他们的册籍和文件，当时既没有到手，王镇华又死也不肯吐实，事实上也无从追究。虽有那个沪江医院的院长刘颂文，代替王镇华撒谎，虚报重伤，很有些通同的嫌疑，但霍桑不主张深究，以免连累无辜，倪金寿也只得罢休了。

隔了五天，王镇华因伤重逝世，这两件凶案就也因此注销。但当他出殡的那天，霍桑竟送了一个花圈，还亲自去送丧。那时田漱芳的伤势已经痊愈，也曾忙着给王镇华料理殡殓的事。

浪漫余韵

一位乡下主顾

那晚上，上海市民联合会举行的胜利庆祝会，霍桑和我也参加了。热闹的盛况，可说是开了空前的纪录。当夜我就住在霍桑寓里，因为那时我已经结了婚和霍桑分居了。下一天早晨，我和霍桑的余兴未尽，还纵谈着上夜里种种的游艺。霍桑仰靠在那张滑熟的藤椅上面，左足伸直着，右足却曲在左腿的藤上，嘴里吸着一支白金龙香烟，手中摇着一柄湘妃竹的书画折扇。

他说："包朗，你的掌心还觉得有些余痛没有？"

我也笑着答道："你自己呢？昨夜里你那种兴高采烈的神气也是我难得瞧见的！"

"是。这种盛会足以提振精神，原是我们数年来朝夕期求的，一旦实现了，自然会手舞足蹈。"

"原是啊。其实昨夜的游艺本身确实值得称赏的也不少。例如那黎小翠女士的羽衣舞，有一种古典美的韵味，真是一种美好的艺术，跟那些卖弄'肉感'的舞姿根本不同。伊的那种轻情的姿势，柔娜的身段，足见伊确有舞蹈的天才。观众们掌声如雷原不是浪费的。"

"唔。不过我觉得那小学生周志雄的口技更足赞赏。他年纪还轻，所奏的《百鸟朝凤》《村妪骂街》等节目，虽还说不上火候纯青，惟妙惟肖，但练习的功夫已不算浅。"他吸了一口烟，又说："包朗，你可也承认相声和口技是一种北方的艺术——并且是我们的国粹艺术的一种？可惜一般人都抱着成见，以为它是江湖末技，并不重视。这真像洋画输入以后，有些人便漠视甚至鄙弃国画一般荒谬。这种谬见我们是应当纠正的。"

霍桑的见解往往含些不同流俗的特殊性。他所称赏的也可说是别具只眼。但我并不置辩，仍继续我的批评。

我道："还有那女子乐艺团的《我爱中华歌》，也唱得婉转流利，并且——"

一种变态挫断了我的话锋。霍桑突地从藤椅上直坐起来。他的伸足养神的暇豫状态，一霎时竟变得目定口合得非常紧张。

他举起了执纸烟的手，说："包朗，且住。我觉得有一个新主顾上门哩。"

施桂果然推门进来，手中拿着一张名片。霍桑接过了略瞧一瞧，连忙点头答应：

"好，请他进来。"

我从霍桑手中瞧那名片，印着"乾康染坊经理胡世芳"，下面还附着"世居南翔镇"的籍贯。这位乡下先生不像是霍桑的素识，他何以这样子急急请见？他不是空闲了两天又闲得不耐烦了吧？

来客已经走进来。霍桑不等他开口，先丢了烟，自通姓名，又给我介绍了一句，便请他坐下。我起先已经给这乡下客人构成一个轮廓，青布长衫，玄布马褂，装束一定是很朴素的。可是出乎所料，他穿着一件小团花灰色绸的单衫，黑纱的曲襟夹马甲，足上深口圆领的骆驼皮底缎鞋。那种初夏时的打扮竟和上海人没有两样。他的年龄在四十五六，脸色略黑，有个大鼻子，颏下没须。他进门时也懂得把一顶硬胎草帽除下了，鞠躬的礼节也不曾忽略，竟将我意识中所预拟的"乡下人"的印象完全打翻。凭空着想是够危险的！

霍桑向来客略一注视，婉声问道："胡先生，你还没有吃早饭吧！要不要喝一杯热茶？"

胡世芳点了点头，两只含愁的眼睛中似乎略现些诧异之色。霍桑向施桂吩咐了一句，又向来客说话：

"你昨夜大概一夜没有睡，今天一清早就乘早车来的。是不是？……现在你定一定神。我想这件事谅来和你有切肤关系吧？"

那人坐在椅子的边上，执草帽的手仿佛中了电气，那草帽不住地在他的膝盖上颤着。

他冲口答道："唉！霍先生，再切肤没有了！我的儿子没有命哩！"

霍桑问道："可是被人杀死了？"

胡世芳摇摇头："不，不是。他……他杀死了人哩！"

他的声音发抖，显然是由于爱子心切的缘故。我引起了同情，很可怜他。我默自寻念，假使换一个位置，一个儿子为了他的老子的事来，可也会有这种情状？

霍桑又问："你儿子杀死了什么人？"

胡世芳又摇着手道："不，不，其实是不对的！他们说是香荪杀了白荣锦。他……他怎么会杀人？不，不是！绝不是他……绝不是他！"

他的神经上分明已起了异征。在这种情形之下，希望他说明情由，未免有些勉为其难。施桂已送茶进来。

霍桑说："胡先生，你先喝一杯茶，定定神。"

这个四十多岁的胡世芳倒像驯良的小孩子一般，很听话。他接了茶杯，果真一连饮了几口热茶，又放下了草帽，摸出手巾来在额上嘴上和大鼻子上抹了几抹。他的急促的喘息果然减缓了些。

霍桑又婉声说："现在你慢慢地说。我从你的话推想起来，分明令郎香荪现在正蒙着杀人的嫌疑。但这被杀的白荣锦是什么样人？"

胡世芳答道："他是我的姨甥。昨天傍晚，不知道被什么人刺死了。我家香荪恰巧去看他。后来不知怎的，镇上的警察胡乱地把香荪捉了去，说他有杀人的嫌疑。霍先生，你想荒谬不荒谬？"

霍桑的慰藉劝诱已收到效果，来客的说话有了理路。我也舒了一口气。

霍桑道："杀人的罪名自然不能胡乱加上的。他们有什么理由，竟把令郎认作凶手？"

胡世芳道："昨天将近上灯时分，香荪到荣锦家去。他本来是时常在白家中出进的。所以他进了大门，不用通报，一直到荣锦的书房里去。他走进书房的时候，天色已昏黑，书房中却还没有上灯。他叫了一声，没有人答应，便顺手把门旁墙上的电灯机钮扳亮了。他看见荣锦靠写字桌坐着，头部低垂在胸口，不声不动。香荪有些奇怪，走近去一瞧，才发现他穿的一件灰色花呢的单袍上有血液流下。他再仔细一瞧，大吃一惊。原来荣锦的左肩窝上露着一把刀柄。他已给人杀死了！"

来客顿一顿，他的声调有些颤动，面色也像泛白了些。霍桑并不催促他，只把同情的目光瞧着他。我也保持着静默。他叹了一口气，果然自动说下去：

"香荪心慌了，不知道怎样才好，便急急地退出来。他走到大门口时，看见看门的王裁缝从外面进去。香荪便把发现的事说出来。当时大家乱了一阵子，不知道谁是凶手。后来镇上的张巡官带了两个警察去，约略地查问了一会儿，便把我的儿子带了去，说他有凶手的嫌疑。香荪虽竭力声辩，他们也不理会。霍先生，这不是暗无天日了吗？"

霍桑又作安慰声道："胡先生，你不用着急。我们只需把真相查明，总能够水落石出。我问你，香荪和荣锦名义上是表弟兄，但他们平日的感情怎么样？"

胡世芳道："荣锦向来在上海公大药材行里学生意，去年年底才满师。香荪在镇上南英小学里教书，本来不常会面。但彼此感情并不坏，每逢会面的时候，很亲热。这一次荣锦从天津回来，在家里休息了已经近两个月。表弟兄俩也时常一块儿喝茶饮酒，感情再好没有。可是最可怕的，那些闲嘴的人偏偏说长说短。"

霍桑接口道："唉，这些闲嘴的人说些什么？"

胡世芳道："我的内兄白菊南，在今年春天故世了。他没有儿子，遗下来五百多亩田，在病重时指定他的表甥白荣锦做义子。但菊南没死的时候，也曾说起要香荪承继。后来他改变主意，内人虽有些不高兴，香荪可并不在意。此番出了这个岔子，人家便说什么香荪夺产起意。其实完全是凭空嚼舌！"

霍桑点点头，答道："这里面还有这一层关系，莫怪警察们要疑心他。"

胡世芳忙道："霍先生，这实在是冤枉的。香荪心志很高傲，平日和人谈论，常反对遗产制度。俗语说，知子莫如父。故而我相信他绝不会干这种没志气的事。"

他的语气加重些，好像要强制我们接受他的保证。其实"知子莫如父"，这句话不一定颠扑不破。何况世界上尽多口是心非的人。譬如那班所谓摩登人物，言论文章尽高品的忠实奴隶，也一样会喊"救国"的口号。我默想的结果使我不自觉地插了一句。

我说："我看我们必须从搜集事实入手，一个人的言辞，似乎不足为据。"

胡世芳横过眼角来向我瞅了一瞅，似在憎我多嘴。霍桑仍不改他的温和态度。

他说："胡先生，你姑且宽怀些。令郎如果当真冤枉，我可以保证你绝不致冤屈到底。"他又向我点点头："包朗，你的话很是，我们必须从搜集事实入手。现在趁空往南翔走一趟，吸些新鲜空气，谈谈我们的尘怀。我想你总也赞成吧？"

奇怪的刀刺

南翔镇的确是一个半村半郭的绝妙所在。它距离上海近，火车二十分钟可达，既没有都市的烦嚣，又保持着乡村的自然风趣。据我推测，数年以后，这地方也许要变作上海的附属部分，交通上若能更改进些，那些都市人们，说不定都会卜居到这里来。

我们出了车站，由胡世芳领着，乘车直接往被杀的荣锦家里去。我们在火车中时，霍桑又向胡世芳问过几句。我才知荣锦本来姓莫，他的生父已故，只有一个母亲，家道很寒微。荣锦在沪习商，他母亲在家里糊些纸锭，给人家洗洗衣服。胡世芳和白菊南有时也周济些。这年春天，荣锦凭空继承了白姓，得着了遗产，平地一声雷似的已从低矮的小屋迁进了白菊南的大宅里去。白菊南的旧仆此刻还有几个留在宅中，故而我们到了白家，早知道里面不会有男主人出来接待。

那屋子是一宅三开间三进，年龄已老。前面两进是平屋，第三进有楼，前面另有墙门，位置在市镇的尽端，清静无哗。这时墙门口有一个警察守着，还站着几个瞧热闹的男女，都交头接耳地显着好奇而含探问意味的神气。这些人因着警察的阻拦，又不敢走进去。

我们一走到第一进的大厅上，便听得一个妇人的号哭声音，从那挂在客堂左侧的一幅青布幔后面透出来。这原是意想中应有的景象，我并不在意。霍桑突然停了步，敛神侧听，好似那哭声已引起了他的注意。

那妇人且哭且喊道："……我的好肉啊！人家暗算你，一定是见你享福眼红了……亲肉啊，这头亲事也害了你！我的心肝啊，我指望你显显耀耀地讨一个老婆，谁知是个克夫苦命的败家精……"

胡世芳抢步走进青幔里去，止住那妇人的哭声，那刺耳的声调才告一个段落。

我玩味那句"这头亲事也害了你"，似乎有些骨子，莫怪霍桑要特别注意。我们见了那蓬头扒牙年约五十光景姓莫的妇人以后，伊在眼泪鼻涕交流之中絮絮叨叨地说了一大堆话。总括一句，无非抱怨人家看中伊儿子的财产，故而下这毒手。伊虽没有说明行凶的人是谁，口气中却疑心是胡世芳的儿子香荪。霍桑归纳伊的话，果真注意到死者的婚事。

他问道："你儿子几时订婚的？"

妇人道："还不到一个月。本来下月里打算就成婚，谁知道会发生这个横祸。"

"配的哪一家？"

"伊家姓许，叫瓒卿，父亲是本镇昌源当铺的经理。瓒卿相貌倒不差，全镇上要算伊第一，可是谁知道伊'丧官星'坐命，配亲还没一月，便克夫。荣锦真倒足了霉！"

"这亲事是你做主的？"

"不，是荣锦自己看中的，我也不反对。因为伊的家道也不坏。可是谁瞧得出伊的命？"

我才知伊先前的话只是中了迷信星命的毒，在抱怨死者未婚妻的命，并不是别有所指。霍桑也不再多问，先叫一个女仆陪那妇人到后面去，我们才开始察看尸体。

霍桑把青布的孝幔揭开了，便见那尸体搁在一块板上。这凶案发生以后，虽已报县，检察官还没有来检验，故而死者的衣服也没有换。他穿一件淡灰色舶来品薄花呢的单袍，里面蓝绸的袄裤，丝袜缎鞋，装束很富丽。那凶刀的柄仍旧留在左肩膊上，面部已被一张黄纸遮住了。霍桑走近去，在那凶刀柄上仔细察验。刀柄和刀锋相接之处，裹着一块不大清洁的白巾，所以流出来的血液不多。

霍桑低声道："包朗，你瞧，这种刺法不是很奇怪吗？"

我应道："是。这像一把尖刺刀，刀锋足有五六寸长，料想从这肩胛和颈项间一刺进去，立即可以致命。当真很厉害。"

霍桑点了点头："是。这一刀还得有相当的腕力。"

他更偻近些，动手揭取盖在尸面上的那张黄纸。我乘势凑近去一瞧，方才看见这惨白可怖的面容。他的两眼紧闭，嘴唇微微张开，露出左右两枚金齿。他的年龄在二十一二，皮肤相当白，五官的位置也端正，生前似乎很秀美。

我们从孝幕中出来，胡世芳便引我们进入第二进的一间侧厢里去。

胡世芳说："这就是发案的所在。香荪说，他走进来时，荣锦就坐在这一把椅子上。"他用手指着一只靠近红木书桌的藤椅。

霍桑不答，但立定了细瞧屋中的陈设。那侧厢是朝东的，靠天井有排玻璃窗——左右四扇短窗，当中两扇出入的是长窗。窗上都是花玻璃，左右的短窗上另有白色的纱帘。靠近外进的短窗下面，就排着那只旧式红木书桌。沿壁放着四只西式椅子，和两只茶几。壁上时钟画屏都是旧物。书桌上陈列了一只银花插、一只石钟、一个裸体石膏像和一罐高价的大炮台纸烟，却都像是新近购置的。瞧了这书室的现状，新旧二主的交替痕迹已显然可观。霍桑端详了好一会儿，似乎对于一切物事都加以严密地注意。一会儿他才叫那个看门的裁缝老王进来。

王裁缝已有六十多岁，头发已经雪白，在白菊南生前，他们已相处了十多年。起初他本是白菊南的租户。后来白菊南因着老裁缝给他当心门户十分忠实，便豁免他的房租，让他住在墙门间内，一面经营他成衣的事务，一面兼做了白家的门房。王裁缝的年纪大了，成衣的生意不佳，白菊南随时资助他些，把他看作自己的老家人一般。胡世芳先将他的历史告诉了我们，我们对于这老人已有了一个轮廓。

霍桑站在书桌的旁边，那老裁缝站在他的对面。我和胡世芳就在靠壁的西式椅子上坐下。

霍桑先问道："老王，那时候的情形怎么样？你说得详细些。当胡香荪进来时，你可曾瞧见他？"

王裁缝道："不，我恰巧出去泡茶，并没有见他进来。等到我提了茶壶回来,在墙门口忽然看见胡少爷匆匆忙忙地奔出去。那时候天已经黑了,我一时还认不出,等到他开了口,才知道是他。"

"他说些什么?"

"他第一句便说:'不好了!你家主人已给人杀死了!'我吃了一惊,几乎把手中的茶壶也落掉。我也脱口应道:'可是太太——?'他摇头道:'不是。你家少爷给人杀死在书房里!'他说完了这句话,便急步奔出去。"

"唔,以后怎么样?"

"我吓呆了,想要喊住胡少爷,可是他早已跑出去。我才赶到这里来。这里的电灯亮着,少爷果真已死在这只椅子上。我吓得发抖,又赶到里面去报告太太。接着那新来的江北妈妈和小使女秋香一块儿陪着太太出来。我们慌乱了一阵,除了号哭以外,没有办法。后来惊动了隔壁李木匠,才提醒我去报告镇上的警察。等到张巡官带了一个弟兄来了以后,约略察看了一会儿,又向我们问了几句,便退出去。隔了两个钟头,我听说胡少爷已给捉进警察局去。别的事我都不知道。"

故事相当清楚,和胡世芳告诉我们的经过也没有出入。胡世芳一眼不眨地旁听。我也决不插口。霍桑低头静默了一下,又继续查问。

他问道:"胡香荪可是常到这里来的?"

王裁缝道:"是,常来的。每礼拜总要来一两次。就为他出进惯了,来的时候,常常一直进里面去,用不着我通报。"

"你的新主人和这胡香荪的友情怎么样?"

"很好。他们是表弟兄。"

"从来没有翻脸争闹的事吗?"

"没有。他们见面时总是很客气的。"

霍桑点点头，转头去向室中瞧了一瞧，又换一个话题："这书室中的东西，你们可曾移动过。"

"没有。太太叫我跟李木匠帮着把少爷的尸体搬到了外面大厅上去。别的东西，因着张巡官的吩咐，谁也没有动过。"

"这件事发生以后可有什么人来过？"

"没有……唔，只有张巡官跟一个警察到过这书房。"

"张巡官跟那警察可曾在这里抽过烟？"

"唔，没有。他们只站过一站，随即到大厅上去向我跟江北妈妈问话。"

霍桑回头瞧着那委托人："令郎可也抽纸烟？"

胡世芳摇头说："不，他从来不抽烟。霍先生，什么意思？"

霍桑不答，忽搓着两手，连连点了几点头，显示一种有了某种自信的模样。

他道："那么据我看，昨天傍晚除了胡香荪以外，一定还有别的人到过这里来。"

陌生客

霍桑这句话产生了不同的反应。王裁缝张开了嘴，呆住了答不出话来。旁边的胡世芳也挺直了身子，显着惊异之色。我也觉得霍桑的话有些突兀，但我相信他一定有事实的根据，绝不致凭空而发。这话有着重大的关系，如果证实了，胡香荪的嫌疑自然可以减轻，这案子也可以另展一种新的局面。

王裁缝踌躇了一下，点头道："先生，你说得不错。昨天六点半钟光景，真有人来过的！"

胡世芳直立起来："哎哟！我倒不知道！霍先生，你怎样知道的？"

霍桑淡淡地答道："你瞧，书桌边的地板上不是有一个烟尾吗？唔，还很新鲜呢。"他偻着身子将烟尾拾起来，仔细瞧一瞧："不错。我早看出是一种廉价烟。"他指一指书桌上的烟罐："这是高价卖的大炮台，单看烟纸就知道彼此不同。……这书桌上有一只茶杯，这边的茶几上也有一只，两杯中都有余茶存留。这又是一种证据，足以证明新近有人来过。"他顿一顿，又说："胡香荪的话果然不假，他既然匆匆忙忙地进出，当然谈不到茶烟。这样，可见除了胡香荪以外，势必还有第二个人到这里来过。"

胡世芳大呼道："哎哟！霍先生，你……你真是我的香荪的救星！这……这……这另一个人一定是杀死荣锦的凶手——"

霍桑忙摇摇手止住他："胡先生，这话你姑且慢说。请坐下来，别打岔。"

胡世芳勉强地重新坐下，但他的神经还不能怎样安定。他的眼睛张大了，眼球像要凸出来，在比例的衬托下，他的鼻子倒像缩小了些。霍桑仍靠书桌边站着，向王老头子点点头。

他说："老王，你说得明白些。你说昨天下午六点半钟光景有个人来过？"

王裁缝答道："是。先生，正是。在胡少爷来前，另外有一个客人来过。……对，这个烟尾和茶几上的茶，真是那个客人留下来的。"

"这客人你认识？"

"不，是个陌生客，我从来没有见过。不过他和少爷很熟悉。"

霍桑皱紧了眉，显一种迟疑的神色：

"怎么一回事？你把经过的情形说一遍。"

"这客人是上海口音。他问我这里有没有白荣锦。我回答有的。他就掏出一张名片，叫我进去通报。他是个四十多岁人，黑苍苍的方脸。他的个子很高，阔肩膀，身上穿着白纱长衫，头上戴一顶软边草帽，嘴里衔着一支纸烟，说话时很和气。我进去通报以后，少爷立刻请他进去，又喊小秋香送茶。后来小秋香告诉我，伊送茶进来的时候，那客人和少爷正自谈着笑着，所以我觉得他们一定是很熟悉的。"

"你可曾听得他们的谈话？"

"没有，我不曾走进来。"

"小秋香呢？"

"也没有，伊送了茶就回到后面去。"

"有没有争吵的声音？"

"也没有。"

"要是有，你可也听得到？"

"如果这第二进屋子里高声吵闹，我在墙门间里也听得到。"

霍桑停一停，把目光送到窗外，似乎察看那天井的大小。

他又问道："那么这客人你家太太可曾看见？"

王老头儿摇摇头："没有，太太在后面楼上。"

"江北妈子呢？"

"张巡官已经问过伊。伊在灶披间里预备烧夜饭，也没有看见。"

霍桑皱皱眉："这客人什么时候走的？"

王裁缝答道："他耽搁了约莫十分钟光景。"

"你看见的？"

"是，少爷还送他出去。"

"喔，你主人还送他出去？"

"是。"

问答搁一搁。这书房中的空气有些变异。霍桑的语尾的声浪含着一星子失望。胡世芳尤其懊丧，他的挺直的脊梁也突然萎缩了。

霍桑继续问道："这样说，这客人临走时还是客客气气的。是不是？"

老裁缝点点头："正是。我那时正在大门口，听得少爷要送客出来，忙把大门开直。但那来客在客厅后面站住了，再三推辞，叫少爷留步，少爷一再说要送他出来。后来推让一会儿，少爷方才驻步。接着，我便看见那客人从厅后走出来。

"喔，你主人到底有没有送出去？"他的注意的语调又恢复过来。

"少爷虽没有送出大门，但他送到客厅后面，我可明明听得。"

"你听得些什么？"

"我听得他们俩从这书房中走出去，一路谈笑着。末了我还听得少爷向来客道：'那么我放肆不送了。过一天我到府候你。'客人也说：'自己人客气什么？往后我还得常来。再见。'少爷又说了几声'不送，不送'，那高个子的客人便从后面走出去了。"

霍桑的头沉落下去，紧闭着嘴唇，失望的神情再度笼罩他的脸。胡经理叹了一口气，让他的下颌接触他的胸膛。一会儿，霍桑坐在书桌边上，又继续下去。

他问："以后又怎么样？"

王裁缝道："那时天色渐渐昏暗。我提着茶壶到镇上迎月楼茶铺去泡茶。"

"你出门时大门上有人没有？"

"没有。我把大门拉上的。"

"回来时呢？大门怎么样？"

"有一扇大门已给推开了。我正疑惑有什么人进来过，刚才跨进门口，忽然看见有一个人从里面奔出去，就是胡少爷。"

静默再度控制这小小空间。胡世芳抬一抬头，用含怒的眼睛注视着老人。可是只是注视罢了，说不出话。我见霍桑又低沉了头，交抱着两肩，默默地在沉吟。

我乘机问道："老王，你从出外泡茶，直到回来，这中间约莫有多少时间？"

这问句在霍桑似也认为有些价值，因为只抬头向我瞅一眼，并不插嘴。

王裁缝迟疑道："这个……这个我说不出。我只记得我到了迎月楼之后，碰着了几个镇上的熟人，我站住了谈了几句，约略有些耽搁。"

"你耽搁了多少时候？"

"我……我说不定。大概不过一刻钟光景罢了。"

胡世芳突然从椅子上立了起来，大声道："唉，这一点就很值得注意了！两位先生，你们刚才不是经过迎月楼的吗？那里离这里约有三十家门面。王裁缝一来一回，又加着谈话时的耽搁，至少也得二十分钟，在这二十分钟间，不是很有研究价值吗？"

霍桑问道："唔，你的意思怎么样？"

胡世芳得意地说："我看在那陌生客出去以后和我家香

苏进来以前，这中间一定另有第三个人进来过。这个人乘隙行凶，在时间上不是很可能的吗？"他的手也舞起来了。

霍桑仍镇静地说："是的，很可能。不过我们先应和令郎会一会儿面，问问他进来时实在的情形，和他在这书房里究竟勾留了多少时候……胡先生，你坐下来。"

我们的委托人遏制了他的兴奋的情绪，勉强坐下来。他把睁圆的眼睛向我瞧一瞧，似乎很感激我提出了一个有意思的问句。

霍桑又换一个题目："这几天可有什么人来看你的主人？"

老人说："这几天倒没有。可是上礼拜天有个老头儿来找姓莫的……嗯，我想想看。他说要找一个莫秋笙。我回答没有。他也就走了。"

"唔，这个人你也不认识？"

"不认识。他说话北方口音。个子也很高，满脸胡子，戴一副眼镜。"

"还有别的人吗？"

"嗯，还有个山东乞丐，硬要钱，给少爷骂出去。那是半月以前的事。"

霍桑又沉默一下。胡世芳的嘴唇忽张忽阖，像要发表什么，可是给霍桑的冷静状态震慑住，终于没有说出来。

我又乘机问老王："这位白少爷的品行怎么样？有没有冤家？"

老王疑滞说："我不知道。他以前一直不在家里，外面的人缘好不好，我不清楚。"

"那么你的旧主人白菊南生前的行为怎么样？可有和人结怨的事？"

那成衣匠又迟疑了一下，才道："我老实说，他往年很有些凶名，镇上的人背后都不说他好话。后来他的太太跟大少爷都死掉，接连续娶了两个，不料又在三年之中先后过世，到底只剩他一个人。他方才悔改过来，常常做好事。他在最近的三四年中，冬天总施衣施米，镇上人对他也已好得多。不过他生前有没有结怨的人，我可不知道。"

胡世芳再也忍耐不住，扬一扬手，抢着发言。

他道："包先生，关于这一节，我不能不补充几句。以前我内兄很吝啬自私，委实有些刻薄，结怨的事难保没有。我以为他生前也许有什么人和他结下了深怨，此刻他虽已死了，那仇人还不肯干休，特地来杀死他的嗣子，施行一种间接的报复。包先生，你想可合情理？"

"唔。你有怎样的见解？"

"我看这个人势必已经守候了好久，昨天傍晚，趁王裁缝出外的机会，他便乘间下手。这凶手的举动一定很快，我儿子进来的时候，他必已完了可出去，故而没有撞见。"

霍桑忽把反抱的手臂放下了，立直了身子。

他接口道："胡先生，你这想法虽也有成立的可能，但还需要事实来证明。我们还得到镇上去查查，也许有什么可凭的线索。"

他旋转身去，先把书桌上的几本书翻了一翻。那几本都是新近风靡一时的性欲的小说。此外砚池笔架等等，并无可疑之物。

霍桑有些失望，咕哝着道："那张名片呢？"

王裁缝接嘴道："先生，你可是要知道客人的姓名？我还记得那个人好像姓汪。"

"名字呢？"

"这……这倒忘了。"

霍桑又向四周瞧了一瞧，便离开书室。我们也跟着出来。

到了外面，他向胡世芳道："这里的情形，我已约略明白。现在我要到警署里去看看令郎和跟张巡官谈谈。我还打算到附近去查访一会儿。"

胡世芳带着希望的口气，问道："霍先生，你想你到底能把香荪救出来吗？"

霍桑点点头："我想有办法。回头再谈。"

胡世芳抱着一团高兴分手以后，霍桑又向我表示，他准备在镇上多耽搁一会儿，如果时间上来得及，检验时他也可一同在场，故而他当日能否回沪还说不定。

他向我说："包朗，你昨夜一夜没有回家，今天到这里来又不曾通知你夫人。你不如先回去，免得你夫人挂念。这案子我看很简单，你用不着一同留在这里。"

碰　壁

那天晚上霍桑果真留在南翔。我也像胡世芳一般地带着一团高兴回家。因为霍桑曾应许胡世芳"有办法"，又告诉我"很简单"。可是在我的眼光中，还看不透这一层简单的幕。我曾把这案子推想过一会儿，终于没有头绪。据我观察，这案子至少有三种线索：第一，就是那个胡香荪。他的父亲虽竭力替他申辩，但事实上他的嫌疑最重，真相如何，还不能轻易断定。我不知道霍桑凭着什么，就轻轻给予保证。第二，就是那个姓汪的来客。此人在发案的以前和死者谈过，确是一个重要的证人。不过这个人踪迹不明，能否从他身上取证，还不可知。第三，就是我们设想中的那个乘间而入的凶手。王裁缝虽举示过两个嫌疑的人，但这人既不知谁何，自然更不容易捉摸。除此三种假定以外，毫无根据，我自然不能凭空推想。

第二天早晨十点钟光景，我打电话探询霍桑的消息。霍桑已经回来了。但我赶到他寓里的时候，一看见他垂头丧气的形状，便觉得他先前的保证有些靠不住。

据霍桑的报告，他曾在镇上调查过一会儿，收集了几个要证。第一，他已见过胡香荪。香荪的供词，和他父亲所说的大致相同。但他说当他走进书房里去时，是从天井的长窗里进去的。那时候他瞧见那扇通次室的门也开着。从这次室穿过，便是第三进的天井。那里有一扇门可通后园。后园的围墙很低，园外又有高墩。故而若说有人预先伏在园中，乘间审进去行刺，事成后重新退入园中逃走，的确是可能的。第二，霍桑又探得死者在以往的一个多月中，曾连续接了几封信。信中的内容虽不可知，据那老裁缝说，他每次接信，总是慌慌张张，显示一种惊恐态度。并且他读过以后，总急急用火将信烧掉。他平日又不轻易出外，足见得他有所顾忌。第三，在最近两三天中，果真有一个戴眼镜，满脸胡子，高个子的人，在镇上打听过白荣锦的消息。这人起先查问一个叫莫秋笙的人。后来他向迎月楼的一个堂倌描摹出莫秋笙的年龄状貌，堂倌才告诉他这人叫莫荣锦，现在又改姓了白。又据白家的一个邻居老婆子说，在发案一天的断黑时分，伊虽不曾留意在白家进出的人，但在上一天的傍晚，伊看见一个衣衫褴褛的中年男子，在白家的门外逗留过好一会儿，模样儿很可疑。

霍桑从藤椅上仰起了身子，发表他对于调查所得的意见。

他说："我从所得的事实看，这件事并不像我料想的那么容易解决。第一点，我看见那个胡香荪瘦小文弱，不像是个行凶的人。单从死者的伤势上瞧，这个文弱的香荪就绝不会有这种腕力。即使从动机方面说，假定他因夺产起意，要害荣锦的性命，但他们俩既然时常相见，较妥密的谋害方法很多，他何必出此愚策，亲自到荣锦家里去行刺？"

我问道："那么胡香荪已经释放了没有？"

霍桑摇摇头。他抱着他的右膝，低低地叹了一声。

他答道："当那检察官验尸的时候，我曾把我的意见向他表白，请求提早恢复胡香荪的自由。但他们坚持着成见，以为香荪若使没罪，何以他发现了凶案，不进里面去报告，却慌忙向外逃去。尤其是那个颟顸的张巡官，怕人夺功似的一口咬定胡香荪是行凶的人。所以若使没有事实的证据，只凭理论，一时还不容易恢复他的自由。"

"那么，你瞧这案子的真凶究竟是什么人？"

"我最初的想法，觉得事情相当简单。我先要看看胡香荪是个什么样人，他的体力是不是够得上干这件凶案。在我见了香荪以后，认为他没有做凶手的资格，我的眼光便回到那姓汪的来客身上，因为他的体格适合我的设想，非常可疑。但我第二次再问王裁缝时，他斩钉截铁地说他曾亲听得荣锦送他出来，又听得主客间的谈话。这一来就使我的推想上发生了一重障碍。后来我又查得荣锦生前曾有接信惊惧的事，可见他心中定有什么害怕的仇人。他平日不常出门，也是一种畏仇的明证。但当那姓汪的来客投刺进去的时候，荣锦不但不恐惧避面，反立即请他进去，有欢迎的表示。因这两点，便把我的设想根本推翻。"

"你还有别的想法吗？"

"我曾到后园的围墙上去查勘过。墙上长满了许多苔藓杂草，却并没有爬墙的痕迹。但是这墙的高度不到四尺，若使有人会跳，进出原也不成问题。不过这推想太空洞，毫无事实的依凭，我也不敢凭空冒险。"

他沉默了。他的眉峰深蹙着，闭紧了嘴，表现出一种抓握不着的内心的苦闷。

我提示说："霍桑，我们知道那姓汪的客人出去以后和胡香荪进去以前，不是有什么人乘间进去的可能吗？"

"是。不过这个人是谁？有什么目的？不是也很难索解吗？并且事实上究竟有没有这一个人，我们也完全没有把握啊。"

这一番解说显示出那胡汪两人既然都没有干系，重点当然在这个乘间从前门进去，或者跳墙从后园里出进的第三个人。可是这第三个人，除了毫无依据的推想以外，无从捉摸。小小一件案子竟如此幻复，怪不得霍桑要感到苦闷哩。

霍桑放下了膝盖，取了一支纸烟吸着。他兀自紧皱着双眉，低垂了头。那种懊丧失望的形状，使我也十二分不安。他从前探案，无论怎样艰难幻秘，凭着他的奋斗的毅力，总是振作精神，再接再厉，难得看见他这样子失望。我的同情心给激动了，很想助他一臂。彼此静默地思索了一会儿，一种推理触发了我。

我大声道："霍桑，我们遗漏了一条重要的线索哩！"

霍桑突地仰起头来，取下了口中的纸烟，眼睛里顿时露一种异光。

他忙应道："包朗，什么线索？"

我说："荣锦的家里，除了门前的王裁缝外，不是还有两个女仆吗？假使有什么人买通了他家里新雇的江北妈子，叫伊趁空下手。这不是也可能的吗？”

“唔，事实呢？”

“这江北妈子尽可以乘隙从里面出来，看见荣锦不备，突然行刺，得手后仍悄悄地进内屋去。你想也可能吗？”

霍桑沉吟了一下，眼中的异光忽又渐渐地归于消失。

他微微摇着头：“这一着我也早想到。但像这样子的伤势很特别，你总也感觉到。这不像是女子的能力所能办得到的。”

我又道：“你总知道江北妈子的体力大半不输于江南的男子，不能和寻常女子一例而论。”

霍桑仍摇头道：“我已见过那江北仆妇了。我还不敢相信这推理会成事实。”

“山穷水尽”尽适合形容我当时的智能。我既然再想不出什么新的线索，眼见霍桑这样子抑郁无聊，竟也爱莫能助。我们经过十多年的侦探生活，这样棘手的案子我们还是第一次！

下一天报上都载着这案子的新闻。最可恶的，那《公论报》的新闻后面附着几句评语，竟含着讥讽的意味。

那评语道：“私家侦探霍桑君，因着嫌疑犯胡香荪的父亲胡世芳的宴请，竭力替香荪声辩，要求释放。但霍桑所说的只是空洞的猜想，完全没有实际的证据。他既指不出真正的凶手，当然无补于事。久享盛名的大侦探，这一次竟有此可笑的举动，未免近乎滑稽！……”

这节新闻进入了霍桑的眼中，又引起了他的恼怒。

他气愤地向我说：“包朗，这一回事，尽够做他们的讪笑资料哩！”

我安慰他说：“你别理他们。社会本来是残酷的。你成功了九十九次，他们也许会一句不提，但一次失败，他们便会落井下石。"

他摇头说："不，不是这样单纯。你总知道这《公论报》是警探的机关。他们历年以来，表面上虽和我合作，暗地里实非常妒忌。因此，他们一见罅窦，便尽量地攻讦。……唉，这一次我真个要失败了！"

他说完了，忽把右手握着拳头，用力在他的左掌心中击了一下。接着他立起来，拿起他的那只提琴来拉扯。可是弓弦才起落了三五次，他又把琴放下了。他发疯似的在室中乱走，似乎他心中正感到一种捉摸不着的痛苦，一时又没法解脱。我见了十分难受。上夜里我因着他在下午时到公大药行去白走了一趟，烦闷无聊，特地陪宿在他的寓里。晚饭过后，我曾邀他往大世界里去玩过一次。这是个低级趣味的游戏场，我们虽然难得去游，但里面游艺杂耍，百戏罗列，烦闷时换换眼光，未始不是一种调剂。此刻我又想同他去舒散一会儿。我正要开口，霍桑忽立定了向我说："包朗，我想不到这一件看似平淡的案子会这样困人的脑筋！凶手的出进路线固然还是一个谜，连凶手的本身也像是一个可望而不可即的幻影。要不然，我不妨换一个方向，先从找寻凶手入手，可是现在也办不到！包朗，我老实承认，这案子我已经失败了！"

我婉声道："那么，算了吧。人不是万能的，谁没有失败——"

他忽举起了右手："不！不！我还不能承认完全失败！"

我急应道："那更好，我当然还有希望。"

他自言自语地说："我的线索碰了壁，没法再进行。可是就这样子失败到底，我还不甘心！"

我问道："那么这是一条怎样的线索？怎样碰壁的？"

霍桑道："从凶手的本身说，我知道他是一个北方人，腕力很大，也许还会些武艺。你不曾听得白荣锦新近曾到过天津去吗？我想这凶案的主因也许就种在天津方面，只可惜抓握不着！"

"喔，你凭什么知道这案子造因于天津？"

"我们知道有个北方口音的人曾到南翔去访查过他。不过那人访查的叫莫秋笙，可见死者曾改过名字。他回家以后又匿伏不出，接了信又慌慌张张，都足以显示他这一次远行，一定干过什么不可告人的事。"

"唔，很近情。你想死者在天津结下了某种怨仇，那仇人就跟踪而来，实行报复吗？"

"是。不过他干的勾当究竟是什么性质，又和什么人结了怨仇，我们毫无所知。这就是一垛不容易攻破的石壁！"

"那么你不如索性往天津一趟。"

"是，我原也有这个打算。可是昨天我向荣锦学生意的公大药行方面探听过，荣锦往天津去，虽说是去接洽贩运药材的，但他在天津的寄顿的地点和交际的人物，这里绝没有人知道。因此，横在我前面的，还是一垛坚实而没有丝毫隙缝的石壁！"

这天下午，霍桑果真又跟着我往大世界去。他平日最不喜欢往这种嘈杂喧嚣的所在去，但这两天反了常度。他对于我的提议毫不反对，似乎也想借此调剂一下。我们在各种游艺场中消磨了好几个钟头，回寓时已是深夜。我又留在他的寓中住。在临睡的时候，霍桑忽而目光闪烁，现出一种犹豫不决的神气。

他吞吐地说："包朗，我有一个想法……唉，不过这想法太渺茫了。我实在……唉！睡吧！我们睡吧！"

这态度是反常的，足证他的神经上已起了异征。假使这样子延长下去，他的健康上难免不发生岔子。我觉得十二分的不安，但我又用什么来帮助他？

意外线索

下一天早晨，这案子忽有一种意外的发展。邮局里寄来了一封本埠寄发的匿名信，信封上是写给霍桑的，内中只有一张《天津日报》，情势上非常奇怪。霍桑的精神又骤然紧张起来。他把那报纸展开来瞧时，连执报的手指也微微地颤动。他的电光灼灼的眼珠在报纸上一瞥，便不禁失声欢呼："在这里了！"

因着他的暗示，我的呼吸也不禁突然急促。我凑近身去，瞧着他所指的一节新闻。那新闻用墨笔圈出，只寥寥数行："南运河边岸，昨日发现一具女尸。那女子年约十七八岁，怀孕在身，身上衣衫破旧，入水似乎已经多日，全体浮肿，情状非常可惨。这女子的来历无从查考。袋中有一张男子的照片，已给浸模糊了，也没法辨认。现已由同仁善堂摄影棺殓，专候尸属认领。"

我读了这节新闻，还是莫名其妙。那报纸的日期已在半个月以前，更不知它和这凶案有什么关系。霍桑却把那报纸翻来覆去，瞧了又瞧，连满幅的商业和游艺广告都没有遗漏，仿佛他觉得这报上的一字一句都含有什么隐藏的玄秘。静默了三四分钟，他忽然自言自语道："是了，一定是了！……唉，包朗，你将来若使要记载这件案子，应得把它列入我的失败案的一栏中！因为这案子的破获，完全出于偶然的机缘，并不是我的能力！"

他的语声有些颤动，眼睛里有异光。他的精神状态既呈异象，说话又不伦不类，他的神经果真已错乱了吗？他向我瞧了一瞧，似乎已觉察了我的意念。

他向我说："包朗，别害怕。真的，这案子我已经有了把握。我相信今天就可以破获！……包朗，这是实在的！我的神经并不错乱！我告诉你，就是那个——"他忽又顿住了，咬紧了嘴唇，脸容微微变异，刚才那种得意起劲的神色也同时消失。他忽又摇摇头："唉，我委实再应当谨慎些。包朗，现在别空谈。你再耐性些。今天午后三点钟。我再跟你谈！"

我在这种状态之下，当然答不出什么话来。我仍静默地坐着。他立起来，拿起了那张寄来的《天津日报》和那个信封谨慎收藏好。他走到书橱旁边去，又从橱顶上取下了那只提琴匣子。他开了琴匣，开始弹弄那只上一天只曾触摸了一下的提琴，他拉了一曲，调子有些生硬失谐。他似乎要借此震慑他的纷乱的神经，可惜手不应心。

当天本埠的《上海日报》上，我又发现一节新闻，说南翔的那件白荣锦凶案已经结束。凶犯是胡香荪，正待宣判定罪。报上也提起霍桑起初曾替胡香荪辩白过，但以后并没有提出证据，也没有第二次的申请，可见他的侦查这一次也偶然失招。霍桑虽表示过暂时不谈此案，但我见了这节新闻，又禁不住指给他瞧。他瞧了一遍，只说了两句："还来得及！还来得及！"便丢了报纸独自出去。

这一天我真纳闷极了。当时我来不及问霍桑往哪里去，又不便禁阻他。霍桑这种惝恍飘忽的状态，当真有些近于神经错乱。假使不是，他所说的有把握破案的话，又不知有根据没有。他的突兀的说话显然是从那天津报纸上引出来的。但在我的意识中，这报纸和凶案实在找不出连接的环节。一般人都说霍桑侦探案子，往往带些神秘性质。在别案上，我虽不能赞同一般人的说话，这一次却真用得着神秘二字。

午膳时，霍桑没有回寓，我只能冷清清地独自进膳。两点钟过后，仍无消息，我不禁有些担忧。他所约的三点钟再谈，究竟可算数吗？

我好容易挨到两点三刻，霍桑的电话来了。他也约我到大世界去，似乎这地方已引起了他的兴味。但他明明说今天就要破案，怎么又有这样的闲工夫？

我抱着疑团赶到大世界去，仍在杂耍场上找着了他。他坐在那里，正振作精神地向台上瞧着。他一看见我，第一句话便近乎突如其来。

他问道："三点钟敲了没有？"

他的手上明明戴着手表，怎么反而问我？可是我仍不动声色，先在我自己的表上瞧了一瞧。

我答道："三点钟已过五分。"

他"唔"了一声，急急地翻阅他手中的那张游艺时刻表。

他指给我瞧道："瞧，这是杂耍场的时间。一点到两点，吕花容姑娘的京韵大鼓；两点到三点，唐化身的魔术；三点到四点，满江红的口技。现在三点已经过了，怎么这劳什子的魔术还玩个不停？"

我仍不知道他的用意，满腹的疑焰几乎灼破了我的肚子。

我耐不住问道："霍桑，你到底有什么意思？能不能说得明白些？"

霍桑的眼光仍盯在台上，双眉紧紧地皱着，仿佛他恨不得把台上那个穿蹩脚大礼服的玩魔术的唐化身赶下台去，他自己跳上去干一下子。他似乎没有听得我的问句，忽而回头来反问："包朗，前夜里你特地叫我来瞧那个满江红。你想他的艺术程度怎么样？"

我越发诧怪，顿了一顿，答道："他的口技的本领真不错，学什么，像什么，在上海可说是无出其右。但你此刻怎么还有这闲心思？"

霍桑仍自顾自地说："他在一年以前已经到过上海，很受人欢迎。这一次上台，还一星期光景，成绩也不坏。我还知道他是直接从天津来的。"

唉，这句话才提醒了我！

我问道："霍桑，你可是以为——"

霍桑接着道："他的身材不是很高大吗？假使他和那个王裁缝站在一起，不是要相差一个头吗？"

我不禁失声道："你可是说——"我的话又不幸被霍桑阻断。

"你瞧，好！这个讨厌的家伙下台了！唉！……不行、不行！失了风哩！我们走吧！"

当那个魔术家唐化身下台以后，台上忽然挂出一块红纸牌来，写着"满江红有事请假一天，改请冯玉崐三弦拉戏。"霍桑不等三弦上台，站起来拖着我就走。

我们走出了游戏场，霍桑雇了车子，邀我一同回寓。这时候我已明知在霍桑意中，那个口技大家满江红就是这案子中的重要人物。可是这个人怎样会和凶案发生关系，霍桑又怎样会知道，我还是在五里雾中。到了寓中，霍桑先打了几个电话，随即毫不保留地把这事的情由解释给我听。

他说："这案子中有三条线索，除了胡香苏和姓汪的那两个嫌疑人以外，那第三个趁空溜进去的人最是凭空无据。故而我虽想从这条路进行，但没有事实的佐证，终于不敢深入。于是我回转目光，再推想到第二条那个姓汪的来客。我假定这人就是星期日向王裁缝查问莫秋笙的老者。后来在迎月楼探询的人，也就是他，因为戴眼镜和有黑胡子是相同的。莫荣锦大概曾改过名，所以那人起先问莫秋笙，后来查明了，第二次正式访问，一开口就说找白荣锦。这人的体格很高，腕力当然大，合得上我猜想中的凶手的条件，那胡子和眼镜显然是假装的，不过第一次查访时的北方口音还不曾改。这个人虽然有王裁缝的证明，一再说他曾听得他的主人送客出来的声音，但就时间上和下刀的体力上着想，这人确有行凶的可能。因此，我就成立一种假定——这个人如果精于口技，他一个人在厅后装作白荣锦送客的声音，瞒过了看门的老王，他的诡计不是就可以成就了吗？"

我沉吟着说："猜想果真是可能的，不过太巧妙，有些近于神秘哩！"

霍桑点头道："原是啊！因此之故，我当时虽有这种想法，也还不敢自信。我又不知道白荣锦在天津方面的行径，前进没路，真像面对着一堵石壁。你见我纳闷无聊，又知道我喜欢听口技，两次约我往大世界去，听一个新近到上海的角色表演。我又得到一种触发，一见满江红以后，引起了我的进一步的推想，譬如他的身材，他的口技和他到南边来的日期，都相合符。他是北边人，那种奇怪的刀法，又是北方人的特征。包朗，你总听得过北方走江湖的人们，行刺时常用棉花裹住刀柄，渗住血液，所以下刀以后往往神不知鬼不觉。但是设想是成立了，我又怎能说得出口？这两个人真是风马牛不相及，我怎能把他们连接起来？所以我一再要向你说明，却总没有勇气出口。直到今天早晨，我忽而接得了几张报纸，于是这两者中间的一条深沟便给凭空地架起一条渡桥！"

"就凭这一张报纸，你才把这两处不同的人物连接起来的？"

"是。我起先最解释不出的，就是这个满江红和白荣锦有什么纠葛，竟致要行凶谋害。但我读到了那报上的新闻，便明白了。他所以杀死白荣锦，一定是出于一种抱不平的侠义感情。这个可怜溺死的女子大概是被那白荣锦所遗弃的。满江红或和那女子有些关系，或者竟是纯粹出于义愤。他觉得白荣锦残恶无情，便杀死他，替那女子复仇。此外，那天津报上还登着满江红在大罗天游艺场奏技的广告。于是我相信我的推想已近于事实。"

"你想满江红的行凶会是出于义愤吗？"

"是，有可能性。古代的燕赵游侠风尚也许至今还剩留一些。"

"可是在这物质气焰高涨的时代，这风尚剩留得也不多哩。"

"不。凭物质的眼光看，这种风尚，虽近乎浪漫，但在现社会上——尤其是下层的工农社会中——我们随时还可以找到同样的例证。况且我的假定也不是完全没有根据。你想他假使为了自私的缘故行凶，怎么还肯把这张报纸寄给我？"

"怎知他不是因着他的阴谋已给发觉，想借此掩饰？"

霍桑似有些不耐，立起身来，皱眉道："好！我们不必空辩。你等着瞧吧。"

室中一度静默。我也仰起身子，从书桌取了一支纸烟，一边吸着，一边又提出质问："那么你还有方法找到这个人吗？"

霍桑低头踱着，缓缓地答道："今天早晨我已经探得他住在西新桥长春客栈。我去访问过一次，他已经出外。午后他又没有上台，似乎他已经走了。刚才我打电话给汪银林和倪金寿，料想不久总可以得到他的踪迹。"他踱了几步，立定了："这白荣锦多分是个坏蛋，死有余辜，我原不愿意教这满江红作法律的牺牲。不过那胡香荪显然是冤屈的，若非满江红来证实，却又没法恢复他的自由。"

一阵子急促的步声阻断了我们的谈话。接着有一个人骤然间推门进来，两眼大张，大鼻子上缀着汗粒，神情十二分张皇。这人就是我们的委托人乾康染坊经理胡世芳。因着他的突如其来的闯入，不由使我们俩都愕然相对。

他喘息着说："霍先生，我的儿子有希望哩！……那个杀死白荣锦的凶手今天已到警察局去投案自首。他叫瞿公侠，就是在上海唱口技的满江红。他已经完全承认了。我恐怕你再向别方面去侦查，空费心力，特地来通知一声。"

风雨之夜

东方民族的浪漫思想素来是很浓烈的。我以为因着近代物质文明的影响，一切都趋于平淡枯燥的理智化，这种丰美热烈的浪漫情绪已渐渐消归乌有。不料我的观念是错误的。这种崇高热烈的侠义精神，至今还留存在我中华民族的血液里面。

那瞿公侠的所以行刺，果真不出霍桑所料，完全出于义愤。他的供语，当时的报纸上载得非常详尽，我这里不必赘述。他本在天津卖艺，在旅馆中看见一个单身的女子，每夜在室中哭泣。他产生了同情，有一天便向伊询问情由。那女子起初还不肯吐露，后来才说出伊本是上海人，因着一时情热，受了一个男子的勾引，便背了家庭，卷了些饰物，跟了他逃到天津。他们相处了一个多月，钱用完了，那男子便托词家里有信催他回去，就独自回南。他一去不回，就把伊丢在异乡。那女子的钱财既尽，身上又怀了孕，再没有面目重回家乡。伊虽靠着典质衣服挣扎着，再三写信去问，却音信毫无。瞿公侠曾见过那男子的照片，又曾从伊寄发的信上，知道了那男子的姓名住址，但伊自己的姓名，伊始终不肯吐露。瞿公侠当时曾尽力安慰伊，又借钱给伊，允诺伊一有机会，带伊回上海。不料在一天晚上，那女子忽然失踪，隔了三天，才知伊已投河而死。

他受了这一次刺激，很觉不平。那时恰巧上海大世界游艺场派人去聘他。等到他应聘到了上海，便蓄意探问这薄幸男子的下落。这男子就是起先改名叫莫秋笙的白荣锦。

瞿公侠的初意，只想找到了他，把他痛斥一番，再叫他到天津去把那女子的棺木迎回来安葬了，原没有杀死他的意思。后来他闻得这莫秋笙已经改姓换名得到了遗产，又另外和一个富家女子订了婚，才觉这个人居心太刻毒。因为他查出白荣锦承继遗产的时间，正是他丢了那女子回南边来的时间。这可见他不是穷极无聊一走了事那么可恶，他是为了从穷光蛋变作富翁，才抛弃那可怜的女子，预备另配高亲，所以那女子寄给他的信，他一概不理。瞿公侠认为这个人太没良心，决定不能再让他留在世间。

那天傍晚，他假托了一个叫汪翼德的名义，定意进去行刺。这假托的姓名本是白荣锦的好友，瞿公侠偶然从那女子口中探得的。他特地印了一张名片，冒名进去。白荣锦起初果真不疑，但一见面后，荣锦便起疑心。公侠取出刀来挟制他，禁止他声张。等到那小使女秋香送茶进去的时候，他故作笑谈的声音，不使露出破绽。后来他诉说荣锦的罪状，荣锦天良发现，竟低首无言。接着瞿公侠就用刀把他刺死，又取回了名片，关好长窗，一路利用他的口技，装作主客俩的语声，掩住了外面守门人的耳朵，悄然地脱身。

事后，他看见报上的新闻，有一个胡香荪蒙了凶手的嫌疑，又知道霍桑正担任这件案子，却也没有头绪。故而他特地把从天津带来的一张报纸寄给霍桑，希望他借此作一种线索，给胡香荪洗刷。后来他又觉得空言无补，势不能使胡香荪出罪，他凭着他的义侠的精神，不愿意连累无辜，就自己去自首了。

我国的法律，对于这种举动原没有多大宽恕的余地，所以这义侠的瞿公侠也不免给定了十年徒刑。霍桑曾给他请过一位律师，竭力给他申辩，效果却不大。可是隔了一月，我们这一种缺憾竟意外地得到了弥补。这个大侠，竟在一个疾风暴雨的晚上越狱而出，不知去向了。

舞宫魔影

我和霍桑分居以后，一方面固然享受了甜蜜的家庭幸福，另一方面却错失了许多机会，对于那些离奇惊人的巨案，我竟不能一件件亲身参加。比如那《新婚劫》《魔窟双花》《夜半呼声》等奇案，我都没有参加——或是因着我旅行在外，或是霍桑觉得我笔墨繁忙，或家务缠身，就也不通知我，由他单独进行。这一着我不无认为遗憾。不过我的抱憾当然只是指我的不能参与侦查，在发表方面是没有出进的。事后我若使认为案情奇诡，或者含着警惕世俗的意味，我仍能借用他的日记，把案子记述出来。这一案也就是霍桑个人的成绩，我是凭着他的转述记述的。包朗记。

红舞星

人们如果在浪花路的转角经过，最先接触眼帘的，定是那一宅巍峨而气势宏伟的华屋。那屋子的大门是罗马式的，四根花岗石的柱子既粗又高。从街面到那门口有八九层石级，都琢磨得光滑异常，又因着侍役们的勤加拂拭和洒扫，真是纤尘不染——人们看见了，自然而然地会觉得若使足上不曾穿着高价漂亮的鞋子，绝不敢冒昧地践踏上去。在大门上端的一双大钟下面，有五颗小电灯缀成的凸出的五角星，每一颗星中嵌一个字，合拢来就是"广寒宫舞场"。每天晚上八九点钟以后，这舞场门前形形色色的电灯，在相离五十码处已足使人目迷。那时候的景状，若用"华灯既张""车水马龙"两句成语来形容，可算得确切不移。

这故事开始的日期，恰在九月二十七日的日暮以后。天色是阴沉不雨。一阵阵的秋风已开始向一般无产阶级发出警告。可是秋之神的权威也有限制，一达到广寒宫的玻璃大门，竟被挡驾了没法行使。原来广寒宫的里面依旧是暖和的三春。里面的人们不但身体上绝对不感觉秋的权威，连他们的心灵也似乎沉沉陶醉了，绝对感觉不到什么秋意。

九点钟光景了。舞场里面早已麇集了不少男女舞侣。自然，这远不是最热闹拥挤的时候，那些惯于寻夜间乐趣的少年们，仍在从舞场门口陆续地进去。这时候有两位没有资格踏上那石级的人物在那石阶下面徘徊着，好像有所期待似的。这两人中的一个，躯干高大，足有六英尺左右，两臂粗壮有力。他身上穿一件旧黑玄绸的夹袍，脚上一双薄皮底的深口番鞋，似乎很便于奔走。那夹袍的纽扣不但头颈上面的一个没有扣上，连那右肩下的一个纽扣也已断碎，因此那襟角便斜垂在胸前。他头上那顶深灰色的呢帽，看上去似乎是重价的东西，不过小了些，故而那帽檐虽然向下覆着，却仍罩不住他的一双眼球充血的眼睛和一脸可怕的横肉。他的同伴的身材却又瘦怯怯地绝对不同，就高度而论，至多只有他的三分之二。那瘦子穿着一件半旧的灰色呢袍，一件玄缎马甲，头上戴一顶花呢的鸭舌帽，也一样压得很下。这人的脸色既黑，加着颔下和两鬓的髯根似乎已三四天没有修剃，越发黑得厉害。他有一个有些弓钩的鼻尖，一对高低不匀称的招风小耳和两粒深棕色的眸珠，都表示他的狡猾多谋的智力，一定远胜他的富于体力的同伴。

那穿玄绸夹袍的大汉向着他的同伴，附耳说："小黑，你想会不会落空？"

那叫作小黑的瘦子很有把握似的答道："放心，只要我们有耐性。"

"可是站在这个地方，不大方便。"

"对，我们得找个妥密的立足地——慢！大彪，瞧，那石柱下不是搁着一块木牌吗？写些什么？我去瞧瞧。"

"小心啊！别惹眼！"

"我懂得。你在那边等着。"

机会相当巧，这时候没有人在石阶上上下。张小黑绝不过虑他的那双毛布底鞋有没有资格踏上那光洁的石级，竟一步两级地跨到那块广告板旁边。板上写着两行字："今晚十时，特请舞蹈明星柯秋心女士主舞霓裳舞。爱美同志，务请早临。"除了这几个字，广告牌的右角上还钉着一张柯秋心的照片。张小黑很识得好几个字，瞧了一瞧，暗暗点了点头，便急急地退下来。他站在离门五六码外的同伴陈大彪的旁边，便向他做一个满意的报告：

"大彪，我们准不会落空！那牌上写的就是我们心眼中的那个角儿。今夜伊要舞什么霓裳舞，那尽足保证伊一定要来。"

"那么那条劳什子，今夜伊可也会戴了来？"

"发愁做什么？娘儿们除掉了装点的东西，凭什么可以勾引动男人？那劳什子是伊唯一出风头的法宝，怎么会不戴出来？"

"也难说。要是伊为小心起见，也许——"

陈大彪的话突然顿住了。一辆汽车驶到了石阶下面停住。

张小黑忙拉一拉同伴的袖子。大彪知趣地立刻住了口，跟着张小黑避在一旁。他们俩的眼睛却仍眨都不眨地偷瞧那从汽车中走出来的一男两女。

张小黑又附着他的同伴的耳朵，说："瞧啊！不是伊吗？现在你总可以安心了吧！"

陈大彪低声答道："唔，真是伊！那条珠项圈果真也戴着！唉，伊打扮得多么漂亮啊！"

"哼，我料得准不准？我早知道伊一定会戴出来。今夜里伊要跳什么特别舞，怎么肯不出风头？"

"唔，神机妙算！喂，小黑，你说这条劳什子值一万多？"

"也许这不止，两万三万都说不定。"

"可是到了我们手里，就不能到这数目。是不是？"

"这也不用你操心，只要弄到手，怎么样脱手，我早有了销路。"

"那顶好！"

"我告诉你。这东西是一个银行经理送给伊的，小报上已经闹过好一会儿。这远是三礼拜以前的事——唉，他们走上石阶去了。来，我们不妨向前一步。"

陈大彪跟着走近了石级旁边，又说："伊后面提衣箱的那位胖胖的女人谅必是伊的女用人。那个穿青哔叽西装的男人，你想可就是伊的相好？"

张小黑摇摇头："谁知道？伊的相好何止一个？管他做什么？"

"不过我们动手起来，这家伙要是出来干涉，我们怎能不防？"

"我们得看风使舵，当然不能随便乱动——他们进去了。

我们得找一个地方，耐性些等一会儿。"

那张小黑和陈大彪心目中所最注意的两女一男，一走进广寒宫的第三重玻璃厚门，恰巧和那位身材矮小西装笔挺的舞场经理胡少山迎面相遇。胡少山走过来和那男的招呼。

胡少山说："百喜，今天你来得迟了！好多人都已问起过你。徐小姐已经找过你三次。"

王百喜一边把眼光向那灯光幽淡的舞池中打了一个圈子，一边含笑答道："胡老板，你又取笑，伊找我有什么事？今晚上表妹的咳嗽又发得厉害，我不能不陪伊一块儿来。"

他回脸瞧瞧旁边的柯秋心。秋心果真又咳了几声，忙用一块白巾按住了伊自己的樱唇。

伊低声道："小莲，走。"

柯秋心旋转身子，沿着右侧里的一条甬道，踏着一双银色舞鞋，咯咯地向化妆室走去。伊的侍女严小莲提着箱子跟在伊的后面。王百喜还站着不走，仍和那胡经理在那里挤眉弄眼地谈。

化妆室中已生着汽炉，温暖得使人醉眠。柯秋心坐下了，定了定喘息，才叫小莲把伊身上的一件淡绯色毛质的斗篷卸下来。伊穿得非常单薄，只有一两层蝉翼似的紫色细点的薄纱，掩盖了伊的胸部和肩部，那两臂和肩膀的大部分完全裸着。伊的颈项间的那条白光四射的高价的珠项圈，似在和伊的玉雪的粉肌做无形的竞胜。当严小莲给伊卸斗篷的时候，嘴里不自觉地暗暗地叹息着：

"小姐，你的一身可爱的肉快消完哩！"

柯秋心正低垂着头思量什么，因着严小莲的叹息，伊仰起头来。伊向着对面的镜子里瞧一瞧。伊本来丰腴的肌肉果真已消瘦多了。伊瓜子形的脸原是非常停匀的，此刻那两面带着些红晕的颧骨仿佛已露了些痕迹；一双明澄含波的眼珠，也因着暗暗弹泪和久久颦蹙，减少了敏活和妖媚，樱唇上因着彩色的助力，固然仍鲜红可爱，但假使抹去了染料，伊先前所有的天然美色此刻也已无形消灭，只有伊的一头乌黑的美发和柔娜的腰肢，还仍保持着少女固有的美。

伊回过头来，说："小莲，你不是疼我吗？我可只顾这一身肉早一天落完，才可以早一天出罪！"

柯秋心又一阵子咳嗽，几乎透不过气来。严小莲急忙在伊的背上轻轻地拍了几拍，又把皮包中的一个小药瓶取出来，在杯子中倒出了些，给秋心喝下去。秋心一手用白丝巾按住了嘴，一手兀自向小莲摇着。化妆室的门给推开了。王百喜很暇豫地踱了进来。他见柯秋心正在拒绝药杯，便凑近些向伊说话：

"秋心，怎么不吃药？吃了也许可以减轻些你的咳嗽。"

柯秋心用白巾轻轻地抹了抹嘴唇，顺手丢在化装桌上，一边举起纤手来整理伊蓬松的头发。

伊答道："谢谢你，我觉得咳也好，不咳也好。"伊终于将女仆的药杯推开去。

王百喜的嘴唇微微牵动了一下："可是我总觉得你咳一声，我的心头会痛一痛。"他看见秋心不再回答，凑得更近些："秋心，我有一句话，你得注意。时机不可失。今夜里的戏，你得着力些才好。"

柯秋心斜过脸来，似乎正要答话，忽而喉间的咳嗽声又作，只得忍住了不说。王百喜默瞧一会儿，看见伊的咳嗽继续不止，便皱着眉头退出化妆室去。严小莲又赶到秋心的身旁，说了几句温慰的话，重新拿了药杯，继续伊的劝进工作。

嫉　妒

　　王百喜在广寒宫舞场里面可算是一个重要人物，除了舞场经理胡少山以外，交际的范围也要算他最广。他是个快近三十岁的青年。他瘦长的身材，穿着时式称身的深青哗叽西装，可当得挺秀的考语。他的面色略带些黝黑，但那长方形的脸，宽大的下颚，浓黑的双眉，锐利的眼光，都不失新时代的男性美，他的温柔的语声，和那副活泼中含着些媚意的眼睛，在交际方面容易占到便宜，尤其容易得到女人们的欢迎。

　　舞场中的来客越来越多。靡靡的乐声开始响起来。王百喜的肆应周旋也加添了忙碌。他忙过了一会儿握手点头，才和他的舞侣徐楚玉坐下来。一个硕腹肥脸，穿深紫缎袍围花黑马褂，戴瓜皮小帽的中年人，喘息咻咻地绕着舞池走过来。这人是大丰纱厂的经理贾三芝。

　　王百喜含着笑容，立起来招呼："老贾，你找我？"

　　贾三芝站定了，答道："小王，你倒一猜就着……喂，徐小姐，别见怪。我要跟小王做三分钟谈话。"他把戴着一双钻戒和夹着一枚雪茄的右手向徐楚玉扬一扬："对不起，我打断了你们的谈兴。我知道，我实在太不凑趣。"

　　徐楚玉也是广寒宫里的一个舞星，年纪比秋心大一岁——二十二。伊有一身丰腴的肌肉，一幅漂亮的面容，加上一双蛊惑力特强的媚眼，在一般人眼中，确要胜柯秋心多多。不过就舞蹈的艺术上讲，却不能不让秋心独享盛名。伊向贾三芝丢一个媚惑的白眼，啐了一口，一扭身从软椅上立起来，向着舞池中心走过去。贾三芝目送伊走远，便接受了伊让开的座位，开始和王百喜密谈。

贾三芝低声说:"小王,我说一句心腹话。你的表妹的姿态和伊跳舞时那种袅娜的身段,委实使我佩服极了。不过伊对我好像有些另眼相看。你想什么意思?"

王百喜正衔着一支纸烟,嘴角上微微露着些笑容,答话时纸烟仍粘在嘴唇上。

他淡淡地重复说:"什么意思?我看这句话得让我说。"

贾三芝道:"你还不明白?唉,听我说。自从你给我介绍了以后,伊陪我舞过一次;隔了两天,因着我再三地请求,才再陪我舞了一次;直到如今,还没有和我舞过第三次!前天晚上我约伊到中华饭店去吃晚饭,伊也拒绝我。小王,你知道这里面有没有缘故?"

王百喜吐出了一口烟,把眼睛合成细缝,含笑说:"老贾,你的话委实太可笑!我怎么会知道?"

"嗯,卖关子?嗯?"

"我看你也是在交际场中混混的,怎么连起码的交际常识都没有?"

"怎样的常识?嗯,你原来是此道的专家。是不是?"

"好,你既然承认我是专家,我不妨就给你上一课。假使你要跟女人们交际,女人的心理和交际的程序,先得研究研究啊。"

"女人的心理,我也有些经验,口袋松是第一着。我曾允许过伊,伊只要再陪我舞一次,我绝不让伊吃亏。不过不对路。我觉得伊对我的冷淡,原因并不在此。"他让雪茄灰弹落些。

"那么,你想原因是什么?"

"我觉得那位姓杨的孩子很像——"

王百喜忽把纸烟取在手中，插口道："不会。别想入非非。你只要依着应有的步骤进行，当然会接近。"

"喔，你想一定会？"他吸一口烟，"那么今晚上再费你的心，介绍伊给我舞一次。"

"太笑话！你自己既然不懂得怎样着力，怎么一再叫人家代劳？"

"喂，好朋友！别这样说。现在交际场中，做表兄的给表妹介绍一两位男朋友，是应有的义务。你不能推辞。"他用肘骨抵一下百喜的膀子，"喂，小王，别拿乔，我绝不忘掉你！"

两三个舞女手挽手地走过来和贾三芝打招呼。贾三芝正要等百喜的答话，突然间遭这打岔，感到十二分的懊恼。他不耐烦地把舞女们敷衍开了，还想追索王百喜的答语。王百喜忽而立起身来，眼光注视着舞场的入口，嘴里低低发出一种呼声：

"杨一鸣来了！"

舞场的入口处，有一个西装少年，正站住了向围集在舞池中央的舞女们瞭望。他穿一身细柳条淡灰色薄呢的西装，式样很入时，足上穿一双漆皮舞鞋，也光亮可鉴。他的年纪不过二十五六，白皙的面孔上配着一双黑而灵活的眼珠，一个笔直的高鼻，加上那卷曲而浓润的美发，都显得他是一位俊美的少年。他的右手里执着一顶灰色的铜盆帽，左手臂上挂着一件淡鼻烟色的春呢外衣。他的眼光先射向舞池，随后又向围绕舞池的许多座头掠一掠，好似急于要找寻什么。一位舞场仆欧早已恭敬地候在他的旁边，预备接受他的外衣和帽子。可是杨一鸣竟出神似的完全不理会。

"一鸣，为什么发呆？要找秋心？"

杨一鸣听了这句话，方才把他的流转的目光收缩回来。他回头一瞧，才知说话的是位头发发光穿栗壳色西装的少年，是他在这舞场中相识的一个朋友，叫宋兆源，是个学程尚未修毕交际科已经及格的大学生。他更向他的右侧里一瞥，又发现那个穿白制服的第七号侍者杏生也呆呆地伺候在他的旁边。他有些窘。当他把外衣帽子交给杏生的时候，自己觉得颧骨上有些微热。

他搭讪着回答："我找个朋友。兆源，你来得早。"

宋兆源横着眼光，瞧在他的脸上："找个朋友！谁？不见得是我吧？"

杨一鸣回答不出，一时觉得难于应付。忽而对方面又加添一支生力军。第二个舞伴银行职员蒋哲生也走过来参加他们的谈话。蒋哲生摸一摸他的那条灰色法兰绒裤的烫缝，又抽一抽他的一条紫酱色领带，伸手在杨一鸣肩上拍一下。

他笑道："一鸣，我劝你还是老实些好！翻门槛，怎么想翻得出如来佛的手掌？你不是找秋心找谁？"

宋兆源道："我早猜着了。他偏不承认。一鸣，今晚上你的新夫人既然没有一块儿来行使伊的监视权，你就承认了，也不会闹什么乱子啊。"

一鸣窘极了。这两个是著名的和调客，唇枪舌剑，都有过专门的训练，口齿嫩些，实在不容易应付。

他勉强答道："喂，你们别乱说。不错，我真是瞧秋心。不过就是我的爱美一起在这里，那也一样没有问题。"

宋兆源冷笑说："喂，硬汉子！好一个不怕老婆的硬汉子！"

蒋哲生附和道："兆源，你说错了。他会承认吗？他明明在称赞他的新夫人的贤德大量啊！"

杨一鸣不由发急地辩道："你们说到牛角尖里去了！老

实说，我只是极端赞佩秋心的舞蹈艺术。爱美也是一个崇拜艺术的信徒。伊对于秋心，也和我有同样的态度，有什么问题不问题的？'量'不'量'的话更是文不对题！"

蒋哲生笑着说："唔，话真是冠冕堂皇极了！你是爱伊的艺术，不是爱伊的人。是不是？可是像我这般粗俗的人，可不懂得'人'和'艺术'怎么样分开来。一鸣，你能不能给我解释解释？"

杨一鸣被两个人一吹一唱地包围着，给逼得无路可走，忽见王百喜缓缓地向他们走过来。他忙低声警戒他的两个同伴：

"喂，留神些，别乱说了。伊的表兄过来哩。"

王百喜走到了这三个人的近旁，蒋和宋便故意退开了，让他们谈话。王百喜向杨一鸣点点头：

"一鸣，今晚你夫人没有来？"

"是。伊有些头痛。伊也很想来欣赏一下令表妹的霓裳舞，可是伊的身体不让伊来。"

杨一鸣摸出一双银质的烟匣，开了匣子，取出两支镶金头的土耳其烟来，一支送给王百喜，一支自己用打火机烧着。王百喜吸了一口烟，带着微笑瞧一鸣：

"我想起来了。一鸣，今天《舞艺周刊》上登着你的那篇大作，我已经拜读过。你捧秋心，我们很感激。不过你捧得太过分了。"

"那都是实话，一句没有过分。柯女士的艺术天才委实没有人及得上。我和伊合舞的时候，进退转折处处都自然合节，我真佩服。爱美也欢喜舞蹈，但就舞蹈的艺术上讲，伊远不及令表妹。"

王百喜笑一笑："一鸣，你真是一个醉心舞蹈的信徒。不过你得提防着魔啊。"

"着魔？什么意思？"杨一鸣瞧在王百喜的脸上，似在等他解释这句话的含意。

王百喜又笑一笑，便用别的话打岔："喂，一鸣，那天我听说你们的蜜月旅行，不久又要换地点。你们打算几时离开上海？"

"我们本来打算在上海耽搁两个星期，现在已打破了我们的预定计划。下星期一我们总得走了。"

"你们再要上哪里去？"

"上普陀去。"他顿一顿，又接续道，"百喜，我有一件事，正要请求你同意。我们很想邀柯女士一同往普陀去散几天。你能答应吗？"

这问句王百喜似乎不曾提防。他呆了一呆，才缓缓地答道："这个似乎不很方便吧？"

"为什么？"

"你们是蜜月旅行，秋心参加进去算什么？"

"那没有关系。爱美很赞成。"

"那么伊在这里的职务又怎么样？"

"不能请几天假吗？这损失我可以负担。你是伊的保证人，我不能不先请求你的允许。"

王百喜寻思了一会儿，才道："这个我还不能答复你。我得先问问表妹……唉，时候到了。秋心大概要出场了。"他又点了一点头，匆匆地向舞池中走去。

杨一鸣从入口处移几步，到了舞池边的一根柱子旁又站住不动。他回想刚才的请求王百喜没有回绝，一定还有希望，他感到高兴。他不会注意到他的斜侧里有一道可怖而含敌意的目光恶狠狠地向他注射着。这人就是那圆脸肥腹戴西瓜皮小帽的贾三芝。

密　谈

凡在广寒宫里出进的男女，对于柯秋心的舞艺，可说没有人不佩服。虽然内中不免有几个含着嫉妒的人，表面上当然不愿意附和称扬，心底里却也不由暗暗赞叹。那晚上大家看了伊所创制的霓裳新舞，更见得伊的艺术的匠心确乎高人一等。伊的袅娜的腰肢，轻盈的体态，在舞的时候，忽徐忽疾，忽俯忽仰，那种种柔娜的动作，娉婷的姿态，处处都曼妙神化。要是把那"惊鸿游龙""流风迴雪"等成句来描写，也还觉得不很熨帖。

当柯秋心舞时，全场的人个个都敛神静瞧。一个纸醉金迷的舞场，霎时间竟变成了只有雅乐妙舞的清静世界。等到乐声停止，霓裳舞终了，那一阵热烈的掌声几乎把全场的灯光都震得颤动起来。若要把这些男女的赞赏热诚的程度定一个高下的等差，女的方面自然要比男子们逊色些，尤其是那位徐楚玉。表面上伊虽也同样地在那里拍手，伊的掌心却是冷冰冰的，仿佛伊的两个手掌并不曾有过密切的接触。男子方面有两个人赞美得更其热诚——那不消说就是杨一鸣和贾三芝。

在舞罢的五分钟后，柯秋心的化妆室中挤满了人——自然男子居多。有些来致他们的赞美词，也有人赠送花篮银盾和其他珍物，以表示他们的赞佩。柯秋心的身体本已十二分疲乏，可是因着众人的盛意，又不能不勉强地答谢。杨一鸣也在伊的旁边，看见了伊的勉强支撑的神态，恨不得走上去，把那些人一个个驱逐出去。

柯秋心的咳嗽又发作了，而且喘个不停。那些知音的来宾们方始逐渐地退了出去。只有那贾三芝偏不知趣，捧着一大束鲜花，还蹒跚着走进来。他看见众人既已散出去，似在自庆他抓到了单独谈话的好机会。他的脸上充满了可憎的笑容。可是他一到里面，忽见里面还有一个人——杨一鸣正站在秋心的沙发背后，弓着腰和伊附耳谈话。贾三芝的脚步停了，两眼中几乎射出火焰来。他站一站，仍勉强镇静着走近去，把花送到秋心的面前。秋心自然也照例仰起了些身子，伸出手来，很郑重地接过了花，同时还含着笑容谢一声：

"贾先生，谢谢你。"

贾三芝受了这个荣誉的酬报，忽把他的肥润的腰围弓得更低些，笑嘻嘻地说话：

"柯小姐，你舞得真好！你的身子在舞池中旋转的当儿，我的眼光完全迷乱了，我的身子仿佛跟着你一同摇着旋着，我的两腿也差不多——"

杨一鸣看见秋心的脸上现着耐不住的神气，又觉得贾三芝的话刚才发了一个引端以后不知要唠叨到什么地步，便禁不住从中阻截：

"贾先生，你不见柯女士疲乏得厉害吗？我们不应再惊扰伊，让伊静悄悄地休息一会儿吧。"

杨一鸣说完了，先自走出化妆室去。贾三芝受了这不快意的训话，心中说不出的恼恨，觉得留也不是，退也不好，一时竟呆木木地站着。幸巧严小莲走过来给他解围。

伊说："贾先生，小姐又咳起来了。请你到外边坐一坐，别的话回头谈吧。"

贾三芝才有了下场，一边退出，一边点头道："好，好，柯小姐，你养一会儿神，我准在外面等你。"

十点半过后，场中的舞侣依着柔曼的乐声，一对对地舞起来。舞侣中兴致最高和舞的姿态最优美动人的，要算王百喜和徐楚玉。杨一鸣起初只坐在舞场的一角，默默地吸烟，并不加入舞队，虽有两三个舞女邀他舞，他都拒绝了。那蒋哲生的弟弟蒋哲明走过来，强着他同舞。他才勉强舞了一会儿，不久，他又回到了场角的老座上去。贾三芝似乎和杨一鸣患着同样的心病。他虽曾答应了另一位舞星张英娥的兜揽，舞了一会儿，但他的恍惚的心却明明别有所属，并不在张英娥的身上。

十一点了。贾三芝很无聊似的站立在舞池旁。一队队舞侣从他的面前经过，他却像出神一般地没有瞧见。他偶一抬头，忽然看见柯秋心又换了一套纯白的装束出场。伊走到舞池边，站住了不动。贾三芝的悄恍的神思忽似从什么很远很远的地方收缩了回来，他的眼睛里顿时射出光彩，心房的跳动也加了速度。他看见柯秋心的眼光恰和他成一平行的直线，并且含着浅笑，似乎正在向他微微地点头。他快乐极了！他伸手在他的围花马褂的领头上摸一摸，急匆匆地走到柯秋心的面前，赔着笑脸，柔声说话：

"柯小姐，你——你可是——？"

柯秋心的脸上笑容忽然消失了。

伊怔了一怔，匆忙地答道："贾先生，对不起。我已跟杨先生约过了。"

伊的脸上的微笑重新恢复。伊的眼光仍和贾三芝成一直线，不过从他的肩头上穿了过去。贾三芝张大了眼睛，依着伊的视线回头瞧，才看见杨一鸣恰已走到他的背后，转瞬之间，他看见这一男一女半抱半挽地加入了舞队中去。

在这两星期以来，杨一鸣和柯秋心已成了分离不开的伴侣。秋心的舞艺固然是出神入化，杨一鸣原不能匹敌，但因着他努力地追随，竟也能应付裕如。但这晚上秋心因着舞过了一次霓裳舞，精神上的疲惫一时还不能恢复。伊舞的时候，呼吸很急促，不时要咳出嗽来，伊却竭力地忍制着。杨一鸣便停了脚步，低声问伊。

他道："秋心，你非常气急，不是要咳吗？好吧，我不愿你再舞。我们去喝一杯咖啡，休息一会儿。"

他们俩退出了舞池，悄悄地溜进了酒排室。那时候舞池中正涨着高潮，舞侣们的舞兴醋畅淋漓，酒排室中却无一人。这是杨一鸣求之不得的机缘。他扶着秋心在一角的一张小圆桌上坐下来，喊了两杯热咖啡，开始和秋心密谈。

一鸣说："秋心，我觉得这样子下去，对于你很危险。"

柯秋心回过脸来瞧他，面上露着诧异的神气。伊顿一顿，才提出反问：

"很危险？你指什么说？"

"我看你的身体实在不宜于这种生活。"

秋心又呆一呆，忽而抿着嘴咯咯地笑一笑，可是笑声似乎不大自然。

伊说："你不赞成我的生活？我自己很欢喜呢！"

杨一鸣似出乎意料，瞧着伊的眼睛，一时不回答。一个仆欧送上两杯热咖啡，随即退开去。一鸣将杯子在瓷盆中旋了几旋，目光仍谛视着伊的脸：

"秋心，你说你喜欢这种生活？"

"是。"

"这是你的心话？"

"什么叫作心话呀？"伊的语气有些似正经非正经。

一鸣用着恳挚的声音说："秋心，你有什么难处，不妨告诉我……"

伊又强笑说："唉，我看过你写的那本《爱与恨》，真好！"

"喂，你没有答复我啊。怎么岔开去？"

"唔，你的笔调真灵活！"

杨一鸣举一举手，点点头："唔，我明白。秋心，你一定有什么心事隐藏着不说出来。"

伊向他瞧一瞧，又笑着道："笑话，我有什么心事？……唉！一鸣，你的领带真好看，深蓝中点着紫星，美极了！人家说文学家是不善修饰的，你却是例外。"

杨一鸣放下杯子，皱眉道："秋心，你怎么老是拿闲话打岔？我和你说正经话啊。"

"唔？"

"我觉得你这样子咳嗽，不像是寻常的伤风，绝不能随便轻视。"

"不能轻视？又怎么样？"

"你需要休养。"

"我可不觉得什么啊。"伊又轻意地笑一笑。

一鸣又用着郑重的声调说："秋心，你不能这样子轻意。你在斫伤你自己的身体！"

秋心的脸上好像溜上一层暗影，又强笑说："真的？可是这样的话我也听得腻了。人家是因着舍不得钱，怕倒了钱树。你的话又有什么意思？"

"我有什么意思？我觉得你一方面这样子咳嗽，一方面又勉强地舞着，也许会酿成更厉害的病。"

"不会，我没有病。"

"不，秋心，我……我有一句冒昧的话。"

"什么？"

"我想请你一块往普陀去休养几天。你如果应许，我……"

秋心忽把一块丝巾在嘴上按了一按，答非所问地接口道："一鸣，你手上的这只钻戒镶得真美丽。"

杨一鸣蹙紧了双眉："秋心，怎样？我正正经经地跟你说话啊。"

秋心饮了一口咖啡，微笑道："我也是说正经话啊。你这只指环，我非常心爱。你能不能借给我戴几天？"

杨一鸣呆住了。伊若使向他要别的东西，他什么都可以答应。这钻戒是他的夫人潘爱美结婚的信物，不能不有些踌躇。

他答道："你别说空话。如果你当真要一个指环，明天我就送你一个。"

秋心道："谁和你说空话？你肯借给我戴，何必等到明天？谁又要你送？"

一鸣又一度犹豫。他也摸出白巾来抹嘴，果真把那指环除了下来。

他说："好，我来给你戴上。……唉，你的手太细了，还宽一些呢。"

秋心笑道："你放心。我不会给你落掉。"

杨一鸣道："好。现在你可以答复我的话了。你究竟肯和我们一块出去玩几天吗？我刚才已跟你的表兄谈起过——"

他说到这里，忽见秋心突地回过头去，向酒排间的门口瞟了一眼，同时又把那只戴钻环的左手向身边一缩。他也跟着伊的目光瞧过去。酒排室的门口依旧空虚没有人，只有那柔靡销魂的乐声一阵阵透进来。

他问道："什么事？"

秋心答道："没有什么。……你要我答复什么？"

一鸣忙道："我们要请你一块往普陀去游散几天，希望你能够同意。"

秋心沉吟一下，忽低沉了目光，摇摇头："我懒得出门。对不起。"

伊的语声很低，接着又是一阵咳。伊急忙用白巾按住了嘴。红晕潮上了伊的两颊。杨一鸣有些慌。他直视着伊，等伊的喘咳渐渐地平复些。

他作惊惶声道："秋心你得明白。你的身子实在需要充分的休养，否则是非常危险的。"

秋心略略仰起些目光，又作强笑答道："有什么危险？我不但不怕危险，而且很盼望早一天临到！"

杨一鸣道："唉！你说这消极话，足见你的确蕴藏着什么心事！秋心！你不能告诉我吗？"

他恳切的目光凝注着秋心的两目，秋心忽又把头低下去。

伊低声说："我告诉你什么话呢？没有，没有！……你打算几时离开上海？"

一鸣道："我们已决定下星期一动身。秋心，你到底去不去？"

秋心自顾自地扳着纤指估算着："今天是星期三。那么，你只有四天勾留了。"

一鸣答道："是啊。我们此番新婚旅行，本来打算把东南的名胜之区游览一遍，顺便一路上收集些小说资料。所以我们从常州出发，在无锡、苏州却耽搁了五天，到了上海，原定勾留十来天，至多两个星期，现在已经超过了预定的期限，故而下星期不能不走。但你如果能和我们一同去，那是——"

这时候另有一种声音从他们背后发出来，打断了一鸣的话：

"唉！一鸣，你们在这里。谈了好一会儿了吧？秋心，贾先生要请求你陪他舞一次。他在外面等着呢。"

杨一鸣立起来，回头一瞧，看见说话的是王百喜。他正站在他的背后，向秋心挥挥手，要叫伊出去。一鸣正想回答，忽见秋心也立起身来，离开了圆桌。伊一言不发，便姗姗地跟着王百喜走出酒排室。

波　澜

杨一鸣离开酒排间后，心中有一种莫名其妙的懊恼。他和秋心的谈话还没有终止，秋心也还没有应允他的请求，蓦地里被王百喜岔开了。他坐在舞池旁边的一只圆桌边，看见秋心勉强地和贾三芝同舞。伊那种颦蹙含愁的面庞，迟缓而牵强的动作，显示出伊不愿意。他的脑子里幻出一种意念，很想走上前去，把秋心从贾三芝的手中夺过来。

"一鸣，你的烟要烧着嘴唇哩！你还舍不得这小半撅金头？"

语声从他的肩后刺过来。杨一鸣像梦中惊醒似的回过头去。蒋哲生和宋兆源也正靠着邻桌在吸烟。说话的是蒋哲生。一鸣勉强笑一笑，忙把他叼着的烟尾丢在灰盘中。

宋兆源笑嘻嘻地说："哲生，你说他舍不得一个烟尾，真冤枉他了。你没有看见刚才他的眼光集中在什么地方吗？要是你曾留意些，一定看得出他的眼睛里还有火星迸出来！"

"唔，这火星也许会烧掉他的灵魂呢！哈哈！"

这两个人又开始取笑。一鸣觉得难于应付。那第七号杏生走过来通报，仿佛做了他的解围的救星。

杏生说："杨先生，浦江旅社有电话。"

杨一鸣向蒋宋丢一个白眼，趁势落场地赶到电话室去。他接了听筒一听，果真是他的新夫人的声音。

他应道："爱美，正是我……你的头痛好一些吗？……唉！此刻才十二点半。……好，至多再过一个钟头，我就回来。……"

蒋哲生的弟弟哲明也是个"好事者"。他跟随杨一鸣到电话室门外，悄悄地站住了。一鸣的谈话完全被他偷听到。一鸣接罢了电话，重新回到原座上去时，蒋哲生和宋兆源又得到了新鲜的调笑资料。

宋兆源道："是不是玉皇大帝命令？"

杨一鸣噘噘嘴："别乱说。"

兆源说："那么谁给你的电话？"

一鸣皱眉说："电话果真是爱美打的，可是命令的名词未免太陈腐。"

蒋哲生揆言道："对，我们得摩登些，说是一个警告。要是你过了一个钟头零一分回去，那就——"

一鸣涨红了脸，伸过手来，要按住蒋哲生的嘴。哲生侧着头避开去。

宋兆源排解道："好，我们等事实来证明，看你什么时候回去。"

一鸣耸耸肩，不再回答。他承认他的口才斗不过这两个专家，何况他还有一肚子心事。他的窘态松弛些，又把视线溜到舞池中去。

兆源又说："喂，一鸣，你目光灼灼地要瞧谁？伊在你打电话的时候已经走了！"

杨一鸣惊异道："喔，你说秋心已经回去了？"

兆源点点头："是，刚才伊和贾三芝舞了一会儿，又咳得不成样子，就匆匆地走了。"

一鸣怀疑地问道："你说笑话？"

兆源道："真的。你瞧，贾三芝不是正呆呆地坐在那边，满脸不高兴吗？"

杨一鸣的眼光射到舞场的一角，看见贾三芝整一整袍褂，怒气冲冲地站起来。他绕过了舞池，向大门走去。当他绕过舞池边的时候，王百喜和徐楚玉正自翩翩地舞过来。百喜看见了贾三芝急匆匆的模样，略略停步，似乎要招呼他。贾三芝只向他点一点头，仍足不停步地向外面去。杨一鸣忽似受了什么暗示，也突然立起身来，想要跟出去。蒋哲生忽一把拉住他。

他问道："你往哪里去？"

杨一鸣支吾着道："我……我……"

蒋哲生庄容道："一鸣，你坐下来，听我一句忠告。我看你太不知利害哩！"

杨一鸣呆一呆。他看见哲生那副庄重的神气，和先前调笑的态度截然不同。

他问道："你的话有什么意思？"

蒋哲生低声道："你不是料想姓贾的出去，就为着秋心，因此你便想跟他去？但你可知道他是个什么样人？他虽在商界里厮混，名义上算是上流人，但他的出身是个穷光蛋。他的性情很偏狭，手段很毒辣，一不称心，什么都干得出。他交结的大半是不入流品的家伙。上月里他在光明舞场跟一个姓胡的抢着要陈茉莉坐台子，他竟找出手枪来！因此，他在这里出进，人家都不敢触犯他。你是文墨界里的人，又是难得来上海，莫怪你不知道他的底细。我读你的小说很久了，可算得一个神交，故而不嫌唐突，警告你一声。你要和这种人办交涉，准不会有什么便宜！"

杨一鸣沉吟了一下，答道："我不是要和他办交涉。不过我觉得他此番出去，很像要和秋心为难的样子。"

哲生道："是，这也许是可能的。不过你也管不了许多。你们是在新婚旅行中，你虽说你只是赞赏伊的艺术，可是过于接近了，究竟不相宜。"

宋兆源也接口道："我也来说一句正经话。一鸣，我觉得你有些着魔了。我从旁观的地位看，你的确非常危险。我敢说你今晚上若使跟着姓贾的去，说不定会闯出祸来。你若不嫌交浅言深，哲生的话，你是应当听从的。"

杨一鸣垂着目光，注射在那光滑可鉴的地板上。他的牙齿咬着自己的嘴唇，兀自在出神。

蒋哲生忽拍一下桌子，说："好了。我们换一个地方去散散吧。一鸣，你说你要在新婚旅行中搜罗些小说资料，尤其要看看舞场中的情况。现在我们领你往玫瑰舞场和明月舞场去。那里也有出名的红舞星，尽够你欣赏。喂，别再胡思乱想！我们走。"

五分钟后，杨一鸣被蒋氏昆仲和宋兆源三个人强制着拉出去。他仿佛像醉人一般，身不由己地跟着往玫瑰舞场里去。他因着柯秋心，想要跟贾三芝去，原有充分的理由。他的行动被阻，他也领会到动机并不坏。不过事情连续地转变，凭空地又生出一重波澜，这是出乎他的意料的。

在他被那三个少年强制着往玫瑰舞场里去时，有一个意外的来客，到他寄寓的浦江旅社去拜访他的新夫人潘爱美。爱美这晚上的头痛原不算得怎样厉害，不过伊有些疲乏，懒得往舞场里去，故而就一个人留在寓中。伊在打过电话给一鸣以后，便时时留意伊手表上的时刻，恨不得将表面的两枚针立刻就移到十二点半。伊取了一本小说，靠在沙发上消遣。将近十二点钟光景，伊忽听得房门上叩了两下。伊急忙丢了小说，将一件淡绿色的旗袍整一整，掠一掠头发，立起来开门。伊抱着一颗欢喜的心，以为一鸣竟提早赶回来了。等到伊开了房门，向门外一瞧，不由不倒退两步。伊脸上的欢迎的笑容霎时也变作了惊惶。

来客是一个中年男子，身上穿着深紫色的缎袍，玄色围花的马褂，一顶瓜皮红结的小帽罩在那圆形而肥满的头上，看上去可笑又可憎。

潘爱美惊异地问道："你找谁？莫非走错了？"

那来人应道："不。杨夫人，我没有走错。我是贾三芝。我在广寒宫舞场里已经见过你好几回。"

爱美道："唉，那么你大概是来瞧杨先生的。他还没有回来。对不起——"

三芝忙答道："杨夫人，我不是来瞧杨先生，我是来看你的。"

"看我？有什么事？"伊的声音有些异样。

贾三芝摇摇手："你不用怕，我们都是上流人。我有一句紧要话告诉你。杨夫人，你能不能让我走进来讲？"

爱美想起来了，这个人确实曾在舞场中看见过。伊瞧他的声音态度恳切而又庄重，不禁引起了伊的好奇心，伊向贾三芝瞧着，脑室中顿时涌出一种幻想："莫非一鸣遭遇了什么意外？"伊略一踌躇，便点一点头，让贾三芝走入室中。但房门仍开着。

伊问道："贾先生，有什么见教？"

贾三芝虽没有得到主人的宴请，却也不客气地自动坐下来。他的呼吸非常急促，眼光中也露着异常紧张的神气。

他直截地答道："我是为杨先生的事来的！"

爱美突地一震，不禁挺直了脊背。"什么事？他……他怎么样？现在在哪里？"

贾三芝摇头道："我不知道。谅来他此刻已不在广寒宫里了。"

爱美催逼道："那么，他在什么地方？"

贾三芝斜睨着爱美的俊俏的面庞，作狡猾状道："我想他所往的地方，你总也猜想得到吧？"

潘爱美又惊又疑，一时看不透贾三芝的来意，又不明白他的语气，只闭了小嘴，向他呆瞧着。

伊说："贾先生，我不懂你的话。要是你不愿意爽爽快快地说，再弄这种猜谜似的把戏，那恕我不能奉陪了！"

贾三芝沉下了脸，作恳切状道："唉，杨夫人，我不是有意叫你猜谜。我因着尊夫这几天迷恋着一个女人，也许会闯出祸来……"

潘爱美不期失口道："什么？一个女人？可就是……不，别乱说！这话关系人家的名誉，你既然是上流人，怎么信口胡说？"

"不错。我就为着尊夫的名誉和夫人的名誉，才冒昧前来忠告。我知道杨先生是在文坛上享盛名的，夫人又是一个美术家，况且你们俩又在新婚期间。万一闹出了什么事，结果岂不太可怕？"

"胡说！你为什么说这种诬蔑我丈夫的话？你想毁他的名誉？还是要离间我们夫妇的感情？"

"杨夫人，不用发火。我完全没有恶意，只是尽我的友谊罢了。我的话你尽可以不信，不过他所经过的事实迟早会使你不得不相信。现在你既然误会了我的意思，我也不必再多说了。"

他撑起身子，略弓了弓腰，便缓步向房门走去。他的心中在估量，爱美也许要阻住他，叫他说出所说的事实。可是出乎他的意料，爱美并没留阻他。三芝虽失望，但仍不甘心。他走到房门口时，又停了脚步，回过头来。

他说："杨夫人，我还有一句话。他和伊的关系已经到了怎样程度，我姑且不说，说了你也不相信。不过等他回来的时候，请你瞧瞧他左手指上的那只钻石指环是不是还在。我想这指环不见得是夫人的结婚指环吧？……唉，对不起，惊扰了。再会。"

当贾三芝说完了话蹒跚着走出房去的时候，爱美虽仍靠衣柜站着，身子似乎不动。但这时候若使有人逼近些瞧瞧伊，便可见伊的神情已起了非常的变化。伊的玉琢似的面颊上泛着一阵红晕，一双明晶似的俏眼凝注在那本覆压在沙发上的小说上面。不但伊心房的跳动增加了速度，伊的全身也都在颤着。贾三芝的话果真已打动了伊的心了！伊对于一鸣本来是绝对信任的，可是贾三芝最后的一句话委实太狠毒了。那只结婚指环，他真会赠送给别人吗？这一点伊实在不能相信。但是三芝假使说谎，这谎话也未免太浅薄了，只需等一鸣回来，不是立刻就要穿破吗?

爱美又自己忖度:"不,我想这不像是谎话!他确曾在我的面前一再称赞伊。我们所以在这里留过了预定的时期,想来也是因为伊。他在今天进餐时,不是和我说过,准备邀伊一同往普陀去吗?唉!这种种姑且不说,但那只指环⋯⋯"

爱美想到这里,心头跳得厉害,神经上也越发紧张。伊忽而奔出房门,一直向电话室去。自然伊的电话是打到广寒宫舞场去的,结果却听说杨一鸣早已离去。爱美自然不能满意。怎么办?那时候还只十二点一刻,距离杨一鸣约定回来的时候还有十五分钟。伊回到室中,耐着性子静候伊的丈夫回来。好容易挨到了十二点三十五分,仍不见一鸣回来。伊在这二十分钟之中,脑海里的思潮不知起落了几次,这时候再也耐不住。伊戴上一副白丝的手套,围上一条紫色的丝巾,又穿了一件黑色薄呢的外衣,匆匆地走出浦江旅社。

危险的经历

杨一鸣所以失误约定的时刻,原因本不只一端。他起初被三个人挟着往玫瑰舞场里去,原是出于强迫的,他本想抽个空儿,先去瞧瞧柯秋心,然后再回旅社。但蒋哲生和宋兆源却监住着不放他。他们先到玫瑰舞场遛一遛,接着又换到明月舞场里去。三个人的意思,原想借此给杨一鸣排遣一下,打消他去找柯秋心的意念,免得惹出祸来。动机是出于友谊的好意,目的也是要使杨一鸣避免意外的纠纷。可是这一来却苦了杨一鸣,挣扎既不得脱身,婉商也不见效。后来他索性变了态度,和他们一块儿喝酒抽烟地厮混着。他们的防范果真松懈了些,他才趁空溜出了明月舞场，恢复了他的自由。

他在马路角上站住了，透一口气，瞧瞧手表上已是一点零八分。他本想立刻回浦江旅社去，但一想到秋心，仍有些挂念不安。

他寻思道："伊离开广寒宫时，可不曾和贾三芝决裂过吗？不然，贾三芝为什么怒气冲冲地跟伊去？他不是要和伊为难吗？后果又怎么样？"

他越想越发不安。他又记得秋心的病象显然很沉重，刚才他邀伊一同往普陀去游散，伊也还没有确切的答复。因这种种，他就定意索性再延迟二十分钟回旅馆去，先到兴华路去瞧一瞧秋心。

明月舞场距离兴华路不远。杨一鸣步行了五分钟光景，已走出大通路，到了兴华路的转角。他停一停脚步，摸出烟盒，打火烧着了一支烟。路上的行人已绝迹。连站岗的警士也已避到了小弄里没风处去。白昼间繁盛的街道，这时候竟充满了冷寂的死气。杨一鸣吸着了烟，正要转弯前进，忽而一阵扑面的寒风把那纸烟的烟雾吸进了他的鼻子里去，不由不打了三个嚏。这时候有一种意外的情景撩动他的视线。他觉得有一种黑色的东西突地在他面前一闪。他抬头一瞧，仿佛有一个黑色的人形急忙忙向前奔过去。

他作惊讶声道："奇怪！像是一个披斗篷的女子？……唔，路灯太暗了，可惜瞧不清楚。"

他忽又愣一愣，同时他的脚步也停止了，原来柯秋心的寓所距离他吸烟所在的转角，只有五六家门面。杨一鸣追想他先前瞧见的景象，仿佛那黑色的人形就是从柯秋心寓里出来的。

他又继续前进，又自己譬解道："也许是我多疑吧？刚才我只在眼角中一瞥，怎么能瞧得清楚？……深夜了，我进去见伊，岂不有些不方便？"

杨一鸣走到了柯秋心的门前，因这一念，反而踟蹰起来。

柯秋心住的一宅两楼两底的西式屋子。这样的屋子共有两宅，右边的门前还挂着招租牌子，秋心的一宅居左，再向左是一条小弄。秋心寓屋的前门在右边的一间，门前有三级石阶。杨一鸣勉力跨上了第一级石阶，又暗自寻思。他从前也来过两三次，都是陪秋心回来的，时间也都是深夜。跳舞的生活是以昼作夜的，和平常人恰正相反。若在平日，这时候柯秋心也许还没有回寓。杨一鸣在第一级石阶上站住了。观察一下。那左边一间的窗口里，隐约有些灯光从帘隙中漏出来，分明秋心还在楼下的憩坐室中，没有上楼去睡。他定了主意，放步跨上那其余的两级石阶，接着便伸手按那门铃。夜气既静。门铃在里面震动的声音，杨一鸣在门外也听得见。可是他等了一会儿，并没有人走出来的声音。他又在门铃上重重地按一下，同时又不禁暗暗地疑讶。秋心因着夜深的缘故，不愿再招接来客吗？他开始按第三次铃。依旧不见人出门来开门。无意间他在门钮上旋了一旋。门没有下锁，竟应手地旋开了。他略一疑迟，便放步走进去，顺手关上了门。

门里面有一盏电灯，光力很弱。迎面是楼梯，右手边有一扇通隔室的门，这时候关着。杨一鸣明知那隔室是会客室和餐室，此刻只有先进客室里去瞧瞧，势不能径自上楼。他握住了客室的门钮，照样旋一旋，竟也应手而开。客室中的电灯较甬道中的更明亮了。中央的一只圆桌，两边的长椅，沙发，靠壁的盆碟柜、留声机和一只小小的书架，都安排得很整齐，但静悄悄地不见一个人。他引耳细听，一点儿声音都没有。

当他在外面风露中步行的时候，并不觉得瑟缩畏寒，这时他忽似有一种奇怪的感觉。他肌肉上的毛孔一时都收缩起来。他记得这客室的内进，另有一间憩坐室，他也曾到过里面。憩坐室里的家具都是舶来品，布置更见精致。凡熟悉的朋友，秋心都请到里面去会谈。他看见那扇通憩坐室的淡蓝漆小门虚掩着。他站一站，用力吸了一口烟，似乎借此提提他的神。他继续向憩坐室走去。不过他的脚步已不太自然。他自己也感觉到他的精神上确乎已发生了异状。

那扇漆着淡蓝色的小门给推开了。他的脚步停止了；他的心房跳动得很急；他周身的血运也似乎在那里竞赛速度。这种感觉只是在一刹那间，他起先原想不出是什么原因。可是再一刹那，他的全身的血液差不多完全凝住！

他喘息着呼道："唉！秋心……秋心！"

他一边呼着，一边前进了一步，又站住了。他已经看见秋心了。伊正斜侧着身体躺在地上。伊的纯白的装束已换去了，珠项圈也不见了，身上穿一件银灰色软缎的旗袍，侧着身子一瞧，不由不惊骇起来。伊的两目紧闭着，失血的嘴唇微微张开，露出两行白雪的齿尖。伊的胸口的缎袍上有一大块殷红的血迹！

他不禁第二次失声："谋杀了人哩！……唉！这里还有手枪！"

一鸣不期然而然地伸出手来，在伊的额角上摸一摸，却已冰冷没有暖气。他立直了身子，两腿有些不稳定。他喊了两声"小莲"，并无应声。他向左右骇视了一会儿，一时不知道怎样才好。他知道这屋中除了秋心的心腹女仆严小莲以外，还有一个粗做兼烧饭的老妈子。怎么竟一个都不见了？他不知道楼上有没有人，再想高喊一声，但喉咙中好像给什么东西扼住了，发不出声音。论情，他既发现了这件命案，应当立刻到外面一间的客室中去打个电话，通报警署。可是他的神经上已起了变象，没有这样的勇气。

他默默自忖道："怎么办？谁打死秋心？还是伊自杀？……我应当做些什么？我自己的地位不是也很危险吗？假使我现在报告了警察，他们追究起来，我为了什么事深夜造访？我又怎样回答？……唉！不，我不能再留在这里了。要是此刻有人进来，我岂不是蒙着嫌疑？这件案子十二分蹊跷，我若要给死者申雪，只能向另一方面进行！"

他回转身来，想要退出那扇蓝色的小门，一个意念命令他停步。他想起刚才他曾把结婚指环借给秋心。这东西决不能失掉，并且若是留在伊的手指上，事实上也不方便。他又旋过身来，重新俯下身去。他记得先前在酒吧中，他亲自把指环套在伊左手的无名指上。他把伊的那只按在胸口的左手提起来时，那无名指上却并无指环。他不禁有些着急。他再瞧瞧伊那只曲在地板上的右手，也只有一只伊常戴的翡翠指环。那钻戒已不知去向！

他惊骇得发抖！这是他的妻子爱美的结婚纪念品，万万不能失掉！此刻又怎么办？

铃铃铃！……铃铃铃！……

一种更严重的惊变接踵地发生，几乎使他的魂灵脱离他的躯壳。他听得一阵子门铃声音，分明有什么人来了。进来的是谁？不管是谁，只要看见他一个人留在此地，杀人的嫌疑势必有口难辩。他急忙立直了身子，很想冲出门去，可是已来不及。那来客势必已站在门口。这里好像没有后门，怎么能逃避？在这万急的当儿，他忽想起趁来人还没进来，若能走出外面的客室，溜到楼上去暂时躲一躲，未始不是没办法中的一法。

他退出了那扇淡蓝色的小门，摇晃地走到了外面的客室中。

铃铃铃！……铃铃铃！……

第二阵门铃又响了！杨一鸣的心房虽突突地乱跳，但仍控制着自己，蹑着足尖，想走出客室的门，避到楼梯上去。他的右手才刚摸着门钮，猛听得前门响动。

那外面的来客竟也自己推门进来了！

杨一鸣的血液几乎全身冰住。他还能出去吗？当然不！退呢？又不可能！可是危迫的情势又万不能容他犹豫。他看见客室中有两只罩着白绸套子的大沙发。暂且躲一躲？他把身子一闪，便蹲伏在一只沙发椅的背后。

客室的门开了。有一个人走进来。

杨一鸣连呼吸都不敢透，当然更没有胆力偷看进来的是什么人。他觉得那人的脚步很重浊，穿着皮鞋，分明是一个男子。那人到了客室的中央站住了，似乎正在向四周瞧察。接着他听那人发声喊叫：

"小莲！……小莲！……小莲！"

杨一鸣才听出这进来的人是王百喜。王百喜喊了三声，又移动脚步，向憩坐室走去。他从步声上计算，王百喜似乎已走进了那浅蓝色的小门。这不是个机会吗？此刻不逃，再没法脱身了。一个决心使他冒险从椅背探出头来。他果然看见王百喜已跨进了小间，背向着他。他就偻着身子，蛇行地走到客室的门前，轻轻地将门拉开，侧着身子挨出去，又顺手将门拉上。可惜！他拉门时似乎重了些，发出了一些声响，可是他也来不及顾虑。他放开脚步，拉开了前门，奋命地向外逃出去。不料

他的脚刚才跨下第一级石阶，陡见一辆汽车恰巧驶到门前。汽车中跳出一个人来，举起一只手，仿佛向杨一鸣打招呼，嘴里还在说话："怎么样了？"

杨一鸣把下颏埋向胸口，咬着牙齿，奔下石阶，疾步向右，一到了大通路的转角，便飞也似的向明月舞场的方向奔过去。

那个汽车上跳下来的人，穿着纯黑的西装，唇角上已有些微须，年岁在四十以外。因着年岁和职业的修养，他的镇静的定力比少年人确见优长些。不过在这个当儿，他看见了杨一鸣那种踉跄奔逃的状态，也禁不住吃了一惊。他的身子向后退一步，连他手中提着的一只皮包几乎丢在地上。他正目目送一鸣，呆住了出神，忽见柯秋心的门口里又奔出第二个人来。

那人走到阶下站住了，呼道："嗯，周医生？你可瞧见有什么人从这屋子里出来？"

周文柏医生仔细向问话的瞧一瞧，点点头："咳，王先生，是。我当真看见一个人奔出来，是个男人。他已转弯向大通路去了！"

王百喜不再说，便飞步向右面追过去，到了转角，立住了向大通路上望一望，可是已不见逃走人的踪迹。他略一踌躇，只得重新回到秋心的寓前。周文柏仍站在那里。

王百喜又问道："周医生，你可瞧清楚那个人？"

医生道："嗯，我不认识他。我看见他穿西装，身材和你相仿。"

"那西装是什么颜色？"

"一件外衣是深色的——好像是鼻烟色。他的头上戴一顶灰色的呢帽，里面的衣服可没有瞧清楚。"

"唉！是他？周医生，是不是白脸的少年？"

"唔，年纪似乎很轻，可是白脸黑脸，我不能说。嗯，王先生，这究竟是怎么一回事？"

王百喜点了点头，答道："好，好。我们里面去谈。"

他领着周医生一同进门，到了客室中，便站住了解释。

王百喜说："我因着我表妹的咯血病又发，放心不下，所以在回公寓以前，再来瞧伊一瞧。我在门上按了好一会儿铃，没有人答应，便推门进来，走进这间客室。那时这里面并无异状。我看见里面的憩坐室中有灯，以为表妹还在里面看报，但叫了两声，仍不见答应。我便一直进去，才发现一种惊怖的景象。那时候我忽听得这客室门的关合声音，急忙退出来瞧，显然有个人逃出去。幸亏你恰巧在门外，瞧清了他的衣帽。唔，我不怕他会插了翅膀飞去。周医生，你此刻怎么会到这里来？"

周文柏道："今晚上我出诊很忙。在十二点半的时候，你表妹打电话请我。我诊完了别的病家，才赶到这里来。不料我刚到门口，便看见那个人奔逃出来，使我吃一惊。现在你表妹怎么样了？"

王百喜作惊骇声道："伊已经给人打死了！在里面，请你进去瞧瞧。我来打电话报告警署。这件事再不能耽搁哩！"

查　勘

十五分钟以后，此区警署署长余桐已得到了警报。余桐在警界里的资格很老，办事也很守法，不过缺乏急智和决断力。死者是个盛名的跳舞红星，势必要引起全上海人的注目，余桐自然不敢怠慢。可是总署侦探长汪银林正害着疟疾，副探长倪金寿又请假回乡去。其他的探员固然还不少，但余桐不敢怎样信任。他特地去惊破了私家侦探霍桑的清梦，邀着他一同来勘验。

当余桐、霍桑带了一个警士两个探伙到达尸室中时，已是凌晨两点钟。秋心的四肢完全冰冷，只有胸膛还有些微温。据周文柏的检验，至少已死了一个钟头。伊是给手枪打死的，枪弹从胸口进去，穿过了背部透出，似乎已伤了心肺，所以中弹后大概立即致命。余署长听了周文柏和王百喜报告发现的经过，便一一记在日记簿上。周医生提了皮包先走。一个警士守在门口，两个探伙跟随在尸室中，趁空在四周视察。霍桑也开始观察地板。地板上铺着一条青白色的地毯，瞧不出什么。他先验看尸首，又偻下身子，把尸首旁边的一把黑钢小手枪很小心地拾了起来。他把枪凑在电灯光下瞧了一瞧，向余桐附耳说了一句，便拿一张硬纸轻轻地将枪包好。

王百喜说："这手枪我认得出是表妹的。伊预备了这东西，本来是防绑匪的。现在伊可就是被这枪打死的？"

霍桑答道："大概是的。但是死者是中了一枪就死的，枪膛中却空了两粒弹子。"

一个麻脸探伙从旁应道："门旁的墙壁里还陷着一粒弹子呢。"

探伙用手指一指。霍桑和余桐忙走到墙壁旁去察看。

余桐附耳问道："霍先生，这案子不像是自杀吧？"

霍桑不表示。他的眼光忽而注射到门槛旁边去，接着又俯下身去，拾起了半截金头烟尾。他回头向王百喜发问：

"这烟头还很新鲜。你表妹可也吸纸烟？"

王百喜作惊异状道："唉！这是金头土耳其烟啊！……不，

不，表妹是不吸烟的。但是这个烟尾，我……我……"

"这里有两种重要东西呢！"

一种惊呼声音挫断了王百喜的话。原来那两个随来的警探同时在那里活动。一个高个子的从椅子底下拾起了一只破裂的绒盒，另一个麻脸的却在外面的客室中找着了一块白色的丝巾，因此他们都走过来向余桐报功。霍桑也现出注意的神色，把两种东西接过来察验。

他说："这紫绒盒是放手镯的，虽已破裂，还是新的。唉！盒盖上还有一个鞋底践踏的痕迹，分明是被人用力踏破的。唔，这东西确有研究的价值。"

余桐也接口道："这丝巾带着些香气，明明是女子的东西。巾角上还绣着一个西字母'Z'字。王先生，这可是你表妹的东西？"

王百喜在丝巾上瞧了一眼，眼珠转一转，似乎微微地一震，但脸上并无表示。霍桑接过丝巾嗅一嗅，把目光注视着百喜。

百喜答道："我不知道是不是伊的。"

霍桑接嘴道："我看不像是死者的。不然怎么会遗落在客室中的地上？并且这个'Z'字，和柯秋心三字的拼音也绝对没有关系。"他回头问王百喜："这一只绒盒你以前可曾看见过？"

王百喜顿了一顿，才道："不，我没有见过。但这既然是手镯匣子，怎么没有手镯？"

霍桑答道："这就是我们要研究的问题。"

余桐忽似触悟了什么，插口道："这件事不会有盗劫意味吧？你可曾仔细查过？有没有遗失什么东西？"

王百喜道："我正想去检查。下面没有什么值钱东西。你们等一等，我到楼上卧室中去瞧瞧。"他便回身退出去。

霍桑忽凑着余桐的耳朵，说："我看这案中一定牵连一个女子。"

"你可是把这块丝巾做线索？"

"是。还有这绒盒盖上的践踏痕迹，也是女子的高跟鞋印。"

"唉，那更符合了。我们怎样查明这女子的真相？"

"我想还容易。有一条最近的捷径，不妨尽先进行。这绒盒上印着'华昌首饰公司'的字样。你就派一位同事赶紧去调查一下。"

余桐立即赞成，便派了那个高个子名叫李荣的探伙，直接到共和路华昌公司去调查。一会儿王百喜已重新回进来。

他很得意地说："我已经查过了，一点儿没有遗失。连这条重价的项圈也安然在抽屉里面。"他把他手中的那条粒粒圆珠项圈给二人瞧了一瞧，仍随手纳在自己的袋中。

余桐向霍桑道："那么盗劫问题可以除外了。"

霍桑点点头，又问王百喜道："刚才你说到那金头纸烟，似乎还有意见发表，可惜被人打岔了。现在请你说下去吧。"

王百喜迟疑地说："刚才我要说我所相识的人中间，有一个人也吸这样的金头纸烟。不过这烟头是不是就是他所遗留，我不能说。"

"这个人是谁？"

"他叫杨一鸣，是广寒宫舞场里的一个舞客。"

霍桑点了点头。余桐忙着在日记簿上注了一笔。霍桑走到一只白绸套的沙发面前坐下来。

他说："王先生，请坐下来。"

王百喜在另一只沙发上坐定。余桐却坐在一只直背椅上。

霍桑说："王先生，你既然说你表妹的死于你有重大的损失，希望我们尽力侦查，那你就得把你所知道的尽量告诉我们。假使你因着感情的关系，隐藏什么，那我们自然也无能为力。"

王百喜答道："霍先生，请你原谅。你要我说，我自然也不能顾忌什么了。不过我的话你们只能作参考的资料。我和周医生刚才已经报告过。我们在进来时所瞧见的人，论他的身材衣服，也很像是杨一鸣。"

余桐作得意声道："既然如此，这个人不能不注意。"

霍桑道："还有那个女仆和老妈子怎么都失踪了？你可也有些意见？"

王百喜道："那老妈子因着伊的儿子害病，这几天晚上都是回家睡的。严小莲的失踪，我也莫名其妙。"

霍桑又把那块白丝巾取了出来，突然问道："我觉得这块白巾，你一定也认识。你能否老实告诉我这东西的主人？"

王百喜被霍桑一逼，嗫嚅着道："我看见了这个'Z'字，很像……很像是我的舞伴徐楚玉的徐字的缩写。不过这是我的猜想，这手巾是不是伊的，我不敢乱说。"

"你以前看见过你的舞伴有这样的手巾？"

"是。不过这是普通的东西，我不会特别留意。"

霍桑点点头："好，我们先到广寒宫舞场去走一趟，然后再分头调查。"

余桐同意说："我希望不到天明，就可以得到些线索。"

从柯秋心的寓屋到广寒宫，不到一里路远。霍桑和余桐、王百喜、探伙等坐了汽车赶得去，只有两三分钟光景。那时已经午夜后两点多钟。舞场中的男女舞客已散去了大半。霍桑先到经理室中找胡少山问话，第一步拿那一小方白丝手巾叫胡少山辨认。

胡少山取起手巾来瞧了一瞧，便脱口答道："这是徐楚玉的啊。什么意思？"

霍桑并不答话，但斜过脸来向王百喜瞅了一眼。王百喜微微点了点头。余桐很高兴。

他低声道："王先生，你的眼力的确不错。"

霍桑问道："胡先生，徐女士此刻还在这里吗？"

胡少山摇头道："不在了。伊今晚回去得特别早。但你们究竟为什么事呀？"

霍桑道："这件事我们少停自然要详细告诉你。眼前我还要问几句。你说徐女士今晚回去特别早。你可确知伊在什么时候走的？"

胡少山把手摸了摸头，寻思道："这个我没有注意。你们不妨问问看门的戚福。他也许可以答复你。"

"好。还有一种东西，索性请你辨认一下。"霍桑又摸出那个金头烟尾来授给少山。

少山忽现迟疑状道："这个……唉！有办法。我去把烟灰盒拿来检验一下再说。"

他走出经理室，向外面吩咐了一声。不到五分钟工夫，那第七号侍者杏生已捧了一只古铜色的烟灰盆进来。

他报告道："这盆里也有好几个金头烟尾。那桌子是杨先生坐过的。我记得杨先生也吸这种烟。"

余桐抢口道："哪一个杨先生？"

杏生道："他叫杨一鸣，是个新主顾，但是这两礼拜中，他是夜夜来的。"

霍桑道："你怎么知道这烟确是他吸的？"

杏生道："这烟盆是在场角的第九号桌上的。杨先生今夜在九号桌上坐了好久，并且他吸这烟，我以前也看见过。"

余桐又接嘴道："对了，无论如何，这个人决不能轻易放过。"他回头向一个跟来的麻脸探伙道："长庆，刚才王先生说过，这个姓杨的住在浦江旅社四十四号。你快去打一个电话，派两个弟兄去，请他到北区署里去问一句话。"

霍桑等那探伙走出去后，问道："胡先生，这徐楚玉住在哪里？"

王百喜代替着答道："伊住在福佑路一〇三号，离这里很远。"

霍桑点点头，又道："胡先生，请你把看门的戚福叫进来问问。假使他能记得徐楚玉离舞场的时间，那最侥幸了。"

五分钟后，戚福已奉了胡经理的召唤走进来候命。他的答话竟又出霍桑的意料。

他想了一想，答道："唉！我记得了。徐小姐出去的时候，一点钟还没有敲，大约在一点少五分的光景。"

霍桑作诧异声道："奇怪！你怎么记得这样子清楚？"

戚福道："这件事很巧。在十二点五十分钟的时候，有一个穿黑大衣的女人，急忙忙向我问柯小姐的地点。伊似乎很慌忙，问完了话，便重新跳上黄包车。我因着伊的举动有些奇怪，所以走下阶石，看看那黄包车行进的方向，又乘便在门口的大钟上瞧一瞧，恰准是五十分钟。后来大约不到五分钟工夫，我看见徐小姐走出去。"

"唔！真是巧极了！但你说有一个女人向你问柯小姐，可是问柯秋心？"

"是。"

"你看见伊的黄包车往哪一面走？"

"是向兴华路去的。"

"这个女人你可也认识？"

"伊也曾到这里来过，我好像看见过好几次，不过叫不出伊的姓名。"

"伊没有进舞场里去吗？"

"没有。伊立即跳上车子退回去的。"

霍桑交抱了两臂，低垂了目光，似乎在深思。王百喜静立着旁听。胡少山蹙眉地在疑惑，可是又不敢插口发表什么。

余桐说："霍先生，这样看，这案子越弄越复杂了。你先前说案中牵连一个女人，现在又另有一个不知谁何的女人，这女人又在最有关系的时间探问死者的地址，显见也有关系。那么这里面不是牵涉了两个女人吗？还有死者的女仆也失踪了。那不是有三个女人有关系了吗？"

胡少山似乎已忍耐不住，走前一步，插口道："听你们的口气，好像你们正在侦查一件命案。那么到底死了什么人呀？"

"死的是柯秋心！"

这是余署长的答复。胡少山愣了一愣，张开了嘴合不拢来。原因是舞场的台柱倒了，他的摇钱树也连根给拔了！余桐为免除打岔，便附着他的耳朵，约略地把案情向他说了几句。霍桑的思索似已得到一个结束，便仰起目光来。

他说："余署长，你的话不错。这案子确实比我先前所料想的更幻复了。据周医生说，死者中弹毙命，时间似在一点钟左右。徐楚玉的离去和那不知姓名的女子的行动，又恰在这个时候。这两个女人确乎都有重要的嫌疑。还有严小莲的失踪，我觉得同样不能漠视。"

这时高个子的探伙李荣忽喘息咻咻地闯进经理室来。大家都呆一呆。霍桑一瞧见他，便中断了他所发表的意见，向李荣问话。

他问道："怎么样？有结果没有？"

李荣把头上的一顶呢帽一手除下，又摸出一块手巾，抹了抹额角上的汗。

"霍先生，署长，我都问明白了！不过很不容易呢！"

"唔，半夜里去调查，当然很费力。现在你得到了什么结果？"

"我到华昌公司的时候，门已经关得很紧，公司里的人都已睡了。我——"

霍桑接口道："是，我知道你很干练。现在你但把重要的结果说明白好了。"

李荣有些扫兴，咬咬嘴唇，只得把表功的话暂时搁起。

他直截说："那只绒盒果真是放手镯的。手镯是珍珠和钻石镶成，价值三千九百六十元，而且就在今夜收市以后给敲开了门卖出去的。"

"那买主是谁？你也问明白吗？"

"自然。一个姓荣的伙计说，是大丰纱厂的经理贾先生买去的。他是他们的老主顾。"

胡少山抢着说："那是贾三芝啊。"

霍桑道："唔，这个人也是这里的舞客之一。是不是？"

"是。"

"他今夜可曾到这里来过？"

"来过的。我记得他在十二点钟不到就出去了。"

看门的戚福向王百喜瞧了一瞧，忽也说："贾先生后来又来过一次，不过不多一会儿，就重新出去了。"

霍桑道："他第二次来是什么时候？"

戚福道："大约在十二点半光景。"

霍桑点点头，向余桐道："余署长，现在我们得急速分头进行。你设法去把刚才所说的三个女人找来。我去看看这个贾三芝。他的住址你们总知道的吧？"

贾三芝的手段

杨一鸣从柯秋心寓里逃出以后魂不守舍，他起先恃着一股勇气，奔进了大通路，但假使那时候他不曾遇见那一辆空车，说不定会被王百喜追着。他的神经上已经十二分紧张，奔了几步，他的两条腿已有些颤动不定。直到他跳上了车子以后，他的心头还是突突地乱跳。他不时向背后瞧望，只怕有人追上来。

夜风增强了些。路上已没有行人。一鸣将外衣领竖了起来，缩紧在车子上。他的车子好容易平平安安地到达了浦江旅社门前，不料第二重难关又涌现在他的眼前。他一边走进旅馆，一边暗自计量：他看见了爱美，应得用什么话对付？他所经历的事情可能据实告诉伊吗？告诉了伊，伊可会相信？他越想越觉踌躇，走到了四十四号的室前，竟不敢推门进去。他先把耳朵凑在门上听听，仿佛里面隐隐有啜泣的声音。他更加惊讶。可是爱美在那里哭？为什么事呢？莫非就为着他？

杨一鸣想到这里，又惊又疑，他的两条腿又继续颤动。他几乎想退回出去。末后他咬定牙根，伸出了右手，用足全力，旋动那门钮，突地推门进去。他定一定神，忽听得一声惊呼，爱美从沙发上直跳起来。

杨一鸣一边喘息，一边作安慰声道："爱美，是我啊！你不用惊吓！你为什么吓……"

他本想再问一句，到底忍住了没有说出来。他看见伊的眼圈儿红着，刚才他听得的泣声当真没有错。伊的双眉颦蹙，面容灰白，比较他和伊分别时的容态完全变成了两人。他的心中充满了疑问，可是发不出话。他发了一会儿呆，看见爱美仍靠在衣柜的玻璃门上发怔，一双含着惊恐意味的眼珠直盯在他的脸上。他想走近去抚慰一下，可是他的腿不服从命令。

他鼓足勇气，问道："爱美，什么事？你为什么这样子？"

爱美也颤声反问道："你……你去哪里了呀？"

一鸣本想把被蒋宋强迫同游的事暂时搪塞。但他一瞧情势，觉得这谎话此刻已不需要了。因为爱美的声音态度都表示伊已经发觉了他的秘密。

他吞吐着道："我……我在……"

伊催着道："说啊！你在什么地方？"

他的勇气丧失了。他不能撒谎，可是又不敢说实话。他又瞧见伊的那件黑呢外衣和围巾手套都杂乱地堆在床上。这现象又告诉他伊曾经出外过，使他更没有勇气说话。

伊又问道："一鸣，你手上的戒指呢？"

"一语破的"是杨一鸣当时第一感觉。他知道事情已完全暴露了，这时候当然用不着别的废话。

他沉吟了一下，才道："爱美，你姑且别问。这里面的事不是三言两语说得尽。现在最要紧的，我们应得立刻离开这里！"

"唉！"

潘爱美嘴里发出了一个"唉"字，突地仰直了身子，又张大了两目。杨一鸣的语声本已有些颤动，但他仍竭力地镇静着。

他答道："爱美，你不用恐惧。不过事情很紧张，我们为万全计，还是急走为妙。理由我们回头再谈。"他走近一步，从桌子上取起一张报纸翻了一翻："平安轮船今夜开往长江。此刻还只一点半过些，我们赶紧去，还来得及。"

潘爱美只是呆立着发怔，既不答话，又不动弹。一鸣也不再说，但自顾自地急急收拾行李。旅馆中已静得多，只有几个较远的房间中还有打牌声音。风在窗外呼呼地响，景象相当凄凉。十分钟后，一鸣已将行李整理舒齐。

他又唤道："爱美，定定神，快来穿大衣吧。我们不能再耽搁了。"

伊仍站住了不动。伊的脸上罩着一重灰白，眼睛也失却了敏活，代替的是呆木而惊恐。一鸣把堆在榻上的大衣和手套等物拿起来，预备给伊穿戴。

他忽而失声道："哎哟！手套上怎么有血——"

他说到这"血"字的时候，觉得太危险，本想竭力忍住，但因着惊惶过度，到底忍不住说了出来。他听听门外，没有声音。他的妻子仍丢了魂魄似的靠着衣橱发呆。一鸣瞧瞧手中的手套，又瞧瞧爱美，略一寻思，似已触悟了什么。他不禁越发惊怖起来。这件事当真危险极了，但这时候又不便多说。他挣扎一下，拿了外衣走近去，想催促爱美动身，房门上忽然有人叩动。他又吃了一惊，急忙将那染血的丝手套向自己的裤袋中一塞。

他缓声应道："谁？进来。"

开门进来的是旅馆中的茶房，看见了这夫妻俩僵立相对的模样，暗暗有些诧异。

茶房报告道："杨先生，我忘怀了。有一个人来找过你。"

一鸣暗地着急："谁？谁来找我？"

"是个男客。他不曾留名片。"

"什么时候来的？"

"在一点钟光景。他听说你们两位都已出去，就退出去了。"

"这个人怎样打扮？"

"他是个矮胖的大块头，穿着长袍马褂——"

一鸣插口道："唉！是他？好，我知道了。现在你把这钞票拿下去结账，马上给我雇一部汽车。我们就要动身。"

十分钟后，一鸣扶着他的变作木偶般的妻子走上汽车。旅馆门外冷凄凄，原因是门前的灯泡熄了十之七八，形成了半暗不明的景象。马路对面忽然有一个人向着汽车奔过来。一鸣自己心虚，急忙把车厢的门关上，叫车夫立即开驶。那汽车的车轮便开始转动。

砰！

一声枪响，打破了静夜的空气。一粒枪弹从车窗外飞过。一鸣夫妇俩都震恐极了，几乎从车厢中喊起来。幸亏车子已经动了。那枪弹是否打他俩和那开枪的人是谁，他们已无暇深究。他们只企图向前逃命！

贾三芝的寓所在公园路上，离广寒宫舞场也不远。霍桑和余桐分手以后，便直接来见贾三芝。他住的是一宅三上三下的石库门屋，门前恰向公园马路。这时门前既静且黑，寂无一人。霍桑在门口站住，用电筒先细细地照一照。那黑漆的门上钉着一块铜牌，刻着"新安贾"字样。左手里有两扇百叶窗，分明就是厢房。百叶窗虽然关闭，但有一扇窗的叶缝没有闭拢，一条强烈的灯光从里面透出来。霍桑先走到窗口，悄悄地从隙缝中偷窥。窗里面虽然隔着纱帘，但隐约间可以瞧见一个矮胖的男子正自放下了雪茄烟尾，从沙发上立起身来，背负着手在室中往来踱着。

霍桑默默地寻思："此刻已两点半多了。他为什么还没有睡？像他这样子栗六不安，是不是怀着什么心事？"

他轻步走到门口，推着门上的铜环，猛力地敲了两下；接着他腾身一窜，重新回到窗下，急忙从隙缝中窥视屋中人的动静。夜阑人静中，门环的叩击声特别激厉，当真使屋中人大大地震动。贾三芝的脚步骤然停止，把身子支撑在壁上，张大眼睛，回头骇视。霍桑觉得胖子的嘴在牵动，似乎在那里发声问话。他又奔到门前，继续叩动门环。当然，他仍不肯错过窗缝中的奇景，一转瞬又窜回到百叶窗前。他瞧见一种意外举动。

那胖子忽然奔到一只书桌面前，伸手开抽屉，别的动作却瞧不清楚。接着，他又见胖子定了定神，开了厢房的门，走到客堂中去，分明他自己出来开门了。霍桑就又赶回门口，又在那铜环上叩击一下。里面的人怒声发问：

"谁？半夜三更这样子敲门！"

霍桑不答，静默地等候开门。门开了半扇，贾三芝带火的目光射出来。霍桑仍镇静地站着。

他说："贾先生，冒昧得很，请原谅。我有一件重要的事情要和你商量。"

贾三芝呆了一呆，反问道："什么事？你是谁？我还没有请教。"

霍桑道："我叫霍桑，此刻是受了警署的委托来的。这里不太方便，我们到里面去谈。"

贾三芝离开了门，身子站在门口，显然有拒客的模样，但因着霍桑一说，有些不好意思，只得退后一步，让他进去。

霍桑走进了厢房，他的眼光先向室中打一圈子，这是一间书房，家具都是新式的，地上的地毯，壁上的油画，一切都很精致。贾三芝在一张红木的大书桌面前站住，忽略了应有的礼节，并不请客人坐下。霍桑也站住了向主人端详。他看见贾三芝的神气确乎有些慌乱，视线和霍桑的一接触立即移开去，伸手在茶几上取起那半支熄灭了的雪茄，一连擦了三支火柴，方才烧着了烟。他浓黑的眼珠不住地乱动，只不敢和霍桑平视。

他问道："霍先生，有什么见教？"

霍桑直截答道："贾先生，我要问问柯秋心的事。最好请你开诚布公地说个明白。"

要是霍桑这问句有单刀直入的意味，那么他问话时的目光像两支无形的利箭。他看见贾三芝怔了一怔，牙尖啮住了下唇，延迟了约有半分钟光景，方才弹了弹烟灰，自己坐了下来。他的模样似乎很镇静，但在霍桑犀利的观察下，伪装是不易收效的。

他反问道："柯秋心的事？什么意思？"

霍桑仍站立着，瞧着对方的脸，缓缓说："贾先生，我想这样的深夜，还是经济些时间，大家爽爽直直地谈几句。你若使赞同，请爽快些说一说。"

贾三芝仍作疑问状道："你要我说什么？我不明白。你说你要问问柯秋心的事。这是怎么一回事？"

"你还不知道？"

"我不知道。"

"当真？"

"自然。"

"那么今夜里你可曾到伊的家里去过？"

贾三芝顿一顿，用力吸了一口烟，目光依旧垂落着。

"去过的。这有什么关系？"

"你在什么时候去的？"

"大约在十二点过后——十二点二十分光景。"

"你到伊家里去有什么事？"

"这干你什么事？何必问得这样子详细？"

"对不起，因着职务的关系，我不能不请你说明白。"

贾三芝踌躇了一下，才答道："秋心是个舞女，我是伊的老舞客，随便去看看伊，有什么关系？"

霍桑点点头："好。你看见伊没有？"

贾三芝抬起了些眼光，在霍桑脸上瞟了一眼，忽又漾开去。

他答道："我为什么要答复你？你凭什么权力干涉人家的友谊？"

霍桑冷笑道："唔，我干涉你们的友谊？嘿嘿嘿！我倒很愿意知道你们的友谊到底有了什么样的结果。"

贾三芝忽而立起来，沉了脸，厉声道："霍先生，对不起。我要睡了，没有精神跟你说这种没意思的话。"

霍桑仍镇静地说："唉，有意思的在这里。瞧，这是什么东西？"

他用一种敏捷的动作，突然把那支破碎的绒盒从袋中摸出来，一直送到贾三芝的鼻子面前。贾三芝不自觉地退一步，他的齿缝中的雪茄几乎落下来；他的脸上也泛出一阵白色。但一刹那间，他又站定了，耸耸肩，恢复了他的常态。

他怒声道："我管你什么东西！"

霍桑说："喔，这东西你不认识？"

"别啰唆！有话请你明天去看于企年律师！"

"很好。不过我在走以前，要请你应许一句话。"

"应许什么？"

"我要在这里搜一搜。"

贾三芝忽用力丢了烟尾，握着拳头，在茶几上猛力击了一下，他的眼睛里仿佛迸出火星。

他大声道："呸！你有什么权力深夜中搜查人家的屋子？你们当侦探的，敲诈、欺压本来是拿手好戏！不过你得查一查，我是个什么样人！要是你想在我身上弄什么手法，那你真瞎了眼！快出去！"

霍桑忽深深地鞠了一个躬，仍平心和气地答道："对不起，对不起，我委实有些冒昧。若说敲诈欺压，我还是外行，得先向你讨教讨教。"

"你还不走？我要打电话把你当强盗办哩！"

"你要打电话？好，我来替你代劳了吧。"

霍桑走到窗门背后的电话箱旁，像要打电话的样子，但他的手才刚握着了听筒，眼角中瞥见贾三芝紧走两步，窜到了书桌面前。霍桑急忙旋转身来，厉声吆喝：

"别动！我这里有准备呢！"

三芝的左手撑在书桌边上，右手已接触书桌的抽屉，一听得霍桑的命令，顿时缩住了手。他看见霍桑的左手插在大衣袋中，袋里面有一种突出的东西，正和他所站立的地点成一直线。霍桑又发出较和婉的命令：

"贾先生，请你暂时回到你的原座上去。我要打电话了。你站在那里不方便。"

贾三芝似乎没有听得，仍站在桌旁，不答也不动，但他的凶狞的眼光中已充满了杀气。

霍桑稳定地说:"贾三芝,小心!你现在已有谋杀的可能性了!我若使开枪打你,动机出于自卫,在法律上已不成问题。不过我替你打算,你这样子执拗,一定占不到便宜,而且也不值得。现在听我的话,快回到你的原座上去!"

贾三芝的眼光仍注视在霍桑的大衣袋上。他料想霍桑袋中突出的东西定是手枪。不过他为什么不取出来?他的眼光略一转动,像遵从霍桑的命令似的缓缓离开书桌。可是他只跨了一步,突然旋转身子,把头俯下,又回到了书桌前。这时候他的肥胖的身子忽而敏捷异常,他的举动正像被猎的逃兔。一刹那间,他的左手已拉开了书桌的抽屉,右手伸入屉中,把那上面盖的纸件翻了开来,摸着了刚才放进去的一支手枪。

霍桑的地位危险了!他的外衣袋中真有手枪吗?如果有,他此刻尽可以开了!可惜他今夜出来时并没有带枪!他的衣袋中只有一只电筒,起先本想利用它演一回空城计。不料这把戏给对方看穿了,自己反陷进了危险的地位!可是临危应变,他有丰富的经验。他一瞧见贾三芝重新回到了书桌面前,便放下听筒,用百米赛的冲刺动作,直奔过来。贾三芝的手枪刚才从抽屉中取出,他的手指还没有触着机钮,霍桑已奔到他的背后。他斜倾着身子,飞起右腿,踢中了贾三芝的右腕。

阁笃!

手枪落地了。贾三芝大概不提防霍桑的动作这样快,他握枪的手指也松了些,才造成这个后果,可是他还不甘心。他粗阔的腰肢弓一弓,伸展他受了些微创的右手,像鹰鹯攫鸡雏一般地重新抓住了枪。霍桑的第二步动作自然也不会太迟缓。他仰起身子,张着两臂,向前一扑,把贾三芝拦腰一抱。贾三芝的手枪虽然再度在握,但手臂被霍桑抱住,失却了活动的自由，那手枪也就等于无效。

霍桑附着他的耳朵，低声道："把手枪放下来吧！半夜三更，别惊动了你的眷属！"

贾三芝叹了一口气，答道："好。我佩服你！你放手。"

霍桑把手一松，顺手将三芝手中的枪夺了下来。贾三芝不再抵抗，垂头丧气地坐在沙发上。霍桑方始安闲地打成那个电话。

不多一会儿，余署长亲自带了警士过来，把贾三芝捕入警署。同时霍桑从余桐方面得到了几种消息。

余桐说："严小莲仍旧不知去向，徐楚玉也逃走了。据章长庆报告，杨一鸣夫妇也已乘长江船走了。事情好像还不容易马上结束。"

霍桑说："别心急。此外你可有什么发展？"

余桐道："有一个探伙，在浦江旅社外面查得一个黄包车夫。据说在十二点半过后，他从浦江旅社拉一个穿黑呢大衣的女人到广寒宫舞场，又从广寒宫舞场送到兴华路口。这一点和舞场看门人戚福的话恰巧符合。你想这女人可就是杨一鸣的妻子？"

霍桑沉吟地答道："唔，有可能性。你可曾向浦江旅社调查过？"

"还没有，我正要向这条路进行。"

"很好。你的确不能放松夫妇俩的这条线索。别的话明天谈。"

奇怪景象

杨一鸣领着他的妻子潘爱美上了平安轮船以后，在一方面看，总算已脱离了险境，可是他们的精神依旧惴惴不宁，仿佛在船上的只是他们的躯壳，他们的灵魂还留在岸上。他们包了一间房舱，彼此都静默无语。长江轮船的开驶时刻本有些参差。杨一鸣上船以后，只希望船能够立刻起碇。他一想到临行时的枪弹，着实有些惊惶。那开枪的是什么人？目的是不是要打他？或只是偶然的巧合？万一当真要打他，而且那人又跟踪上船，那又怎么办呢？幸亏在他上船后不到半个钟头，轮船便开行，他的心头方才放下了一副千斤重担。否则他的神经再紧张下去，说不定会发生什么变端。

那晚上他虽和衣而睡，实际上他不曾合过眼。他听得爱美的饮泣声音。他虽想安慰伊，却说不出话。他想起了那白丝手套上的血迹，料想爱美也必牵入了漩涡，但他终没有勇气向伊查问。轮船的船舱之间，只隔着一层板壁。这样的问题，他们在船上自然不便细谈。他也想到柯秋心的死。自杀？被杀？凶手究竟是谁？这些疑问也消耗过他不少脑细胞，可是终于没有端倪。

天明以后，他想叫爱美到甲板上去吸些新鲜空气，散一散惊惶而郁闷的精神。但爱美只是默默无言，摇头不愿。一鸣没法，只得也留在舱中。他觉得爱美的神态已失了常度，不敢让伊一个人独处。

轮船到镇江靠岸，霎时间喧声雷动。旅客的上下，苦力们的起货落货，又加着挑夫的兜揽和小贩的喊卖，种种声浪，一时并作。一鸣再不能安坐。

他乘机说："爱美，起来，到外边去散一散吧。这样子闷在舱中会害出病来。"

爱美缓缓从榻上撑了起来，先向一鸣瞅了一瞅，随即把目光垂下，用手掠着鬓发。

伊冷冷地道："身体的病还不致怎样，心里的病那才危险！"

杨一鸣觉得伊也许要说到那问题上去了，忙低声说："爱美，我们再搁一搁。这里耳目众多。暂时不提为妙。"

他取起那件黑呢大衣，给伊穿上了。等伊装束舒齐，才去开舱门。他正要扶着爱美走出去，忽见舱门口站着一个穿元色绸长袍的大汉。

那人的头上歪戴着一顶呢帽，也是黑色的，一脸棕色的肌肉和两粒可怖的眼珠，看见了会使人一吓。那人似乎正要敲舱门，看见一鸣自己开门出来，耸一耸肩，非常得意。

大汉说："你是杨一鸣先生？巧极了！"

杨一鸣愣住了，脸上的颜色顿时起了变幻。他想要不认，但记得上船定舱时并没有改换姓名，此刻要赖，势必弄巧成拙。他让爱美退后些，勉强保持着镇静状态。

他答道："是我啊。什么事？"

大汉道："很好。现在请你上岸——唉！这一位不是尊夫人吗？好，请你们两位一块儿登岸吧。"

杨一鸣看见大汉的可怕的眼睛盯在爱美的黑大衣上，明知这案子已经发作。他呆住了不能答辩。潘爱美忽从背后抢出来。

伊问道："你是什么人？怎么干涉我们的行动？"

那大汉露着牙齿嘻了一嘻，又合着眼缝，现出一副似笑非笑的丑容。

他答道："杨夫人，不是我干涉。我们的局长接到一个上海来的电报，叫我上船来找你们。"

杨一鸣道："你是警局里的公务员？"

大汉点头道："是。我是镇江警局的小侦探。对不起，快些收拾收拾，别再耽搁。”

“哎哟！……一鸣！……一鸣！……”爱美的尖锐呼声惊动了几个走过舱门口的旅客。

一鸣忙拍拍他的妻子的肩：“爱美，别怕，没有事，没有事。”

杨一鸣的态度反宁静了些。他知道这时候向来人抗辩，不但没有效力，也许反而会受辱。但爱美仍缩在后面，浑身在发抖。

他又回身说：“爱美，不用怕。这件事迟早总会弄明白。我们就跟他上岸去。”

当杨一鸣夫妇在镇江码头被捕的时候，上海方面的侦查也进行得非常急速。报纸上虽因时间关系，只有临时插入的短短一节，但柯秋心三个字已尽够作上海一般有闲阶级的谈话资料。秋心的尸体已经过法医的检验，证明是被杀，因为那件银灰缎旗袍上并没弹灰。检验时霍桑也在场，证实了周文柏假定的秋心在一点左右被杀的话并没错误。警察总厅股厅长特地把这案子重托霍桑。霍桑义不容辞地答应了。探员们四处侦查，但小莲和楚玉仍没有下落。

在九月二十八日，星期四凌晨三点钟时，余桐把贾三芝拘到警署。当时并没有询问。贾三芝要求通一个电话给他的法律顾问于企年。这要求得到了许可。可是十点过后，于律师还没有到。余桐听得了检验报告，就把贾三芝传进去。

贾三芝先自陈辩道：“于律师还没有来，我本来打算不回答。不过实则实虚则虚，我愿意知道你们凭什么罪名把我拘起来。”

余桐直截说：“柯秋心被杀死了！”

贾三芝点点头："唔，是的，我听说柯秋心被人杀死了。你们可是把我当作凶手？"

"难道还不是你？"

"那是完全误会了！"

"误会吗？我们却相信有充分的理由。我想你是一个有知识的人，与其弯弯曲曲地说什么虚话，还不如痛快些说一个明白。"

贾三芝点头说："原是啊。我但愿爽快些弄一个明白。不过你们如果认为我谋杀秋心，那就永远不会明白。你们自己走进牛角尖里去了！"

余桐说："我们都已查明了。尸室中发现的绒匣，就是你昨夜在华昌公司买的手镯匣子。手镯不见了，匣子留在室中，你还不承认是你的东西。你的手枪本来有九粒弹子，现在已放去了三粒。这岂非又是一种明证？"

贾三芝的嘴张一张，又伸出舌头来舔一舔，却并不答辩。

余桐又说："还有一层，今晨霍先生到你寓所里去的时候，你又准备行凶。假使不是霍先生手快，你说不定要犯第二件凶案。你如果没有犯罪，又怎么有这种举动？这种种都是铁证。你还有什么话辩白？"

贾三芝沉吟一下，面不改色地答道："好。这几点我都可以解释明白。假使我不说，反而使秋心冤沉大海，便宜了那个凶手。好，我老实说吧。

"你说的那只绒匣，你们调查得不错，这东西的确是我的。我为了迷恋着的秋心，凡有可以使伊欢心的方法，什么都愿意照办。昨晚在广寒宫时，我看见杨一鸣在酒排室中和伊密谈，又给伊一只钻石指环。我一方面恨杨一鸣的阻碍，一方面以为秋心跟别的舞女一样，到底也是个贪小便宜的女人。我在十二点钟时，先去看一鸣的妻子，希望利用伊的妒忌心，把我和秋心中间的障碍物排除掉。谁知伊很信任伊的丈夫，不听我的话。我的第一步计划既然失败，便改变方针。我从浦江旅社出来以后，顺路往华昌公司去，敲开了门，买了那只珠镯，又立即亲自送到秋心家里去。我原以为伊既然贪小利，我的手镯当然比一鸣的钻戒更值钱，我也许可以将伊的心买过来，至少伊也得敷衍我一下。不料伊不识抬举，非但不肯受，反而奚落我一番，竟将我的手镯丢在地上。我急忙拾起来时，那绒匣已被伊践破了。我气冲冲地取了手镯退出来，那绒匣便遗留在伊的室中。"

余桐冷冷地说："照你说，你离开秋心家时，伊还是活着的？"

贾三芝应道："自然。这一点有法子可以证明。"

"怎样证明？"

"伊的女仆就是个证人！"

"喔，是不是严小莲？"

"是，秋心跟我吵嘴时，小莲来排解。我出门时，小莲也看见。"

余桐思索了一下，说："可是小莲也失踪了，你的话还不容易证实。你可知道小莲此刻在哪里？"

"我不知道。不过你们应得把伊找回来。"

"唔，不错。后来你没再到秋心家里去吗？"

"没有。我从伊家里出来，又回到广寒宫去。那时候，才交十二点半。我一看见伊的表兄王百喜，便把这经过的情形告诉他。他也很替我不平。接着我就匆匆离开舞场回家，再没有到过秋心那里。所以伊的被杀,我不但没有关系,也还出乎我的意料。"

余桐细细地把贾三芝的话考量了一会儿,又问道:"那么你手枪的问题又怎样解释?我们曾验过枪管,明明是新近放射过的。"

贾三芝又疑迟了,他把牙齿咬着他自己的嘴唇,目灼灼地瞧着余桐,一时回答不出。

余桐催着道:"说啊。这是一个重要证据,你如果解释不出,足见你这一番话都是虚构的。"

贾三芝忽作坚决声道:"好,我索性说明白了吧。我因着一再的失败,越发怨恨那杨一鸣。因此,我带了手枪,重新到浦江旅社去。我第一次去时,约在一点钟光景,据茶房说,他们夫妇俩都出去了。我还不甘休,在附近的一家酒店里等了一会儿,第二次再去。不料这一次我还没有走到旅馆门口,忽然看见门前停着一辆汽车,有一个人走上车去,正是杨一鸣。我的本意,原想看见了一鸣,给他一个警告,吓他一吓,手枪原是备而不用的。可是在那个当儿,汽车快开了,我来不及考虑,便向着他开了一枪。"

"打中没有?"

"没有,汽车开走了,我就也懊恼地回家了。霍桑来看我,问我秋心的事,要搜查。我自然禁不住发脾气。以外的事情,我一概不知道。"

办公室中静一静。余桐瞧瞧对方的神气,倒有些像理直气壮。

他又说:"你的话即使实在,在事实上还是不符。据你说你只开了一枪,但你的枪膛中的子弹明明少了三粒。"

贾三芝答道："这是你们误会的。我的手枪虽然可以装九粒弹子，但我本来没有装满，只装了七粒。这一点也容易证明。我听说秋心也是被手枪打死的。你不相信，尽可把伊的身上的子弹和我的子弹比较一下。"

余桐觉得初步侦查已可告一个段落。贾三芝的陈辩都有证实的可能性，而且他说话时的声音态度也不像是虚造出来的。他的成见松弛了些。

他说："你的话还得等各方面的证明。现在不得不再屈留你一下。"

贾三芝抗议说："事实既然明白了，你不能随便拘禁我。你得马上让我自由。要不然。回头于律师来了——"

余桐挥挥手："于律师尽管来，你要自由，还不能这样随便。你得知道，你即使没有杀人，但是谋杀另一个人的企图是有的，你自己已经供认了。"

二十八日晚上，杨一鸣夫妇已从镇江解到了上海。霍桑恰巧到北区警署来报告。他在手枪上验得了两个清楚的指印，一个是男子的大拇指印，另一个是女子的食指指印，此外虽有别的印迹，却因互相交叠的缘故，已瞧不清楚。他本是来取贾三芝的指印比对的，但听得了余桐告诉他的三芝的供述，认为局势已有变异，又知道一鸣夫妇已经捕到，就同着余桐先向这新夫妇俩问供。可是他们间供的结果出乎意料，反觉得疑障横生，莫名其妙。

余桐把查得的金头纸烟，和周文柏医生看见他从秋心寓里逃出来的情形，作为证据，指杨一鸣有凶手的嫌疑。杨一鸣也就把发现秋心死状的经过和听见王百喜进去，他乘间冒险逃出来的情形，仔细地照实说明，辩白他的无罪。不过他供述时的声音容貌都缺乏自信的神气，并且时时向潘爱美瞧着，更见得他的说话不足使人深信。

余桐说："我想你不用掩饰了。别的莫说，你假使没有罪，为什么又悄悄地连夜逃走？"

杨一鸣期期地答道："我们……我们不是逃，我们本来要走了。"

余署长冷然说："这又是公开的谎话！你上夜里不是向王百喜说过，定当在下星期一往普陀去吗？怎么隔了几个钟头，忽然又变计上长江船呢？"

杨一鸣是个文学家，打谎掩饰缺乏经验，而且也不愿意。他低垂了头，再回答不出。

余桐继续道："你若使果真没有罪，那么你发现了秋心的凶案，理应立即报告，并且报告是很便利的，电话就在伊的会客室中。可是你先偷偷掩掩地匿伏，后来又奔逃出来。这种种不都是你犯罪的铁证吗？你何必再用虚话搪塞？"

一鸣迸出了一句话："别乱说！我为什么要杀死秋心？"

余桐点头道："是的，这一节我们实在最觉诧异。我们知道秋心对于你的感情似乎较别的人更好，你反而将伊打死。这一点你得自己说明白。"

"我……我说不出。我……我没有杀死伊……我……我……"

杨一鸣似乎丧失了神志。他断断续续地说不下去。他的目光呆定了。他先向他的妻子瞧瞧，又向坐在余桐旁边的霍桑凝视了一会儿，接着便低垂了目光，微微地摇头叹息。情势非常危险。假使这一次是法庭的审判，裁判官观察现状，杨一鸣显然无可逃罪。余桐横目瞧瞧霍桑，嘴唇牵了一牵，现出得意的神气，好像认为这件疑案可以就此结束。霍桑却向他摇了摇头，表示不赞同他的见解。他虽始终沉默，但他凭着他的精锐的观察，却已瞧到了他人瞧不见的隐微。他正要发表意见，一个打岔阻扰他。潘爱美突地奔到伊的丈夫的面前，大声呼叫：

"是我！……是我杀死秋心的！"

声浪尖锐而凄厉。办公室中沉静的空气霎时紧张起来。大家的目光都集注在伊的一身，尤其是一鸣，灰白了脸，更显着十二分的惊诧。

爱美继续道："柯秋心是我杀死的，与我的丈夫无干！别难为他！快把他放了！"

论情，余桐在诧异之余，自然要究问伊行凶的目的和情形，可是他没有机会。一鸣也变了态度。他咬紧牙齿，铁青了脸，挺身而出地抢着说话：

"警官，别听伊的话。我老实承认了吧！杀死柯秋心的是我！伊是完全没有关系的！"

潘爱美挥着两手，挣扎着走到前排。伊的美目丧失了柔和，射出火焰，好像突然发狂了。

伊大声道："不是他！……是我！是我！"

一鸣也不肯放松，同样抢前一步，把潘爱美一把拉向后面去。

他竭力声辩道："不！不！你们别信伊的话！伊想代替我受罪。伊的神经已经错乱了。"

余桐的得意神气消逝了。他兀自发呆，摸住了下颏，一时不知道怎样应付。他想制止这夫妇两人的争辩，细细地分别究问，却又不容他有插口的机会。

潘爱美又挣扎着说："我的脑子很清楚。我的话都是实在的，我杀死伊有充分的理由。因为伊偷了我的丈夫的爱！"

这句话的确有力。办公室中的人们一个个都惊骇失色，连霍桑也不例外。杨一鸣尤其慌得手足无措。他再想申辩，可是找不到相当的话。

局势本已十二分紧张，忽而又加添一种劲势。那个不知去向的徐楚玉，这时忽穿着一件苹果绿的舶来绸的旗袍，姗姗地给一个听差领进来。在表面上，这紧张的局面似乎因着伊的加入而打破了些，但据伊所陈述的话看来，竟使潘爱美的供认多了一种证实。

徐楚玉说："我有几句话报告你们。秋心是给人打死了。你们不是因着我遗留了一块手帕，便把我当作嫌疑凶手吗？你们弄错了。我昨夜因着要找百喜，在一点钟光景，确曾到过秋心家里去。我走进了兴华路，还没有到秋心家的门口，忽然看见一个女人急忙忙从秋心屋子里走出来。我认得出就是这一位杨夫人。当时我来不及和伊招呼，但心中不免怀疑伊的行动。等我走进里面，发现了秋心已给打死在地板上，不由不惊惶起来。我本想打电话报告，但是转念一想，如果如此，说不定会把我牵连进去，我简直自己找麻烦。我在客室中慌了一阵，就也匆匆地退出。就在那时，我不知不觉地遗落了我的一块手帕。

"我刚出大门，忽听得有一种打喷嚏的声音，一个男人从转角上走过来。我回头一瞧，又认识是这个杨一鸣，他嘴里还叼着一支烟。那时我没有胆招呼他，就急急地避去。我回家后吓得不敢睡，又不敢出来证实，就到我的朋友范琳琳家里去躲一躲。今天报上登着秋心的凶案，侦查得很严紧。傍晚时我妈又差人告诉我，侦探们在调查我的行踪。琳琳跟我商量，我明明已处于嫌疑的地位，要是躲着不出面，也许会弄假成真。因此，我觉得不能不自动出来，说明这件事的真相。"

这番话固然解除了案中的一个疑点，可是爱美的地位却越发危险了。爱美的神气反而宁静了些。伊兀自点着头。杨一鸣的心房宛如在给刀割。他骇张着双目，向他的妻子发呆，他的手紧握着拳头，却到底想不出什么挽回的话。这时始终旁听的霍桑有些活动了。他回过了脸，向徐楚玉点点头。

他问道："徐女士，你此刻是自动来剖白的？"

"当然是自动。"

"那么你怎么会知道你的手帕已作了你被嫌疑的证据？"

徐楚玉略略疑滞，期期地答道："这个……这是我料想而知的。"

"唔，你的料想倒很准确！"霍桑瞧着楚玉的脸，冷冷地笑一笑。

徐楚玉显然受不住那目光的火灼，伊的头垂落了。

余桐似乎急于要结束，插口道："好了，现在从各方面看，这位杨夫人的话最切近事实——"

霍桑忽抢着说："不错。不过眼前的景象未免太奇怪。我们不能不再搜查些证据。我觉得我们还有一个重要的证人没有找到，现在还不能下什么结论。"

又来一个打岔。一个穿制服的警士走进来，向余桐行了一个举手礼。

他报告说："署长，北三区里解来了一个女人，说是这件凶案中的重要证人，现在在外面。"

春云乍展

这报告引起了一伙人的注意，尤其是霍桑。他正说到有一个重要证人还待找寻，忽而意外地来了一个证人。在霍桑意中，认为死者的侍女严小莲在发案后突然失踪，所处的地位非常重要。现在北三区里解来的女子，竟就是这个失踪的小莲。这一个转捩使霍桑喜出望外。

严小莲被引进余署长的办公室后，站住在灯光底下。伊的脸色憔悴而枯黄，两眼陷落，眼眶上染了黑圈，眼光中还带着余怖。伊的蓬乱的短发压覆满额，身上穿一件深紫色西洋绸的夹袄，那襟角的一粒纽扣却已断去，足上本穿着乳黄色的皮鞋和肉色的丝袜，这时都污秽不堪，分明曾被人践踏过。伊的形状显示出伊已饱受痛苦。伊的故事足以引人注意，当然也可以不言而喻。霍桑为审慎起见，吩咐把那先前问话的一干人分别带回押所，只让严小莲单独陈说。严小莲困乏极了，伊疲倦的腰肢已支撑不住。霍桑先扶着伊坐下来。余桐又叫人送一杯热茶给伊。伊喝了几口茶，定了定神，才开始报告伊的重要故事。

伊说："柯小姐不是已给杀死了吗？我听说伊是死在手枪上的，我还处于嫌疑的地位。唉！多么伤心啊！现在我把经过的事告诉你们。我本人有没有嫌疑，我绝对不放在心上。

"昨夜里柯小姐咯血病发得厉害。在十一点半不到光景，伊便离开了舞场回去。我当然跟着伊走。回家以后，伊先上楼换了衣服，又下楼来喝了些药水，还不肯睡，仍照常在憩坐室中看报。伊每夜从舞场回家总是这样。在十二点钟时，王先生来看伊，彼此斗了几句口。伊有些发火。在王先生走后，伊忽然想自杀——"

霍桑插口道："唉，伊有过自杀的表示？"

小莲有气无力地点点头："是。伊自己本有一支手枪。那时我看见伊一边叹气，一边拿出枪来玩弄。伊虽没有动手，但在心境不快乐时，难保没有这个念头。我向伊解劝了一番，伊才把手枪重新放进了抽屉。"

"伊为了什么事和伊的表兄斗气？"

"那总是为了钱。我不说背后话，王先生实在是靠小姐生活的。"

霍桑点了点头，向余桐瞅了一瞅。余桐却似悟非悟地把两只眼睛呆瞧着霍桑，好像希望他解释这个暗示。霍桑不理会，继续向严小莲点点头：

"你说下去。以后怎么样？"

小莲继续道："到了十二点二十分，我正要劝小姐上楼去睡。有一位姓贾的忽来瞧伊。伊不得已，请他到了里面。不料他们谈了几句，彼此忽也冲突起来。"

"喔，为什么冲突？"

"我在外面约略听得几句。姓贾的向小姐说了不少杨一鸣的短处，劝伊不要和他往来，一面又夸张他自己有钱。这些话似乎触犯了小姐，又发起火来。那姓贾的也恼怒咆哮。我觉得不妙，才插身进去，把他们劝开，送姓贾的出来。那时小姐怨恨极了，哭了好一会儿，自己捶着胸膛，忽又连吐了几口鲜血。我发急了，便打电话请周文柏医生。伊还竭力阻止我。我不听伊，到底打了一个电话。可惜周医生在出诊，不能立刻就来。

"一会儿，小姐写好了一封信，又从左手指上取下了一只钻石戒指，叫我给伊送到舞场里去，交给杨先生。那时候夜已深了。伊怕我受寒，故而把伊自己的那件淡绯色软绸斗篷，给我披了。临走时我还告诉伊，至多二十分钟我就可以回去。我叮嘱伊耐性些等一会儿，别胡思乱想，等我回去时，大概还来得及招接周医生。伊也一一答应。谁知这一别就永远不见面！”

严小莲的声调哽咽了，亮晶晶的眼眶里面，忽而有连串似的泪珠一行行挂落下来。伊摸出一块手巾来按住伊的眼睛。

霍桑乘势问道：“你可记得你出门时是什么时候？”

小莲一边抹着眼睛，一边答道：“约莫十二点半。”

“那时候屋子里没有别的人吗？”

“没有，屋子里只有小姐一个人。我们的蔡妈这几天因着伊的儿子害病，晚上住在伊自己的家里。不过……不过屋子外面并不是没有人！”

小莲的说话突然停顿，灯光中照见伊的悲戚的神色霎时间化作惊怖。余桐忽坐直了身子，目光盯在那侍女的脸上。

他问道：“怎么样？可是有什么人候在你们的门外？”

霍桑接嘴道：“余署长，你耐心些。我想伊快要说到伊失踪的原因了。”

小莲点头道：“是啊。这件事我想起了还是心惊肉跳。我走出了门口，下了阶石，正站住了要找一辆黄包车，不提防有人从我的背后突地将我抱住，一只粗笨而烟臭刺鼻的大手，猛力按住我的嘴。我不能喊，又不能挣脱。我的魂灵几乎出窍！昏乱中，我似乎给人挟进了一辆汽车。我的脸上也被一块粗布扎住。我座位的两边各有一人夹着，分明我已落进了什么匪徒的手。当时我实在想不出他们为着什么要把我绑去。直到他们把我脸上扎着的布松下来时，我才瞧见我已被禁闭在一间破屋里面，我的前面还站着两个恶汉。内中一个身材很高大，满脸横肉，眼睛里血红得可怕。还有一个短小些，黑脸上两只炯炯的眼睛，一个弯钩鼻，两只招风耳，一望而知也是个狡猾的恶匪。

"我正在怀疑他们绑我有什么目的，他们俩把一盏煤油灯旋亮了些，向我细细地瞧了一瞧，竟也失望似的诧异起来。那短小的匪徒说：'哎哟！弄错了！不是伊啊！'那大汉也作抱怨声道：'晦气了！可是伊的打扮怎么竟和那个跳舞的一样？'

"这时我才知道他们本要绑小姐，因着斗篷的缘故，才将我误会作伊。他们俩在我身上搜了一搜，那戒指和信便落到了他们的手中。但他们还不知足。那短小的匪徒计议道：'我想你赶紧再走一趟。伊现在只有一个人在，你尽管放胆进去，把那条圈儿弄到手。我在这里守着伊，你快去快来。'那大汉答应了，赶紧出去。我被送进另一间黑暗潮湿的小室中。那时我还替小姐担忧，料想那高个子的恶汉势必要进去行劫，小姐怎样受得住这种惊吓。

"隔了二十分钟光景，那高大的匪徒回来了。他们俩忽彼此密谈，语声中带着惊惶。我起初还不知道这一趟的结果究竟怎样，后来那矮匪忽走进小室中来向我警告。他道：'你安静些吧。你的主人已经完了。我们就算放你回去，你一个人也是冷清清的，何况人家还会疑心你是凶手？你不如就在这里跟我们做个伴。'

"我听说柯小姐已死，不由大吃一惊，但还不知道伊怎样死的。我问他们，他们只向我苦笑。我恳求他们放我，他们也不答应。他们把我关在小室中，严密地看守着我。今天早晨和中午，他们给我几个大饼，我不吃。我虽然啼哭挣扎，终于没有用。直到天黑时分，我听得那矮匪出去了，那长匪一个人无聊，出去沽了些酒，点了灯独酌起来。我从板壁中偷瞧，看见他饮了好久，似乎有些醉意，便把头伏在桌子上，不多一刻，竟鼾声呼呼地睡着了。

"我暗忖我的机会来了，便冒着险弄开了那扇隔室的板门，在地上爬过他的背后，悄悄地逃出那间破屋。那屋子是在一条冷僻黑暗的小巷里。我走出巷口，从路灯光中认识那是河西路的尽端，距离我们的住所只有一里路光景。但我还不敢直接回去，在路上看见一个警察，便把我经过的事报告了几句，请他立刻去捕那破屋中的匪徒。

"那警士似乎因着黑暗中一个人敌不住，所以先把我带到了北三分区里，将情由报告区长。区长向我问了几句，就说我是柯秋心案中的重要人物，立刻差人把我解到这里，一面派了几个人，依着我所说的地点去捕捉那匪徒。"

故事很动人。余桐的眉峰忽然紧皱着。他不但不欣赏，反现出失望的神情。他起先本希望严小莲的出现，便可使这案子水落石出。可是结果却相反，反使这案子多了一层疑障。

他自言自语地说："这真是一件复杂的事！现在这案子的重心又移到了那两个匪徒身上去了。"

霍桑问道："你可是说那个匪徒有行凶的可能？"严小莲抢着答道："是的，我敢说柯小姐一定就是这个恶匪杀死的。他要劫取小姐的项圈，小姐也许和他抵抗，因此就遭了——"

霍桑忽止住伊道："好，现在不必说空话。真相如何，不久就可以证明。余署长，赶紧打个电话到北三分区去问问，那匪徒捉到了没有。"

余桐答应了，可是电话并没有打成。一个警士又急匆匆进来报告："北三分区里又解了一个男子来。"

这消息当然是满意的。第二次解进来的，果真就是霍桑所盼望的那个匪徒。霍桑因着严小莲的精神太疲乏，先吩咐将伊送到后面去，弄些东西给伊吃，然后才把那捉到的匪徒带进来。

那匪徒是一个躯干高硕面貌丑恶的汉子。当他进来的时候，左右各有一个警士挟扶着。假使他要脱逃，他的两只粗大的手臂，那两个警士似乎还不一定捉握得住。幸而那人并没有抵抗的表示，而且态度很从容。他走进来后，仰面瞧着余桐，似乎有恃无恐又像服帖地准备受审。他的姓名叫作陈大彪，在北三分区里时已经供明白。

余桐先问道："陈大彪，你干的案子，我们都已明白。你现在还是爽直些说。"

那大汉张大了一双充血的巨目，诧异地反问道："都明白了？明白了什么？"

余桐不提防有这反问，摸着下颏，一时回复不出。他的脸上不免有些窘意。

他作含混语道："你干的事，你自己总知道。要是还想放刁，休想有便宜。"

黑汉斜视着道："那么你们要我说什么？"

霍桑从旁发言道："自然就是那舞女的事。现在你得明白你自己的地位。只要你知趣些，把你所做的事情照头供出来，我们还可给你想想法子，超豁你一下。不然，你要吃亏了。"

陈大彪的两只充血怕人的眼睛在两个人的脸上打了几个旋，又低垂了头想一想，终于点头。

他说："好，我说明了吧。不过我只承认绑错那女用人的一回事。刚才三区里的那个可恶的警官，硬说我杀死那个舞女，那是冤枉的。"

霍桑道："你放心。我们绝不凭空冤枉人，你只要照实说。"

陈大彪点头道："对，这句话我才中听！我们干这件事，也是因着没有饭吃。那姓柯的舞女有一条珠项圈，外面传得很热闹，小黑才动脑筋。前天晚上我和小黑先在广寒宫外面候了好一会儿。伊出来的时候，因着人多眼杂，我们不便动手，就也雇了一部汽车跟到伊的家里。我们又在伊家对面小弄中候了好久。因为过路的人不少，又有一个胖子走进去，我们还是不能下手。

"后来胖子走了。忽然有个警察慢慢地从东面踱过来。我们还只能耐心等。到了十二点半，那个女用人走出来。我们看见伊的打扮跟伊的主人一样，黑暗中弄错了人，便将伊绑住了，用一辆空汽车带到我们的住处。后来我们瞧清了伊的面貌，才知道弄错了。我们在那女用人身上得到了一只钻戒和一封信。现在那钻戒已给小黑拿去变钱了，至今还没有回来。倒霉！我在这件事上还没有得到一个大钱！"

余桐见陈大彪顿住了不说，忙催着道："还有呢？怎么不说下去？我知道你在发觉了弄错人以后，重新往柯秋心家里去过。难道你还想赖？"

陈大彪的嘴唇牵了一牵，鼻子里似也轻轻地哼了一声。

他答道："不错，有这一回事。我何必赖？不过刚才那警官要我承认，想把杀人的罪加在我的身上。真是太可笑！其实他可惜笨了些！他要查明那件凶案，尽有别的方法，何必硬生生冤枉人？"

这答语近乎指桑骂槐。粗汉子也有幽默感，使余桐有些不高兴，但他还不便发作，只得暂时隐忍着。

他说："你既然不赖，快些说出来啊。"

霍桑似乎已听出了些端倪，附和道："对，我已经说过，我们有权可以超豁你。我听你的口气，你对于这件凶案，大概有什么可以证明的法子。是不是？"

陈大彪连连点头，答道："是，先生你的话正说着了！这女人的死，我完全明白，不过我不愿意白白地说！"

余桐的眉毛蹙紧了，将信将疑地说："喔，你完全明白？真可恶！你还想放刁？"

严厉的声调之外，继以动作上的威胁，余桐的拳头在办公桌边上击了一下。但是霍桑却大不以为然。他觉得在这种情形之下，再不能用压榨的手法。他向余桐眨眨眼，仍作婉和声向大彪说话。

他说："大彪，我不是已经应许过你吗？你若能说明这凶案的真相，我们可以减轻你自身的罪，算作一种报酬。你得知道绑架的罪名也不是玩的。"

陈大彪张大了血眼，大声道："真的？你这话可作准？"

"当然作准。你快些说。"

"好！我告诉你。那舞女的被杀是我亲眼瞧见的！"

"唉！那好极了！"余桐情不自禁地喊了一声。

霍桑仍稳定地问道："你怎样瞧见的？"

大彪说："我第二次到伊家里的时候，先在门口探一探，忽然听得有手枪声音从伊的屋子里传来。我吃了一惊，赶到那左边小弄中的窗口里去瞧一瞧。我看见那……那……"

余桐看见他又吞吐不说，急得按捺不住，又喘息地催逼着：

"说啊！你瞧见什么？"

"瞧见那出把戏！"

"唔，那么那个打死伊的凶手，你也瞧见的？"

"自然。"

"谁？"

"是个男人。"

"男人？不是潘爱美……嗯，不是一个女人？"

"不是。"

余桐出乎意料地怔了一怔，突然把眼光移向霍桑。霍桑但微微点一点头，似表示他同意于陈大彪的供述。署长又惊疑不定地问下去：

"那么这个男人你瞧清楚没有？"

"真像我此刻瞧见你一般。"

"你能指得出来？"

"那自然。"

余桐的情绪在急遽地转变，失望希望交替地作弄他。这时候一种十全的希望又控制他的情绪。

他又喘息吁吁地问道："这个人是谁？"

陈大彪一连应了几句肯定的答语，到了这紧要关头，忽而把目光向旁边的几个警士掠一掠，闭着粗厚的嘴唇，摇摇头。余桐又呆住了。他立起来，握着拳头，仿佛又企图表演某种姿态。霍桑却似有所领悟。他也站起来，把头凑近余桐，附耳说了几句。这一次的问供，就暂时告一个段落。

指认与举证

九月二十九日，星期五，霍桑一清早就出去。到九点钟时，他回到寓所，吃过了早餐，又匆匆地出来，重新往警察总厅里去。前天晚上，他因着没有携带防身的手枪，险些遭贾三芝的毒手，所以今天他的衣袋中除了一支小小的手枪以外，还带了几种应用的东西。这天的温度比前两天低了两度。飒飒的秋风加紧了，吹在脸上有些刺肤。他穿了一件较厚的黑呢外衣，大衣袋中藏了几张指模纹的照片。末后他戴上手套，拿了一支黑漆杖，方才出门。

这手杖是北平的特产，圆径比双毫币的面积阔些，黑漆很光亮，杖的一边还有细银丝嵌的一首五言绝句，附着上下款。半年前霍桑去北平旅行，乘便解决了一件鲁姓家的疑案。案中的当事人特地定制了这根手杖，送给他作为纪念。霍桑非常珍视它，逢到有什么特别的宴会，方才取用。这一天他似乎预料到这件复杂的血案已到达结束时期，他正像赴盛宴一般地把这手杖带了出去。

霍桑到警署的时候，已是九点二十分。殷厅长恰被急电召到省会去。汪倪两探长也还没有销假。举行公开指认的事，仍由余署长主持。他早已把疑案中的有关系人解到总署，正很急切地盼望着霍桑，一见霍桑进去，恰像一个失乳的孩子骤然看见了母亲。

他说："霍先生，你来了！我等得很心焦哩。"

霍桑微微笑道："昨夜里我不是和你约定今晨十点钟叫陈大彪指认吗？时候还早你何必着急？"

"我就因着不明白你的用意。昨夜里陈大彪既然说认得出凶手的面貌，尽可以连夜叫他指出来。即使他想放刁，我们总也有法子叫他说明白。你怎么要等到今天才叫他指认？"

"你别冤枉他。他不是放刁，是有所顾忌。我所以并不催逼他，也当真是有用意的。"

"喔，什么用意？"

"有两层：第一，我怕走了风声，不如调齐了一干人，让他当众指认，比较稳妥些。第二，物证还没齐备，我还得分头搜集。我告诉你，昨天晚上和今天早晨，我都不会虚度。"

"你干些什么？莫非还有什么特别工作？"

"是。我又跟几个人谈过话，又验过几个人的指印。"

"哪几个人？"

"人不少。徐楚玉，潘爱美，马杏生，戚福，胡少山，还有杨一鸣，贾三芝，陈大彪。"

"那么你已证实了没有？"

"唔，差不多了。现在我问你，我请你准备的，都已办妥了没有？"

"完全办好了。这案中的嫌疑人都已带在外面。王百喜和周文柏医生也都请到，广寒宫舞场的侍者马杏生也给传来了。不过那舞场经理胡少山，我们虽打了两次电话，此刻还没有来。"

"那么你再打个电话催一催。"

余桐疑迟地说："我怕电话不大有效果。要是这个人你认为有关系，不妨派两个弟兄去抓他来。再耽搁下去，他不会跑掉吗？"

霍桑摇摇头："我想他不会跑。你用不着大动干戈，再打个电话行了。"

余桐搔搔头，走到电话机前去，还没等他把握着电话筒，一个警察走进来。

他报告道："戚福来了。"

余桐惊奇地问道："戚福？是不是广寒宫舞场的看门人？"

霍桑忙接嘴道："是。"他向报告人说："叫他在外面等一等。"

报告的警士退出去。余桐把诧异的眼光瞧着霍桑：

"这个人你没有叫我传他。他怎么自己来了？"

霍桑道："我叫他来的。我关照你以后，又想起了他。"

"这看门人难道也有什么关系？"

"自然有关系。还有一个，陈大彪的同党张小黑，你可曾找到他？"

余桐皱眉说："还没有，我们昨夜一面派人守在河西路匪窟附近，一面又到各处押当里去调查，据说都不见那钻石指环。这个人也至今没有下落。"

霍桑也只皱皱眉，不再表示什么。余桐打电话的结果，胡少山不在家中，也没有到舞场。余桐有些着急，认为他已溜跑了。霍桑仍维持他原来的见解，只叫他把审问室布置好，让一行干系人都挨次坐定。

十点过五分钟时，胡少山果然也赶来了。他说他去接洽一个舞女，预备抵补柯秋心的缺，所以一早就出去。霍桑约略和他说了几句，便请他在嫌疑人的座位中坐下。审讯室中照例有听差警士和录供的书记。那一排嫌疑人座共有十个座位。除了杨一鸣，潘爱美，贾三芝，徐楚玉，严小莲五个人，还有临时请到的王百喜，周文柏，胡少山，马杏生和戚福。

余桐首先站起来向众人报告："这件柯秋心的案子已引起了全上海人的注意。我们警署方面固然负了全责，就是在座的诸位也都因此感到不安。现在好了。昨晚上我们得到了一个证人，他是眼见这凶案发生的。所以凶手是谁，只要经他一指，立刻就可以证明了。"

空气顿时紧张起来。大家虽保守静默，可是这静默是难堪的。余桐说话的时候，他的眼光像闪电似的在那十个直接或间接的嫌疑人的座中瞟了几瞟。他觉得有好几个人都有些出乎意料的样子，尤其是那个胡少山和周文柏，面面相觑得更加显得不安。霍桑坐在近门的一角，他的视线也同样活跃，不过并不像余桐那么露骨。

余桐继续道："诸位请注意。今天请诸位来，并不是说你们都有嫌疑，但为着急于查明这案子的真相和解除你们诸位的不安，所以暂屈你们坐一下子。我想在五或十分钟内，这案子就可以水落石出。那时候你们就可以完全没有干系了。"他扬一扬手，向站在室门口的两个警士发令："把陈大彪带进来！"

又静默了。空气中充满了一种不安的倾向。人人心中都怀着鬼胎，连余桐也同样地不安，原来他环顾左右前后，忽然不见了霍桑。他记得霍桑和他接洽以后，曾到外面会客室中去和周文柏、王百喜等招呼，接着他就回进来叫他准备举行指认，他首先报告时，霍桑也坐在壁角，可是一转瞬间，霍桑却不知到了哪里去。他只怕陈大彪指实以后，被指的人有什么辩证，他既然毫无准备，万一对付不下，岂不要当场尴尬？

陈大彪被两个警察挟着，大踏步地走了进来。他立定了，先向并列的十个人瞧了一瞧，随即把眼光移到余桐的脸上。

他问道："你要叫我指认凶手吗？我指出来以后，你们答应减轻我的罪名，这句话可算得数？"

口气中分明含着些要挟藐视的意味，在体统上也不像一个犯人对待长官。不过余桐了解这局势的严重，此刻实不便和他碰僵。

他忍着气说："自然算数。你只管指认好了。不过你得小心些。若使乱指了人，那你反要加罪了。"

空气加重了闷郁。这闷郁袭击每一个人的心，连余桐也不例外。他张目瞧瞧十个石像般的嫌疑人，又瞧瞧门口。霍桑仍没有进来。陈大彪点了点头，便走近一步，挺着他的高大的躯干，张着两只骨碌碌的充血眼睛。他在那几个人的脸上一个一个地仔细辨认。他对于几个女子并不注意，只向严小莲牵了牵嘴。

他忽而举起一只手，指着舞场经理胡少山，笑一笑。

他说："你！……嘿嘿嘿！……你……你这矮子何必这样子着急？我不会指你的。"

胡少山伸伸舌头，舒一口气。陈大彪的视线移转到了贾三芝的脸上：

"唉！你！……你这个大肚子急什么？哈哈！……你也尽可安心吧。……喂！你们几个男人，大家站一站起来！"

犯罪的人发布命令是反常的，而且命令又粗蛮刺耳。座上的几个男客虽都不愿意，却又不敢不从。在王百喜的领导之下，一个个都站了起来。

室中静默了。自然，难堪的程度更超过了以前的。陈大彪睁着红赤的眼，在视察每一个人的面貌，估量每一个的高度。杨一鸣的神经一条条都抽紧了。贾三芝也把憎恶的眼光瞧着那大汉子。从情绪的紧张说，杏生、戚福、王百喜、周文柏都在喘息，连坐着的女子们也是如此。余桐忍住了呼吸，等候陈大彪指认。不知是辨认不清呢，还是故意卖弄，大彪让这抽神经的静默延长到半分钟以上。

"唉！在这里了！"

声浪太刺耳。每个人都在战栗地相觑。

余桐说："谁？快说！"

陈大彪举起了一只手："这个浓眉毛黑脸的瘦长子就是杀死那舞女的凶手！"

余桐的目光依着大彪的手指瞧过去："唔？是他？不会错？"

"不会！不过他的衣裳换了。我记得那晚上他是穿西装的，今天却换了长袍……"

王百喜忽从杨一鸣的背后走出来。大家的视线都集中看他。他站住了脚步，瞧着大彪发出一种镇静而含怒的声音：

"唉！你的手指是不是指着我？"

"是！是你！"

"喂，你留心啊。别乱说！"

"真是你！你的浓黑的眉毛，长方形的黑脸，就是烧了灰我也认识你！'

"放屁！"

"嘿嘿嘿！别赖了。我亲眼看见那女人摇了几摇跌下去时，手枪还在你的手里！"

王百喜的面色变了，他的两颊上蒙罩了一层灰白，不过瞧不出是愤怒还是吃惊。余桐的嘴张开了，可是像哑巴。杨一鸣抢前些像要发言，也没有说出来。其余的男女只是错愕地相顾。

王百喜仍保持着镇静态度，说："余署长，请注意。我看这个人的神经大概已经错乱了！你想秋心是我的表妹。我为什么杀死伊？伊的被杀给予我重大的悲痛和损失，我正要找这个杀死伊的凶手。这强盗分明杀了人，想随便乱说一句，企图轻减他自己的罪。余署长，你总明白这是件人命案子，不是凭一个现行犯乱说一句就可以确定的。"

一伙人都保持难堪的静默，谁都说不出话来。余桐更是焦急。他对于这两个人的说话，不知道怎样对付。一个斩钉截铁地指认，一个理直气壮地抗辩。他委实分不出谁是谁非。事实上陈大彪的指认也太出他的意料。就法律的立场说，这样的杀人处分当真不能够单凭一句话，何况说话的还是个现行犯？要是王百喜果真是凶手，动机是什么？物证呢？怎么办？他急得无路可走，又想起了霍桑。可是他不知溜到哪里去了，至今还没有露面！假使这当儿没有一个间接的解围救星，余署长简直会急得发昏。

外面忽然起了一阵小小的纷扰，审问室中的一伙人都旋转头去。三四个警士拥进一个黑脸矮小的人，就是陈大彪的同伴张小黑。另有一个警士走到余桐面前，送上一个小纸包和一封公文。

他报告道："署长，我们在车站上把他捉住了，东西也是他身上搜出来的。"

余桐没心思研究捉到张小黑的情由，他挥一挥手，叫警士退下，抹抹额上的急汗，看一看公文，顺手把那纸包打开。纸包里是一只钻石指环和一封柯秋心写给杨一鸣的信。余桐只希望有什么足资证明的情报，他的眼睛只瞧见那封信，却不注意指环。他把信纸展开来时，他的手指都在簌簌地颤着。信是用钢笔写的，满满地写了一页。

余桐向大众宣告了一句，朗声念那信道："一鸣先生：我是一个奴隶！我过的简直不是人的生活！但除了你以外，我还没有听得过一句真正同情的话。那自称我的表兄的王百喜，实在是我命运中的魔鬼！我的年纪太轻，没有受充分的教育，又迷着盲目的自由，不听我的父母的劝告，一时错误，受了这魔鬼的诱惑，便丧失了贞操，抛弃了家庭，跟他到了这万恶的都市，沦落到这非人生活的地位！三年来，我已给他挣了不少卖命钱，但他还不肯放松我。我的堕落的生活和强支的病体，实在再不能忍受了。幸亏我的灵魂还是纯洁的。现在我已决心脱离这恶浊的世界了！方才你要查问我的心事。这怎么可以说得出口？况且说了也是徒然，也许反会连累你。你要我跟你到普陀去，可是我不能告诉你，我是个完全没有自由的奴隶。所以我向你借你的那只指环，想借此移换一个谈话的题目，不愿你再问我一言难尽的身世。现在我不能亲自奉还，只得差小莲送还你了。我很感激你的同情，也知道你是个艺术的信徒。但是真正的艺术不是在舞场里寻得到的！这句话你得记着，就算是我最后的忠告吧。……柯秋心上，九月二十八日灯下。"

这封信一经宣读，局势起了显著的转捩。余桐像一个溺在中流的人无意中抓着了一根余来的木头。自然，王百喜的地位越见得危险了。审讯室中的男女们都不期然而然地凝视着他。陈大彪眯缝了血目，向百喜做丑脸。百喜的头沉倒了。余桐的眉宇间宽展了些。

他说："王百喜，这一封信你听清楚没有？现在你还有什么话？"

王百喜仰起脸来，微微咳了一声，点了点头，勉强保持着他的常态。

他答道："署长，你把这封信算作一种证据吗？唔，不错。不过你得注意。信中固然有不少不满意我的话，可是这明明是因着感情的驱使，才写得这样过火。归纳起来，有两点值得注意。第一，伊因着我暂时让伊担负了生计的责任，不无有些怨望，第二，伊因着身体的患病，很有厌世的倾向。刚才这个强盗诬指我是凶手。试想我的眼前的生活既然还得借重伊的力，我怎么肯出此自绝生路的下策？又怎忍下这样的毒手？照这信中的语气看来，我表妹若不是被这强盗所害，显然是出于自杀的。我很侥幸，有了这封信，尽可以作我辩白的反证，省却我许多麻烦。"

尴尬的罗网又罩上了余桐的头。他觉得王百喜有一副舌枪唇剑的本领，确是一个坏蛋，但他的辩白不能说完全没有理由。他又用什么话驳斥他？一伙人的反应也个个不同。胡少山和贾三芝在交换眉目和点头。杨一鸣怒瞪着百喜。周医生最宁静，不过也掩不住他心中的惊异。戚福和杏生像听故事出了神，可是有些半明半昧的神气。女人们的情态又是另一种方式：小莲的眼眶中充满着泪水，潘爱美在低头叹息，徐楚玉却把担忧的目光在余桐和王百喜之间溜来溜去。那两个绑匪又是另一副姿态：张小黑沉下脸，闭紧了嘴，陈大彪却嘻开了大口，好像忘掉了他自身的罪名在得意。其余的书记、听差、警士们都肃穆地静听着。尴尬的只有余桐。他咬紧了嘴唇，握了拳头，兀自向门口瞧着。

救星到了！霍桑匆匆地从外面走进来，手中仍挟着那根黑漆的手杖。一伙人发出了一阵情不自禁的小小的诧异声音。余桐几乎喊起来。霍桑先走到余桐面前，看看公文和信。他对于王百喜的答辩，似乎已在外面听得了一部分，笑嘻嘻地向他走近去。

他安闲地说："王先生，你的理由确实是充分的，我对你表十二分的同情。因为我知道你干这件事本不是蓄意如此的。"

王百喜失血的脸突然旋过来："我干什么事？"

霍桑轻描淡写地说："自然是杀死柯秋心啊。"

百喜瞧着霍桑大声道："什么？霍先生，你也这样说？我为什么杀表妹？动机呢？"

"唔，动机的确很模糊，所以当初很困我的脑筋。"

"喔，当初很模糊，现在你也不会清楚啊！你是当侦探的，不比那个无赖的强盗。你说话应得知道轻重。这句话你可能负责?"他高压的语气很像要吓退霍桑。

霍桑仍笑嘻嘻地应道:"是,当然负责。余署长,诸位,大家请坐。现在我为直截痛快起见,就说几句负责话吧。我们根据法医的检验,知道秋心的被害,在二十八日上午近一点钟时。那晚两点钟光景,周文柏医生也告诉我,秋心大概死了一个钟头。在一点钟左右,杨一鸣还在明月舞场,贾三芝在浦江旅社东首的元丰酒店里,都有人证明。王先生,你在那个时候,可能够证明在什么地方?……唉!慢,我来给你证明了吧。那晚上十二点半,贾三芝重新回到舞场,他把失意的经历告诉了你。你听了当然非常关心。你的唯一的目的在叫秋心弄钱,弄钱越多越好。那时你听贾三芝说秋心竟拒绝他的钻镯,这自然不能不使你诧异,也许是恼怒。所以你在贾三芝说完了话匆匆退出以后,就也跟踪而出。那时恰在十二点四十分左右。看门的戚福明明瞧见你。你可记得那晚上我们向戚福问话,他说到贾三芝第二次离舞场的那句话时,曾向你很有意思地瞧过一瞧?我后来因着别的事的印证,才想到戚福这一瞧之中,分明含着'你也在那时候出去的啊'的暗示。戚福,我没有说错吧?嗯,好。后来徐楚玉在舞场中找不到你。马杏生告诉伊贾三芝曾和你密谈过,你好像很气。徐小姐就也赶到秋心寓里去找你。从这两点瞧,便可证明你离了舞场,就一直到秋心家去的。"

王百喜辩道:"胡说!那时候我是往朋友家去的,尽可以证明。"他的声音有些颤。

霍桑不理会,自顾自地继续说:"你第一次到秋心家里时,大概在十二点三刻。那时小莲已经去送信——实际上是被绑了——只有秋心一个人在屋子里。我已经说过了。你去看秋心的时候，确是没有行凶意思的。但见面以后，你当然要申斥伊几句，或者向伊索取那只杨一鸣的钻环。因为这一回事，贾三芝一定也告诉你。那时候秋心也许早存了自杀的心。伊恨你，打算打死了你，再自杀，就取出伊的手枪来向你发了一枪，可是没有打中。这枪弹事后我们已在墙壁中捡到。你当时夺到了伊的手枪，一半自卫，一半报复，就将伊打死。那原是很自然的。"

王百喜镇静的态度再保不住了。他的紫褐色的嘴唇微微地颤着，双手紧紧握着拳头。假使他留着指甲，那时他的指甲也许会陷进他的掌心里去。这情态映进了余桐的眼球，自然有一种忍俊不禁的高兴。

他冲口说："好家伙！你再赖？"他的有火的眼光直射着那穿青灰色小方格呢袍的瘦长子。

王百喜仍强制着道："真是一派胡言！我到伊家里去时，已在伊被杀以后。不然，行凶的若使是我，我为什么第二次再进去？这就是一种显明的证明。"

霍桑答道："这里面的缘由，要问你自己了。你也许觉得作案时落下了什么破绽，要进去弥补一下，或是你舍不得什么东西，故而再冒险进去弄到手。不错，你说这一点是一种明显的证明，我也同意，不过所证的还是在你的罪行上多加一种铁证。我们还记得杨一鸣的供词，那时他吓昏了，伏在一只沙发背后。他听得你喊小莲的声音，才认识是你。试想，你既然去瞧秋心，你总也知道伊从舞场里回去后，夜夜有在憩坐室中读报的习惯，怎么你不叫秋心，却喊小莲？岂非那时候你明知秋心已经死了，再呼叫不应，故而喊小莲吗？这句话你也可以辩吗？"

辩？谈何容易？这揭发是有心理根据的。王百喜的口齿虽是百分之百伶俐，这时也没话可辩了。他咬着牙齿，怒睁着双目，仿佛想把霍桑一口吞下去。假使这地方不是众目昭彰，他的隐藏在文明幌子后的兽性势必将尽情暴露。余桐在连连点头。陈大彪也受了暗示地在牵嘴偷笑。

王百喜咆哮地道："署长，你是靠法律吃饭的。你总懂得凭着这样的空话，毫无实际的证据，便想把杀人罪加给人，那是天大的笑话！"

余桐不答，只瞧着霍桑。霍桑把右手叉在腰部，斜着目光，向王百喜瞟一眼。

他点头道："是，这是笑话，不过发笑的不是你！你有了这样的口才和机智，又有一副媚人的诱惑本领，莫怪妇女们会自然而然地陷进你的罗网中来！你的话不错。我刚才说的，都是假定的理论。从法律的观点说，着重的是物质的证据。陈大彪的指认，虽是个确切的人证，但是你也仍旧可以抵赖，似乎都不足定你的罪。好，现在我给你瞧些实际的证据吧！"

霍桑停一停，把手中拿着的手杖小心地提起来。这手杖仿佛变作魔术家的指挥棒，吸引了每一个人的视线。王百喜的眼球充满了血，几乎要突出眼眶来。

霍桑又从容地说："我们在手枪上查得了一男一女两个指印，我已经分别将有关系的人的指印比对过。女的是死者自己的，男的却是你的。哈哈！你奇怪吗？你自己觉得不会留过指印给我们吗？是的！你虽是绝顶狡猾，可是仍不免百密一疏。在半点钟前，你自己情情愿愿地送了一个指印给我！刚才我在会客室中，和你附耳谈几句话。我说我很怀疑胡少山。你说你也和我同意。我的手杖偶然落在地上，承你好意给我拾了起来。可惜你不会注意到我的手杖的漆泽是特别光滑的，有一种留存指纹的作用。这一着就是你的百密一疏。是不是？"

霍桑且说且摸出一张指纹的照片和一个放大镜，连着那根手杖送到余桐面前去。

他又说："余署长，你还没有瞧过哩。这手杖上我已掺过混合粉，显现得非常清楚。你瞧这照片上的男子的大拇指指印，就是从手枪上摄下来的。那是漩涡形。你再瞧这手杖上的拇指印，也是同样的漩涡形。你仔细数一数那曲线和角度，便可以——"

砰！

一声枪音不但打断了霍桑的下文，又引起了极度的纷扰。枪是王百喜发的，幸亏霍桑早有防备，拉着余桐都把身子一蹲。枪弹飞出了窗口。一伙人都慌乱了。女子们在骇叫。男子们有的躲在壁角，有的愣住了发怔。贾三芝和胡少山不约而同地钻到了椅子底下去。两个警士扑向王百喜的身边去，可是给他的手枪扬一扬，吓住了。

"快捉住他！……快捉住他！……"

余桐的命令不见效，就亲自冒险冲上去。

砰！

一个警士受伤了。王百喜像出柙的猛虎，飞身向门跑。审讯室的门口是空虚的。杨一鸣的神志清楚了，奋勇追出去，却给霍桑拉住了。

砰！

这第三枪是霍桑回击的，打在王百喜的腿后面。百喜的身子晃一晃，余桐就把他从背后抱住。一鸣夺去了他的手枪。三个警士都赶过去，结束了这一幕全武行。

一个月以后，杨一鸣和潘爱美从普陀回来，重新经过上海。夫妇俩特地送一个花圈到秋心的坟上去。在白杨萧萧之下，他们掉了几滴同情的眼泪。杨一鸣在去拜谢霍桑之前，找到蒋哲生和宋兆源，他向他们致谢。因为他们俩受了一鸣的委托，给柯秋心在虹桥西边造了一个安骨的坟。他们谈起这案子的经过，一鸣才知道那吸血魔鬼王百喜已处了死刑。那两个匪徒——陈大彪和张小黑——都被判了徒刑。但陈大彪因着指认凶手，比他的同伙减轻了一年。贾三芝开枪打一鸣，一鸣当时虽因急于脱离这个漩涡，没有提起自诉，但地方法院的乔检察官是个不畏权势的执法者，不肯宽恕这个本性难改的假面闲人，保障钱权的于律师自然拼命地给贾三芝出力，可是乔检察官执法不阿，终于提出了杀人未遂的公诉，让贾三芝玩弄女性的勾当休息了三年。只有那胡少山仍安然地干那戕害青年、断丧风化的营业，法律也奈何他不得。

杨一鸣也把他和他的妻子所受的痛苦重新解释了几句。

他说："爱美那晚上果真到秋心寓里去找我的。伊意外地看见秋心躺在地上，起初还莫名其妙，等到伊伸手在秋心胸口摸了一摸，才知已经被人谋死。伊逃出来后，回到旅馆，竟像失了魂灵。后来伊听说我连夜要走，就疑心这凶案是我干的。我看见伊手套上有血，也误会了伊。因此，在警署中审讯的时候，因着彼此的误会，我们俩便互相认罪。现在回想起来，要不是霍桑先生的独具只眼，我们俩确乎很危险呢！"

宋兆源道："这一件事实在太凑巧，我们也觉得有些对不起你。不过我们那天的忠告，你以后还有注意的价值。"

杨一鸣点点头，应道："是的，在我们这个千疮百孔的时代，舞场不但不能做一般人的娱乐场所，简直还是制造罪恶的中心。我觉得你们俩的忠告，我也得同样地回敬你们。因为你们是有前途的青年。"

宋兆源点点头："是的，自从这件案子发生以后，我和哲生早就戒舞了。"

蒋哲生也笑着说："好了，我们不要谈这种没趣的话吧。我知道你要从旅行中搜集小说资料。这一回事若使写了出来，也可算是一幕舞场生活的缩影。"

杨一鸣叹息道："不过这样的资料太伤心了，我怎忍下笔呢？"

打　赌

一件小事

在那些闲话制造所式的茶坊酒铺中，我时常会听得些奇怪的问答："那个报纸上常登的大侦探霍桑，怎么能够窥见人家的秘密？又怎么能猜测人家的心思？"那时那些博学多才的遗老遗少们自然会自动回答："他是有千里眼的啊！"或是说得更高明些："他也许学得了奇门遁甲，掐指阴阳算出来的！"

这些话进了霍桑的耳朵，常常引起他的慨叹，发出一大篇牢骚。

他常说："一般号称士绅之流的思想至今还这般沉浸在迷信的深谷中，又怎能希望社会的进步和民族的发展？在这 20世纪的世界，我们的强邻都已饱受了科学的洗礼，独有我们这老大民族还不曾脱神权时代的色彩。按着天演的公例，我们又怎能不落伍？"他又会沉着脸儿，郑重其事地向我道："包朗，关于这一点，你在记载上也应当负些责任。"

我暗暗诧异。他的牢骚没处发泄，难道要发泄到我身上来？我自然要答辩：

"奇怪，你怎么怪我？我所发表的案子，哪一点有超自然的现象？哪一处涉及神话和迷信？我几曾把你写成神通广大的'老祖'式的人物——？"

霍桑忽阻止道："好了。你不要误会。我不曾说你有过这样的记载，不过你所叙述的案子大半是属于胜利方面的。因此一般以耳代目的人便误会我有三头六臂。这误会不仅违反我的本意，而且影响很大。你若能把我失败的经过介绍一二，使人们知道我也只是一个'人'！人的生活史中，有成功，一定也有失败。那么这种无意识的谰言不是可以减少些吗？"

我因着他这一番议论，便从他的失败史中拣出了一段小小的事实，现在据实记录在下面。

那天是孙芝年的母亲七十寿辰，芝年特地备了几席酒，邀了几个相知的亲友，替他的母亲庆寿。霍桑和我也在被请之列。芝年是一个负盛名的中国画家，专长花卉，笔意萧疏，有一种脱俗绝尘的高致，书法也佳，写得一手悻字。他的性情虽近于孤高，和我们却非常莫逆。此番又是他的母亲七十岁的生日，"人生七十古来稀"，比不得寻常无聊的酬酢。霍桑才破例和我一同去贺寿。

寿筵既罢，有许多宾客告辞散去。芝年还以为不曾畅饮，邀了我和霍桑，三个人到后厅来缓酌谈心。

我们的闲谈转到了画的问题。芝年以为书画可以表现人的性格的话，真是确切不移的。胸襟旷达情感丰富的人，落笔自然有高超之致；若是市侩式的画匠，无论怎样孜孜求工，却总洗不掉庸俗的面目。

这议论霍桑非常赞服，不过他又补充了几句。

他说："在这以物质为生活重心的社会中，那些清高自赏的书画名家已经不可多得了！这不是今人不及古人，实在是因着环境的变迁，人事的繁复，生活条件的庞杂，政府又不能将护扶掖，艺术的天才受不住多方面的压迫，便不能不终于降服埋没。这是很可惜的！"

我们谈得投机，又饮了三刻多钟，芝年早已有些醉意。一个十四五岁的小使女忽而走进来，传说芝年的夫人请芝年进去。霍桑仍毫不在意，依旧自斟自酌。我看见他的两颊上已泛着些红色，显见也已有几分酒意，禁不住提醒他一句：

"霍桑，你知趣些吧。"

霍桑正提起了那把古式的锡酒壶，预备再斟满一杯，一听我的话，便仰面怔了一怔。他放下了酒壶：

"怎么样？你的话有什么意思？"

我笑道："你自己总也明白。怎么还要问我？"

他又向我瞅了一眼，似乎还莫名其妙。

一会儿，他又问道："包朗，你到底什么意思？不是说我饮酒太多了吧？我一共还没有喝到半斤哩。"

我道："你虽没有饮满半斤，芝年却已喝了三斤多酒。此刻他既然被他的夫人唤了进去，你也该知趣些了。"

他笑一笑："你是说我们这样子饮酒，不免要引起芝年夫人的厌恶吗？伊此刻唤伊的丈夫进去，也就是伊逐客的表示吗？唉！不，不会。你未免过虑了。我相信芝年夫人绝不是这样的妇人。我们是难得尽欢，原不是狂饮无度的酒汉。你放心。伊所以唤芝年进去，大概有什么家务。我可以保证伊绝不会逐客。"

他重新提起了酒壶，满满地斟了一杯，举起来饮了一口。

我又说："人家虽然不会逐客，但你自己也应得识趣些。你是一向不喝酒的，今天饮得也太多了。"

霍桑道："你别说我。我今天喝的，比你也多不上几两。"他将手指一指刚才斟满的黄澄澄的小酒杯："连这一杯子至多也不会超过半斤。"

我说："不错，不过我们平日本是不饮酒的——尤其是你。偶然饮一些，两三杯也足够了，半斤不是已经过量了吗？你常说饮了过量的酒，不免要使脑力昏聩和发生健忘的病。你今天不是自己打嘴了吗？"

霍桑皱着双眉，忽现出不安的神色："包朗，你的话固然不错。但是今天我因着和芝年谈得有兴，才多喝了几杯，过量究竟还谈不到。"

我笑道："你的嘴虽没有过量，你的神色早已告诉我了。如果这时候有什么案子发生，那你就要闹笑话了！"

霍桑把酒杯推在一边，摸出一块白巾来，抹了抹嘴。他的比较沉滞的眼光瞧着我。

他笑道："喔，你竟说我会如此？我可以跟你打赌。绝不会！……唔，可惜这时候没有什么疑难问题，否则倒可以证实一下，我的脑子是不是仍健全无恙。包朗，要是有的话，我相信你一定要自认失言哩。"

芝年忽然匆匆从内室走来，气息有些急促。他的脸上本来常留着笑容，此刻已没有一丝踪影，换上的是一副愁容。坏了！莫非他果真吃了他夫人的没趣？

霍桑诧异地问道："芝年，什么事？"

芝年坐了下来，才颦蹙着说："我的表嫂丢失了一粒珠子，便闹起来了。真是一件扫兴的事！"

霍桑惊异道："丢失一粒珍珠？"

他回头向我一瞧，似乎说疑难问题果然发生了，不妨借此试一试他的脑力到底清醒不清醒。我也不提防有这一着，便也敛神等芝年的答话。

孙芝年道："是啊，伊本下榻在西书房中。据伊说，珠子是在房中不见的。他们寻了一会儿，找不到。我应许伊赔偿一粒，伊还是吵闹不休。真没趣！"

我插口道："那么嫂夫人方才叫你进去，就因着这一件事？"

孙芝年道："正是。伊的意思是还想趁这个便宜机会，请二位进去商量一下。但是那珠子至多不过值三五十元，我们的酒兴正浓，岂值得因此打断？故而我已经一口回绝。"

霍桑忽自告奋勇地说："好极！我们的酒量已足够了，至少也可以停一停。嫂夫人既然有这意见，我们不妨就进去瞧一下子。"

霍桑又向我微微一笑，似乎他一定要乘此机缘，证明我方才的过虑。我也向他笑一笑，并不回答。

孙芝年道："我想这样一件小事，不值得劳二位的神。"

霍桑已经立起来："不。这不是劳神的事，我们只借此玩玩。对不起，请你暂停一杯，替我们引导。"

辩　论

孙芝年的表嫂姓何，年纪约莫四十，打扮也带些乡下气。三天前伊带了伊的两个孩子，从常熟到上海来，也是为着庆寿来的。这时伊忽然失了一粒珍珠，慌得不得了。我们进去时，伊正踅着一双小足，在壁角墙脚东寻西觅，嘴里还唧唧哝哝的，好似苍蝇切去了头一般地乱抖。我们跨进了西书房的门口，伊还是在室中打旋。芝年夫人也在室中，手中抱着一个未满周岁的孩子，就是那何表嫂的次儿。

芝年夫人一看见我们，才唤住伊道："嫂嫂，你休息一会儿吧。这室中你也寻得够了。现在不如把这回事的详情告诉这两位先生。他们也许能够使你珠还。"

何氏站直了，缩住了手，定一定神，仰面瞧着我们。伊的面容也白皙，一双活泼的眼睛，两片薄薄的嘴唇，显得是一个擅长口才的女子。

霍桑乘机道："何夫人，请问是怎么样一粒珠子？怎么样丢失的？"

何氏从桌子上取起一只戒指，说："先生，珠子就是镶在这只戒指上的。我们常熟地方的银楼，镶工不大精。方才我正在洗手，珠子忽然从镶口上落了下来。"

伊随即将戒指给我们瞧。戒指是纯赤金的，镶齿果然粗笨不灵，而且有两个镶齿已经松开。

霍桑察验了一下，重新放在桌上，说："这戒指上还留着些肥皂呢。你不是就在洗手的时候失落在水中的？"

何氏道："不是。那时我看见珠子落了下来，就将戒指从手指上除下，连那珠子一块儿放在这张桌上。不料一霎眼睛，珠子就忽然不见。"

霍桑道："奇怪！你说得仔细一些。你放珠子的时候，这室中可有什么别的人？"

何氏摇头道："没有。"伊顺手指一指芝年夫人手中抱着的孩子："只有家禄坐在那只靠窗的桌子上面。"

"你将戒指和珠子放在桌上以后，有没有离开这房？"

"出去过的，可是只有一霎眼睛工夫，我就回进来。那时候不但桌子上的珠子不见了，就是这戒指也已丢在近门口的地上。"

霍桑一手叉在腰部，一手摸着下颏，微微地笑了一笑：

"进步些了……唔，当时你为什么事出去？"

"我突然听得外面有家福的哭声——家福是我的大儿子，

今年才四岁。我慌忙奔出去瞧时，黄妈正奔过来挽他，才知道他跌了一跤。但家福没有跌痛，我也就回进来。当我走进这室中的时候，看见彩屏匆匆地从这里出去——"

"唉——彩屏是谁？"

孙芝年接口道："彩屏是我家雇用的小使女，刚才传话叫我的就是。"

霍桑连连点头道："唔。除了彩屏以外，何夫人可还瞧见过别人？"

芝年的表嫂又摇摇头："没有。我只看见彩屏一个人从这里出去。"

"果真只有彩屏一个人？"

"是，我没有看见别的人。"

"那么家福跌在什么地方？"

"就跌在前面的厢房里。"

"你从这里出去，大约有多少时候？"

"我一去一回，至多不过五六分钟工夫。"

"唉，五六分钟工夫也算不得一霎眼了。那时候如果有什么其他人进来，偷了你的珠子出去，时间也是绰绰有余的。"

何氏忙摇手道："不会，绝不会。因为我从这里出去时，彩屏是瞧见我的；等我回进来，彩屏刚才从这里出去。据伊自己说，并没有什么人进来过。"

霍桑交抱着两臂，咬了咬嘴唇，脸上显出不快的样子。原因是他的见解给否定了。

他说："你已经问过彩屏了吗？伊怎么样说？"

何氏道："伊说伊到这室中来是替我倒去洗手水的，但是这也许是伊的托词。"

霍桑立即道:"喔,这样说,你以为珠子是彩屏窃去的?"

何氏听了这句,抬起目光,在孙芝年夫妇的脸上瞅了一眼,双颊上泛出一种红色,似乎自觉有些唐突。接着伊就低着头不答。

芝年接嘴道:"不妨事。表嫂,你直说好了。假使这小使女果真做了这偷窃的勾当,我理当负赔偿的责任。"

何氏缓缓地答道:"表兄,请原谅。一粒珠子原值不得重价。不过这是我阿婆赠给我的见仪,失去了未免教老人家不快乐。所以我才这样着急,想要查究它的根由。"

芝年夫人道:"嫂子的话不错。我们也竭力想把原物寻还。现在你把霍先生问的话仔细地答复。"

霍桑应道:"是啊。何夫人的意思如果只怀疑彩屏,请你就说明白了,我们只可以根究。"

何氏仍低着头道:"我所以疑心伊,原也是情势中应有的事。因为当时我离去以后,只有伊一个人进来过。"

"不错。但你当时既然疑心伊窃珠,为什么不索性马上在伊的身上搜一搜?"

"那时我即使搜伊,也没有用。因为我问伊的时候,并不是伊第一次从这里出去。直到我发现了失珠以后,才重新叫伊进来问的。"

霍桑显然又碰了一个钉子:"唉,唉。我真糊涂!你进来的时候,彩屏正从这室中走出去,你当然还没有发现失珠哩。"

他举着一只手,在自己的额角上拍了一下,又偷眼瞧瞧我,似乎他要知道我到底觉察了他的破绽没有。我只微微笑了一笑,连忙把目光移到别处去,不和他相触。

霍桑继续道:"现在我还有一个问句,请何夫人先仔细想一想，然后再答复。当你听得外面令郎的哭声的时候，是否确实将珠子放在桌子上，或是顺手带了出去？如果是你带了出去的话，那就应当别寻路径了。"

何氏呆了一呆，答道："我记得我确实放在桌子上的。不然这戒指怎么会单独留在室中？"

"这就来了。你如果疑心彩屏，伊怎么单窃一粒珠子？这戒指伊怎么倒反而客气不拿？"

"珠子的价值比戒指贵几倍，伊自然拣值钱的拿了。"

霍桑摇摇头："这一层我不敢赞同。方才我看见彩屏是一个初出茅庐的乡下女孩子。在乡下人的心目中，金子当然是他们最贵重的东西。所以你说珠子比金子价高几倍，彩屏似乎不会有这样的辨别力？"

何氏又辩道："还有一个理由。珠子是一粒小东西，容易藏匿，戒指可有些危险。故而只拿珠子。"

"那么这戒指又怎么会落到地上去？"

"我想伊当初或者本有一起窃取的意思。后来伊想到如果被人家搜检起来，难免要露出真相。所以当伊将要出室的时候，便把戒指丢在地上。"

霍桑不答，但把目光向那椅桌所在瞧了几瞧，又低着头兀自寻思。我暗想这一件事无论如何，先得把彩屏问一下子，看伊的答话如何，再做计议。可是霍桑绝不想到，一味替彩屏辩护。我真不知道他根据什么理由。他今天喝过好几杯酒了，难道他的脑力果真会失了常度？

霍桑又抬起头来，问道："何夫人，你回进来时，你的第二个少君家禄怎么样情形？你可还记得？"

何氏诧异道："先生，什么意思？你莫非以为珠子是家禄

丢掉的？如果如此，珠子应当在这室中。但是我已经寻过好一
会儿，就是表妹也替我找过了。"

霍桑的问句有什么含意，我也听不懂。我的眼光移到芝年
夫人抱着的家禄身上。家禄是一个很肥胖的孩子，大约有八九
个月光景的年龄。这时他正握着小拳，放在自己口中咬着，两
只滚圆的眼睛也睁睁地向我们不住地乱瞧，看来很讨人欢喜。

霍桑继续道："何夫人，请原谅。我所问的，另外有一种
见解。现在请你追想一下。那时候少君是否仍旧坐在桌子上
面，或是有什么别的情形？请你明白答复我。"

何氏沉吟了一会儿，才答道："我记得那时候他仍旧坐
在桌子上，但是他正哭着，大概是因着我离开了他。"

霍桑一听这句话，他的眼珠突然闪一闪。他把交抱的手放
下了，回头奔到桌子边，又将那戒指取起来细瞧。一会儿他带
着惊惶的声调，回头向孙芝年说话：

"芝年兄，你这里近处可有什么西医？"

芝年不知道他有什么用意，张大了眼睛，向他呆瞧。

他反问道："什么意思？"

"事情很紧急！你快说，有没有？"

"西医是有的，离我家只有二十多家门面。他就是我的朋
友赵子渊医生。霍桑兄，你为什么要——？"

霍桑急急道："很好，很好。你姑且别问。他既然是你的
朋友，快打发一个人去请他就来。越快越好！"

僵　局

孙芝年在无可奈何中，盲从地走出去。霍桑负着两手，呆

望着家禄那孩子，一言不发。两个女人在面面相觑。小孩子家禄还在啃拳头，似乎正津津有味。我旁听了好久，也满腹疑团，不知道他到底有什么意思，可是这时候我又不便问他。五六分钟光景，芝年又回来了。

他说："霍桑兄，我已经打发人去请赵医生了。但是你到底为什么要请医生，我实在不明白。"

这问句不但已蓄积在我的喉中，冲冒了好几次，几乎耐不住，就是芝年夫人和失珠的小脚女人，分明也都表同情。

霍桑缓缓地答道："你既然怀疑，我就说明了也不妨。我之所以要请西医来，就想和他商量一个问题。"

芝年道："商量什么问题？"

"就是怎么样可以把珠子追回来。"

"我还是不明白。这件事为什么要和医生商量？"

霍桑侧着头向芝年瞧一瞧，仿佛一个演说家在发表什么警切的演词以前，顿一顿，做一种蓄势。

他道："芝年兄，你不明白？我来告诉你。这一粒珠子的遗失，应分室内和室外两个问题。何夫人既然说不曾将珠子带出室去，确实放在桌子上，室外遗失的问题当然可以除外了。我们就在室内着想，也有三条路径：

"第一，就是遗落在地上。我瞧这室中的地板非常紧密，陈设的器物又不多，况且又经你们仔细寻过，显见得不成事实。第二，或者是有人偷去了。何夫人离室的时间既然不久，伊又说除了彩屏，没有第二个人进来过。彩屏是乡下孩子，我已经说过了。方才伊出去传达芝年夫人的说话，我也见过伊的状态，不是像窃过东西的人。可见得这两条路都走不通了。"

孙芝年似也被引起了兴味，催着道："那么请你说第三条路吧。"

　　霍桑似乎没有听得，忽然指着家禄说："你们请瞧，这孩子大概已到了生齿时期了。凡在生齿时期的婴孩，最喜欢试验他们的咬嚼力，不论遇见了什么东西，只要握提得起，总会向他们的嘴里送——"

　　芝年的表嫂忽似触悟了什么，惊慌道："哎哟！先生，你不是说珠子已给家禄吞下肚子里去了吗？"

　　霍桑应道："是。就事实而论，只有这一条路！"

　　何氏张大了眼，问道："真的？"

　　霍桑道："自然。我还有一种见解可以证明我的话。这孩子既然将珠子吞入口中，珠子是圆滑的东西，不消说一滑便滑下了咽喉。接着他又把这戒指取起来，一样送进他的嘴里去。可是戒指上有尖锐的镶齿。他的牙齿一咬，就刺伤出血，他一觉得痛，就哭起来，故而戒指也给丢到地上去。"

　　孙芝年也作惊怪声道："霍桑兄，你相信你的见解是确实的？"

　　霍桑应道："是。我瞧见他那小手的背上还略略留着些血痕，似乎就是从他的牙龈上沾染下来的。指环的齿尖上也有一丝血迹。你们但须将这孩子的牙龈验一验，到底有没有破伤，就可以知道我的话实在不实在。"

　　何氏急忙奔到芝年夫人的面前，一手将伊的孩子抱过了，又扳开了他的小嘴，细细地瞧视。一会儿，伊不禁失声惊呼：

　　"哎哟！他的牙肉果真伤破了！……哎哟，这怎么好呢？"

　　芝年夫妇俩也不由着急起来。他们看见霍桑的话既经证实，就认为那珠子吞入了家禄腹中的见解也当然无可怀疑。

　　芝年夫人说："霍先生，既然如此，你想可碍事？"

何氏紧紧地抱着伊的家禄，也说："先生，珠子咽下去了，可还有法子取出来？这孩子的性命可会有危险？"

霍桑被他们急急地逼着，皱紧了眉毛，一时似乎也失了镇静。

他期期地答道："大概不……不要紧吧？我虽不是医生，不能下什么肯定的答复，但是性命的危险，我相信不会有。"

何氏慌乱地说："那么怎么样取出来呢？我……我急死了！"

芝年夫人说："赶快想法子啊！"

霍桑道："你们别慌。为着这个，已经去请医生来了。"

芝年一半自己着急，一半安慰人家地说："对，等子渊一到，总有办法。大家别慌张。"

事实上这时候大家是非常慌张的，连芝年自己也不例外。我想到那孩子的安危，也不禁怀着鬼胎。天真无知的家禄被他的母亲紧紧地抱持着，看见了大家骇乱的状态，无知也有知了，忽而哇的一声哭起来。

何氏嚷着道："好孩子！别哭！……别哭！"

伊一边说着，一边伸手到衣袋里去摸一块白布，预备替家禄拭泪。家禄不但不听命，泪水直流，越哭越响了。芝年在窗口张张，又搔搔头。他的妻子用手帮助着抚摸孩子。孩子兀自哭不停。霍桑无能为力地在咬嘴唇。这权充卧室的西书房中一时间形成了一种纷扰尴尬的局面。

滴答！

一种细碎的声音冲破了孩子的哭声，刺进我的耳官。我微微一震，似乎有一粒细圆的东西在地板上滚着。

霍桑的眼光在地板上掠一掠，突地变了面色，大声呼叫：

"珠子——珠子落在地板上了！"

这呼声吸引了大家的目光，彼此都俯向地板上寻觅。孙芝年抢先俯身下去，一会儿立起来惊呼：

"唉，真的！珠子果真在这里了！……但是……它……它从哪里出来的呢？"

问句是应有的，可是大家都呆住了不能回答，室中反而静寂起来。静寂中我的脑思迅速地活动。我觉得霍桑这一次真个失败了！他说珠子被家禄咽下去了，说得头头是道，多么动听，但是这珠子不像是从孩子口中吐出来的啊！

芝年夫人提出了一种意见：

"这珠子可是家禄嘴里吐出来的？"

伊说了这句，把伊的目光转到霍桑的脸上，显然在等他答复。芝年瞧瞧那小脚女人抱着的孩子，又瞧瞧霍桑。霍桑却直僵僵地站着。他的目光注在窗外，仿佛不闻不见。

孙芝年的表嫂代替着回答："不是！不是。……唉！我记起来了！真该死！珠子不是家禄吐出来的。我当初一时慌忙，自己将珠子随手放在衣袋里，事后就忘掉了。现在我摸手巾给家禄抹眼泪，珠子随着手巾落出来了！"

解释很简单，也很合理，可是也很出意料。霍桑仍钉住在窗口，像变作了一个石像。我真替他难受。

孙芝年沉着脸问道："嫂子，这珠子本来没有失去吗？"

何氏答道："唔——是的。"

芝年又问："那么方才霍先生问你，你怎么还说确实放在桌子上的呢？"

何氏涨红了脸，答道："表兄，请原谅。这……这实是我的不是。因为我最初从面盆中拿起了珠子，本想一起放在桌子上的。那时我忽然听得家福的哭声，不由心慌意乱，匆忙中我只将戒指放在桌上，珠子却顺手纳在袋里。我的心飞到了家福身上，我的手的动作一时竟模糊了，就完全记不得这一回事。后来我看见戒指落在地上，珠子已不见，就以为是遗失了。表兄，我真是太粗心，空闹了一回，又惊动了这两位先生。我很难为情！"

又静一静。大家都没有批评。霍桑张着两目，睁睁地向我注视着。我觉得他的目光中满含着懊丧、失望和羞愧。他果真也自认失败了！

小使女彩屏走进来，高声喊道："赵医生来了！"

僵！弄假成真，这一着更会使霍桑难堪。他又怎么样对付这医生？

孙芝年低声说："唔，也好。老朋友，没有关系。他既然来了，我就也请他吃一杯寿酒。这件事我们不必提起。"他抢步出去招呼。

霍桑忽拉住他："芝年兄，慢！我同你一块儿去见他。我正用得着他。"

芝年立定了，问道："你还要用他做什么？"

霍桑弩着嘴唇，向着我噘了一噘，说："你问包朗兄吧。我今天和他打过赌，竟输给他了。"

中年穿长袍的赵子渊医生已提着皮包蹀进来。彩屏仍跟在后面。

霍桑抢口招呼道："赵医生，劳驾了。我今天多喝了几杯酒，头脑忽然发昏。此刻我要劳你的神，给我开一服醒酒剂，清清我的脑筋！"